Wat overblijft

Van Lieneke Dijkzeul verscheen eveneens bij uitgeverij Anthos

De stille zonde
Koude lente
De geur van regen
Verloren zoon

Lieneke Dijkzeul

Wat overblijft

Anthos|Amsterdam

ISBN 978 90 414 2158 6
© 2012 Lieneke Dijkzeul
Omslagontwerp Roald Triebels, Amsterdam
Omslagillustratie Hywel Jones / Stone / Getty Images
Foto auteur Tessa Posthuma de Boer

Verspreiding voor België:
Veen Bosch & Keuning uitgevers n.v., Antwerpen

Voor Bull

I

In zijn roerloosheid leek hij gekrompen, of misschien was het de houding die maakte dat zijn schouders minder breed schenen, zijn benen korter en zelfs zijn handen kleiner. Hij lag op zijn rug, zijn hoofd ongemakkelijk tegen een aanrechtkastje. Kin op de borst, de rechterhand op zijn maag, de linkerarm netjes naast zijn zij. De benen in de krijtstreepbroek leken ontspannen gestrekt, het licht van de plafondlamp maakte een fijn waas van stof zichtbaar op de glimmende bruine schoenen. Op het lichtblauwe overhemd zat een enorme, helderrode vlek. Hoewel misschien niet eens zo groot, als je bedacht dat onder de vlek de oorzaak van zijn dood schuilging.

Zelf had ze zich ook al minutenlang niet verroerd, alsof hij – in een merkwaardig soort verbondenheid – zijn stilte op haar had overgedragen. Het verschil was dat haar borstkas op en neer ging, terwijl de zijne niet bewoog. Een tweede verschil was dat haar hersens begonnen te werken, haar vertelden dat ze de stilte moest doorbreken. Haar ademhaling had daarbij geholpen; grote teugen zuurstof die ze nu weer kon binnenhalen. Die ademhaling was het enige geluid in de kleine keuken, in het hele huis, waarin de dingen leken te wachten op wat er komen zou.

Ook van buiten kwam geen gerucht. De wind die 's middags nog het dode blad van bomen en struiken ritselend voor zich uit had gejaagd, was gaan liggen. Hij had de spanten doen kraken en de dakpannen rammelen, en zo het huis tot leven gebracht. Nu stond het zwijgend en vijandig om haar heen.

Er was niemand die haar kon helpen bij wat er moest gebeuren. Het was zoveel dat ze nauwelijks wist waar te beginnen.

De koelkast sloeg aan. Een diepe brom, overgaand in een regelmatig gezoem. De koelkast functioneerde, net zoals zij dat zou moeten doen. Begin, vertelde haar geest haar. Begin met het belangrijkste, dan volgt de rest vanzelf.

Hij moest weg. Dat had ze direct geweten. En omdat hij weg moest, zou ze hem moeten aanraken.

Ze bukte zich, aarzelde nog, greep toen met beide handen zijn rechterpols. Nooit eerder had ze een dode aangeraakt. Zelfs niet haar grootmoeder, terwijl dat kleine, verschrompelde lichaam haar toch zo dierbaar was geweest. Maar zijn huid voelde warm, het polsgewricht sterk en stevig. Wat had ze dan gedacht? Hij was tien minuten dood. Of twintig. Of dertig. Ze wist het niet. De tijd vloog als er afleiding genoeg was.

De hysterie brak bijna door de dunne laag zelfbeheersing, en ze beet haar kiezen op elkaar. Blijf kalm, doe wat je moet doen.

Ze trok.

Alleen al het gewicht van zijn arm was verrassend, een waarschuwing voor wat nog zou volgen. Ze zette zich schrap en trok harder. Hij verschoof net voldoende om zijn hoofd met een doffe smak op de tegelvloer te laten vallen, en onmiddellijk liet ze los. Zijn arm viel neer, zijn trouwring tikte op de tegels.

O god, ze kon dit niet. Ze sloeg haar armen om zich heen alsof die haar konden troosten, en was niet in staat haar blik los te maken van zijn gezicht. Door de klap was zijn linkeroog halfdicht gezakt, wat zijn blik iets loerends gaf. Hij bekeek haar met achterdocht. En gelijk had hij. Ze maakte een geluid dat het midden hield tussen een snik en een lach, bukte weer, greep opnieuw de rechterpols.

Na wat een lange tijd leek had ze hem zodanig gedraaid dat zijn hoofd in de richting van de buitendeur lag. Nu kon ze over hem heen gaan staan, een voet links, een voet rechts van hem, zodat ze beide polsen zou kunnen pakken. Hijgend schatte ze de afstand tussen hoofd en deur. Minstens drie meter.

Het zou haar niet lukken. Hij was meer dan een meter tachtig lang, woog zo'n vijfenzeventig kilo. Dood gewicht. Het was onmogelijk hem naar buiten te slepen, zelfs over deze gladde tegelvloer, maar ook al zou ze daarin slagen, dan wachtte buiten het klinkerpad. Kleine, zanderige steentjes tot waar zijn auto stond.

Ze ging zitten op de kruk voor het aanrecht. Een krijtstreepbeen lag in de weg, en in plotselinge woede trapte ze ertegen. Het been verschoof, en heel even kwam de gedachte op dat… Maar ze kon hem toch moeilijk naar buiten trappen. Eruit schoppen. Ze steunde haar armen op het koude graniet en legde haar hoofd erop, rook haar bezwete oksels, voelde de trui aan haar rug plakken.

Nadenken. Nadenken. Mensen transporteerden zware dingen. Koelkasten. Wasmachines. Drogers. Dat deden ze met een steekkarretje. Ze had geen steekkarretje. Wat ze wél had was een bok. De bok stond in de garage naast het huis. Ze herhaalde het stilzwijgend, omdat ze de opluchting wilde vasthouden, zichzelf ervan wilde overtuigen dat er voor elk probleem een oplossing bestond. De bok had vier wielen en was ongeveer een meter lang – een echte kar, en veel beter dan een steekkarretje. Maar ze zou meer dan tachtig centimeter overhouden.

Het was een hopeloze onderneming, want zelfs als ze in staat zou zijn hem op de bok te leggen en naar de auto te rijden, wat dan? Ze zou hem niet ín de auto kunnen tillen, laat staan hem met auto en al in de rivier laten verdwijnen. Maar hij moest naar buiten, al was haar niet meer duidelijk waarom. Concentreer je! Het had ermee te maken dat er geen sporen mochten achterblijven, noch in noch bij het huisje. Het moest eruitzien alsof het al langere tijd niet was gebruikt. Geen sporen.

Als hij eenmaal buiten was, zou ze het in elk geval binnen in orde kunnen maken. Aan alles zou ze denken, en het zou niets zijn vergeleken met wat haar nu te wachten stond.

Ze gleed van de kruk en liep om het lichaam heen zonder ernaar te kijken, al zag ze in de periferie van haar blikveld dat het colbert omhoog was geschoven als gevolg van het verslepen, en dat de rode vlek op het overhemd niet meer groter was geworden. Doden bloeden niet.

Hij maakte een slordige indruk nu; zijn das scheef, te veel overhemdmanchet zichtbaar van onder de mouwen van het jasje. Een man in de kroeg, het gezicht rood aangelopen na te snelle borrels. 'Doe mij er nog een!' Hoewel zijn gezicht niet langer rood was, maar vervaald naar een kleur die ze niet zou kunnen benoemen.

Ze deed de buitendeur open, stapte het donker in, huiverend in de koude avondlucht, ging rechtsaf naar de zijkant van het huis. Met het licht van de buitenlamp in haar rug liep ze om haar auto heen, maakte de garagedeur open en tuurde naar binnen. Geen licht maken hier; de garage was zichtbaar vanaf de weg.

De bok stond rechtop tegen een zijwand. Ertegenaan leunde de grasmaaier. Niet vergeten de bok terug te zetten. Niet vergeten de grasmaaier terug te zetten. Moesten de wielen van de bok worden schoongeveegd? Vast niet. Waarom wist ze zulke dingen niet? Omdat ze nooit eerder op deze manier had hoeven denken. God, wat was er veel om te onthouden. Maar ze had een begin gemaakt, en tot zover had ze het goed gedaan. Er was geen andere manier. En er was geen weg terug.

Ze verplaatste de maaier, greep de bok, trok hem naar buiten en liet hem vallen op zijn vier wielen. Toen zag ze de handgreep aan een van de korte zijden, ze pakte hem, reed de kar op twee wielen over het pad tot voor de keukendeur, zette hem neer en wilde naar binnen gaan. Herinnerde zich dat ze hém niet naar buiten kon brengen.

Denk na. De kar moest naar hem, niet omgekeerd. Moham-med en de berg.

Ze sjorde de bok over de drempel en sloot de deur. In het hel-dere licht leek het een uitermate primitief transportmiddel. Vlekken en krassen van onbekende herkomst op het dof gewor-den metalen draagvlak, spinrag aan de wielen. Een vergeten voorwerp.

Opnieuw pakte ze de polsen. Het was minder erg dan de eer-ste keer, omdat de huid minder levend voelde. Kouder. Al moest dat verbeelding zijn. Of misschien kwam het omdat hij op de kille vloer lag. Nu niet meer denken. Straks pas, als het weer no-dig was. Brein aan, brein uit. Nu moest ze hem beschouwen als een *ding*. Een ding dat in de weg lag.

Het was onbegonnen werk. Het duurde kostbare minuten voor ze bereid was dat toe te geven. Onbegonnen werk, terwijl haar spijkerbroek inmiddels aan haar dijen kleefde, de bandjes van haar bh in haar schouders striemden onder de bezwete trui. Hij was te groot. Groot en lomp en onhandig zwaar. Een amorfe massa. Hoe konden mensen dit werk doen? Worstelen met een dode. Afleggen – de verzamelnaam voor een serie afschuwelijke handelingen. Zij kon het niet. Ze wilde het niet. Tranen kwa-men op, haar neus liep vol, en ze hurkte, met haar rug tegen een aanrechtkastje, veegde haar neus af aan haar mouw, staarde naar de glanzende tegels.

Er was geen alternatief. Het was de vermoeidheid die maakte dat ze wilde opgeven. De bok was te klein voor een lichaam, maar groot genoeg voor een romp. Misschien was ze verkeerd begonnen, zou het gemakkelijker zijn om zijn benen op te tillen in plaats van de schouders. Bovendien moest ze voorkomen dat de bok wegleed.

Ze stond op en duwde de kar tussen hem en de muur. Er was precies genoeg ruimte. Waarom had ze daar niet eerder aan gedacht? Omdat de paniek nog schuilde in een uithoek van haar geest, naast de doodsangst. Omdat haar keel nog altijd pijnlijk was en ze moeite had met slikken.

Ruw pakte ze zijn enkels, sjorde zijn benen omhoog, gebruikte haar knie om ze de goede kant op te buigen. Een ding, een ding.

Zijn benen landden met een klap op het draagvlak, en de woede bracht haar nieuw inzicht. Ze liep om naar de smalle zijde, tilde de benen opnieuw op, klauwde haar nagels in de beschaafde donkergrijze sokken. Trok. Trok. *Trok.*

Het was niets minder dan een wonder. Hoewel de bok meegleed, zorgde het gladde metalen draagvlak ervoor dat de benen centimeter voor centimeter werden gevolgd door de billen. Ten slotte kon ze niet verder, stond met haar rug tegen de muur. Moest de benen bijna verticaal tillen, de rand van de bok pijnlijk snijdend in haar enkels. Maar de romp volgde. Volgde terwijl de gebogen knieën zich ter hoogte van haar oren bevonden en ze verbeten sjorde aan de broek, haar handen veel te klein om de dijen te omvatten. Ze liet de broek los en worstelde zich tussen de benen vandaan.

Hij lag nu tot zijn middel op het draagvlak, de knieën steunend tegen de muur, de rechterarm geklemd tussen dwarsmuur en bok, de linker op de vloer, haaks op het lichaam. Ze keek naar hem, wachtend tot haar ademhaling regelmatig werd en haar hartslag bedaarde. Hij bood een verschrikkelijke aanblik. Het hoofd gedraaid in een vreemde hoek, de mond halfopen, de ogen met sardonische glinstering op haar gericht, zijn jasje verfomfaaid en smoezelig. Hij zag eruit alsof hij had gevochten. Des te beter.

In de stilte hoorde ze de tik waarmee de klok versprong naar een volgend uur. Dwaas genoeg keek ze op haar horloge in plaats van naar de klok. Negen uur. Het moest kloppen. Ze had staan koken toen hij binnenkwam. De salade al aangemaakt, het vlees gekruid. Niet aan denken. En de tijd deed er niet toe. Doorzetten nu.

Ze schoof een hand onder zijn schouders, de andere in zijn nek, gebruikte ook een voet om hem op te tillen, knielde toen dat niet lukte. Haar warme adem over zijn gezicht, de geur van zijn aftershave, de stoppels van zijn middagbaard, de haartjes in zijn neus. Walgelijk. Maar ze kon het.

Ze kon het niet. Eindelijk lag hij op de bok, althans zijn romp. Niet zijn hoofd, niet zijn armen en benen. De bok stond nu voor de drempel van de keukendeur, en ze kreeg hem er niet overheen. Als ze aan *hem* trok, schoof hij eraf, vanwege de gladde ondergrond waarmee ze zo blij was geweest. Duwde ze tussen zijn benen door de bok, dan sloeg zijn hoofd, dat hoofd dat achterover hing en loodzwaar was, veel zwaarder dan hoofden verondersteld werden te zijn, tegen de drempel. En niet alleen zijn hoofd, ook de schouders hingen neer.

Ze liet de koude nachtlucht op zich inwerken, keek door de geopende deur naar buiten. In geen van de andere huizen brandde licht.

Ze had iets gezien. Toen ze de bok uit de garage haalde, had ze iets gezien. Iets wat van nut zou kunnen zijn. Wat was het?

Touw.

Een bol touw aan een spijker. Met touw zou ze zijn armen en benen bij elkaar kunnen binden, zodat het hele gewicht boven de bok kwam te rusten. Ze was niet dom. Ze was slim, had voor alles een oplossing.

Ze stapte over hem heen naar buiten, schuifelde naar de garage en lichtte de bol touw van de spijker. Vezelig touw, waaraan een vage teerlucht hing. Op weg terug tuurde ze omhoog, waar tussen wolkenflarden geruststellend de sterren stonden waar ze al miljarden jaren hadden gestaan.

Ze legde zijn handen op zijn buik, bond zijn polsen zo strak mogelijk bij elkaar, maakte een lus rond zijn enkels, ging achter zijn hoofd staan en hing met haar volle gewicht aan het touw. Langzaam kwamen zijn benen omhoog. Ook zijn rug kromde zich, alsof hij van plan was overeind te komen. Zijn hoofd rolde heen en weer langs de rand van de bok.

Een nieuwe fout, die ze pas zag toen ze de bol touw door de open handgreep probeerde te wurmen. De bol was te dik. Ze had eerst de benodigde lengte moeten afmeten en die afknippen. Maar hoe kon je weten wat de juiste touwlengte was als je nooit eerder iemand als een rollade had gebonden?

Voorzichtig liet ze het touw vieren. De benen gingen naar beneden, het hoofd kwam tot rust. Met handen die trilden van vermoeidheid rommelde ze in een lade, vond de keukenschaar, knipte het touw door, borg de schaar weer op. Niet uitrusten nu, uitrusten kwam later. Ze wikkelde het uiteinde van het touw een paar maal om haar hand en begon weer te trekken.

De eerste paar meter helde het pad enigszins, keurig afwaterend naar de tuin, en zodra de bok met alle vier de wielen op de klinkers stond, begon hij te rijden, reed van haar weg als werd hij bestuurd. Ze hield hem tegen en kortte het touw in, corrigeerde toen hij door een ongelijk liggende klinker van koers dreigde te veranderen.

Het pad werd vlak, de wielen kwamen tot stilstand, en ze draaide zich om en begon te trekken. Het was alsof ze een slee voorttrok. De kou versterkte dat idee, evenals haar adem die in wolkjes voor haar uit dampte. Alleen zat op deze slee geen juichend kind, en onder haar schoenen knisperde geen sneeuw.

Ze stopte voor de motorkap van zijn auto, die hij had geparkeerd waar het pad breder werd. Maakte het uit waar hij lag? Nee. Hier was het gebeurd. Nietsvermoedend was hij uit zijn auto gestapt, zijn ogen nog niet gewend aan het duister, zodat hij zijn overvaller niet had gezien, die hem stond op te wachten, gewapend met een mes. Het beeld werd helderder. Totaal verrast was hij geweest, had zich vergeefs verweerd. Eén steek en het was voorbij. Hier was hij in elkaar gezakt en vrijwel direct gestorven. De overvaller had... Wat had de overvaller daarna gedaan? Hij had hem van zijn portefeuille beroofd. Overvallers waren uit op geld.

Ze bukte zich, sjorde aan het touw tot hij van het draagvlak gleed. Hij viel half op zijn zij, en ze duwde hem op zijn rug, liet in het donker haar vingers de weg terug volgen langs het touw tot hij ervan was bevrijd. Ze rolde het op en stak het in de zak van haar spijkerbroek. De huid van haar handen gloeide waar hij door het touw was gestriemd, haar vingers voelden dik en zwaar. Ze tastte in zijn jasje tot ze zijn portefeuille had gevonden en borg hem in haar andere zak.

Autosleutel.

De sleutel zat in zijn rechterbroekzak, en ze legde hem naast zijn rechterhand.

Zo koel was ze! Zo ijzig kalm, zo helder. Ze had het niet beter kunnen doen als ze het allemaal van tevoren zou hebben bedacht. Vaag besefte ze dat de euforie te maken had met het feit dat ze sinds de lunch niet meer had gegeten, alleen een glas wijn gedronken, maar belangrijk was dat niet. De euforie was er, en hielp haar hierdoorheen.

Naar binnen nu, waar haar nog duizend dingen wachtten die gedaan moesten worden. Alle sporen zou ze wegpoetsen. Wissen. Het was jammer dat ze dat niet ook met haar geheugen kon doen.

2

Hij had de tram genomen tot aan het eindpunt, al was dat per ongeluk, omdat hij zo'n beetje in slaap was gevallen, en toen hij uitstapte, wat hij alleen deed omdat de bestuurder nadrukkelijk zijn kant op had gekeken, herinnerde hij zich de zomerhuisjes.

Het was een rijtje van acht huizen, elk op een flinke lap grond, en gebouwd in een tijd dat die grond een fractie had gekost van wat er nu voor zou moeten worden betaald. Inmiddels was de stad opgerukt, en de huizen lagen niet meer zo geïsoleerd als voorheen.

Hij was hier een paar maal eerder geweest, en hij had pas begrepen dat ze bedoeld waren als zomerhuis toen hij ze in de herfst verlaten had aangetroffen. Zo klein waren ze niet, en bovendien waren ze goed gebouwd. Allemaal in steen opgetrokken en met een pannendak, sommige met een garage ernaast. Dit waren huizen voor de begenadigden der aarde, zij die op welke wijze dan ook genoeg kapitaal hadden vergaard om zich een tweede huis te kunnen veroorloven. God gaf en God nam, en dikwijls gaf Hij aan hen die al voldoende hadden, dikwijls nam Hij van hen die er niet aan toe gekomen waren om adequaat in hun levensonderhoud te voorzien. Daarbij werd Hij weliswaar terzijde gestaan door een leger ambtenaren, maar niettemin kon je het Hem toch euvel duiden, omdat Hij nu eenmaal alles bestierde, ook de ambtenaren. Je had Hem dus iets te verwijten, maar dat was vruchteloos, want voor verwijten was Hij doof. Hij deed maar, en ongetwijfeld terecht, want er was ook nog zoiets als zelfbeschikking. Al moest je die met een korrel zout nemen, vanwege die ambtenaren. Zo had God je in de tang. Voor Hem sneed het mes aan twee kanten.

Tijdens slechte momenten had hij zich weleens afgevraagd of je God geen grilligheid ten laste kon leggen. Willekeur. Nepotisme. Maar zulke vragen waren verkapte verwijten, en, zoals geconstateerd, voor verwijten stond Hij niet open. Waarmee de cirkel rond was. In zekere zin deed hem dat genoegen, want hij hield van sluitende redeneringen, zelfs al was de conclusie niet opwekkend.

Het was maar goed dat de slechte momenten steeds minder vaak voorkwamen, dat er in plaats daarvan pragmatisme was, en zelfs een vorm van fatalisme. Al moest je daarmee oppassen. Gelatenheid maakte dat je honger leed, in het ergste geval zelfs doodvroor, omdat je verzuimde voor jezelf op te komen. Dat zou hem niet gebeuren, althans voorlopig niet. Zijn zucht tot zelfbehoud, gestimuleerd door een oplettende trambestuurder, had hem op deze koude avond gedreven naar het rijtje huizen van begenadigden, en men zou het hem niet moeilijk maken als hij eens even rondkeek in hun nu verlaten optrekje.

Het kon ook niet worden uitgesteld. Binnenkort was het Kerstmis, al was hem even ontschoten wanneer precies, maar in elk geval betekende het dat de huizen zouden worden bewoond. Licht zou stralen vanuit de ramen, er zouden lampjes pinkelen in speciaal daarvoor geplante sparren, vuurkorven gloeien, auto's van gasten overal geparkeerd zijn.

Het momentum was nu, al was het maar omdat hem vandaag overal elders de toegang tot licht en warmte was ontzegd. Daarom liep hij het pad op naar wat hij 'huis nummer vijf' had gedoopt. Hij had het eerder bezocht, maar het altijd deugdelijk afgesloten aangetroffen, in tegenstelling tot bijvoorbeeld nummer twee en zeven, waar men pas zijn les had geleerd nadat hij langs was geweest. Die zorgeloosheid had hem gestoord. Paradoxaal, hij zou de eerste zijn om het toe te geven, maar er moest een zekere sportiviteit blijven. Zij sloten hun huizen af, jij liet je uitdagen je niettemin toegang te verschaffen. 'Inbreken' was een woord dat hij nooit bezigde. Inbreken hield een element van criminaliteit in, en een crimineel was hij allerminst. Criminelen waren niet onderlegd, spraken plat, hadden tatoeages en foute kettinkjes, en ze gebruikten geweld. Hij verschafte zich toegang en controleerde vervolgens of er iets was wat de begenadigden aan hem wilden afstaan.

In huis nummer vijf brandde licht, zoals hij al op afstand had gezien. Men was er. Dat schrikte hem niet af, want op het pad glom de lak van een forse auto. Hoewel hij slechte ervaringen had met aanwezige bewoners – ze schrokken van je, er ontstond onnodige paniek, en je liep zelfs de kans op agressiviteit, waarvoor hij te oud en te vredelievend was – moest je altijd rekening houden met een niet-afgesloten auto, waarin voorwerpen konden liggen die door de begenadigden onvoldoende op waarde werden geschat. Weliswaar leverden ze lang niet altijd direct geld op, maar in tweede instantie behoorde dat zeker tot de mogelijkheden, en bovendien was ruilhandel dikwijls een goede optie gebleken.

Hij naderde de auto behoedzaam, maar toch zag hij het lichaam niet eerder dan toen hij er nog maar een paar passen van verwijderd was. Een vormeloze hoop, donker afstekend tegen de lichter gekleurde klinkers. De hoop bewoog niet, gaf geen geluid.

Hij bleef staan. Bij voorgaande gelegenheden had hij zulke hopen aangetroffen, even bewegingloos, maar luid snurkend. En altijd in de zomer. Soms kwamen ze plotseling tot leven als je met voorzichtige vingers hun zakken aftastte. Kwamen schreeuwend overeind, probeerden je vast te pakken, zodat je gedwongen was haastig rechtsomkeert te maken, wat een vernedering op zich was.

Dit voelde anders. Dit rook naar ellende. Je kon de dingen maar beter benoemen. Anderzijds: wie niet bewoog, deed geen kwaad. En in het huis was het stil.

Hij boog zich over de hoop, die een man bleek te zijn, te oordelen naar de geur. Zijn neus vertelde hem dikwijls meer dan zijn ogen, die voortdurend traanden en waarmee hij de wereld zag als door een geelfilter. Staar in gevorderd stadium.

Een man in een kostuum, het jasje openhangend, een lichter overhemd daaronder. Het overhemd deed hem opnieuw twijfelen. Er zat een grote vlek op. Een zwartige vlek, ter hoogte van het hart, en uitvloeiend naar de maag. Misschien was die vlek de reden van de stilte die de man omgaf. De stilte betekende ook dat er niet geschreeuwd ging worden. Dat was een luxe. En al met al hoefde het niet lang te duren. Een snelle check, meer was niet nodig. In het huis bevonden zich waarschijnlijk wezens die wel degelijk in staat waren tot het veroorzaken van toestanden.

Hij liet zijn vingers verdwijnen in de broekzakken, daarna in de binnenzakken van het jasje. De vingers sloten zich om iets wat voelde als een mobiele telefoon, of een van die apparaten die daarop leken. Hij richtte zich op, en toen pas viel hem een tweede auto op, een kleinere, opzij van het huis voor de garage geparkeerd. Een ogenblik kwam hij in de verleiding, maar misschien was het verstandiger ongezien te vertrekken nu het nog kon. Misschien waren degenen daarbinnen op de hoogte van het feit dat hier een man lag met een vlek op zijn overhemd die daar niet hoorde.

Hij draaide zich om en sukkelde het pad af, versnelde zijn pas toen hij eenmaal op de weg liep, die slecht verlicht was en geen trottoir had. Geen prettige weg, en het was beter hem zo snel mogelijk te verlaten. Als er nu een auto aan kwam, zou hij lijken op een konijn voor een lichtbak. Bovendien lag daar die man, die, het hoge woord moest er nu maar uit, onmiskenbaar dood was.

Zodra het kon sloeg hij rechts af om de kortste weg terug naar de stad te nemen. Onderweg kwam hij bijna niemand tegen, wat hij beschouwde als de eerste meevaller die hem deze dag ten deel viel. Voorlopig zou hij het rijtje huizen mijden als rustte er een vloek op. Het lag ook ver buiten zijn territorium. Of misschien was 'biotoop' een beter woord. Mensen, licht en warmte waren wat hij nu nodig had. Niet elke dag vond men een dode man.

Een tram kwam hem achterop toen hij de buitenwijken had bereikt, maar hoewel zijn voeten hem na een dag lopen parten speelden, durfde hij niet in te stappen. De tram was vrijwel leeg, het zou opvallen als hij niet zo'n pasje voor de scanner hield. Het fenomeen van de pasjes in plaats van de vertrouwde strippen-kaarten irriteerde hem nog steeds. De twee die hij had ont-vreemd, een met en een zonder foto, hadden maar korte tijd ge-werkt. Het betekende een aanzienlijke beperking in het vrij reizen. Zo deden God en het vervoerswezen alles om je het leven lastig te maken. Er zou na de dood wel sprake moeten zijn van een allemachtig goed ingerichte hemel, wilde je niet postuum van je geloof vallen.

Het kostte hem een uur om het centrum te bereiken, en toen hij eindelijk de deur openduwde van de kroeg waar men hem – af-hankelijk van wie er achter de toog stond – nog weleens welwil-lend tegemoet trad, sloeg een torenklok halftwaalf. Hij vloekte binnensmonds, want halftwaalf betekende Raoul en niet Harry. Harry werkte van een tot tien, Raoul van tien tot sluitingstijd.

Niettemin liep hij rechtstreeks naar de bar. Immuun voor het lacherige commentaar op zijn verschijning wachtte hij geduldig tot Raoul tijd voor hem had. Raoul schudde zijn hoofd nog voordat hij iets had kunnen zeggen, en daardoor geprikkeld legde hij roekeloos de telefoon op de bar. Hij was van plan geweest om twee borrels te vragen, maar hij was al uren nuchter, en het ding glansde duur onder de barverlichting. Hij besloot hoger in te zetten. 'Voor een fles jonge?'

Raoul keek ongeïnteresseerd naar de telefoon. 'Wat moet ik met een gejatte iPhone?'

'Gevonden.'

'Gejat,' zei Raoul meedogenloos. 'Moven, Bernard. En ga voortaan eerst douchen voordat je hier komt, want je jaagt mijn klanten weg.'

Hij opende zijn mond, maar Raoul was in vorm vandaag. 'De toorn Gods neem ik op de koop toe. Opzouten.'

Terneergeslagen schuifelde hij weer naar buiten. Daar had je de hele dag gewerkt, je de blaren op je voeten gelopen om in je levensonderhoud te voorzien, en alles wat het had opgeleverd was een briefje van tien dat al op was, en een onbruikbaar voorwerp. Misschien werd het tijd om naar huis te gaan. Het was niet onmogelijk dat er ergens in een fles nog een staartje zat, groot genoeg om de kou uit zijn botten te verdrijven. Soms bewaarde hij zo'n staartje, voor noodgevallen zoals nu, daarbij geholpen door het feit dat hij zich nooit kon herinneren in welke fles het restje zou moeten zitten, wat hem in staat stelde zichzelf later te verrassen.

Thuis, in het souterrain dat hij al jaren bewoonde, sloot hij verlicht de deur achter zich. Hij stak twee kaarsen aan, trok zijn schoenen uit en stroopte zijn sokken af. De voeten die tevoorschijn kwamen, baarden hem zorgen. Blauwig waren ze, met zwarte plekken die sponzig aanvoelden als hij erop drukte. Ook zijn voeten zouden minder pijnlijk worden als hij iets had gedronken. Hij pakte een fles en hield die tegen het licht.

Sommige flessen roken zelfs niet meer naar alcohol, maar koppig hield hij vol, en ten slotte werd hij beloond. Hij lengde het bodempje vieux aan met een beetje water toen uit zijn broekzak een melodietje opsteeg. Bijna liet hij de fles vallen. Hij groef in zijn zak en keek naar het oplichtende schermpje.

'Thuis belt', stond daar.

Angstig bestudeerde hij de minieme afbeeldingen waarmee het scherm was bezaaid. Wat was 'thuis'? Wie was 'thuis'? Tot zijn opluchting stopte het melodietje abrupt, en na enige tijd doofde het scherm. Hij ging zitten op de matras, wikkelde zijn afgekoelde voeten in een vest en een badlaken en dronk alsnog de aangelengde vieux.

Er was sprake van een totaal mislukte dag, zoveel was zeker. Mensen waren nog niet in een barmhartige kerststemming geweest, weigerden zelfs te luisteren als hij uitlegde dat hij maar vijf euro tekortkwam voor een treinkaartje naar huis nadat een onverlaat zijn portefeuille had geroofd. Lachten als hij bezwoer dat hij natuurlijk de vijf euro zou overmaken mits ze hem het nummer van hun bankrekening gaven, en liepen door. De wereld werd steeds harder, een andere conclusie was er niet. Morgen zou hij die wereld weer het hoofd bieden.

Hij blies de kaarsen uit, trok vest en badlaken over zich heen, voegde er een pluchen tafelkleed en een deken aan toe en sloot zijn ogen.

3

'Hij neemt zijn telefoon niet op.' De vrouwenstem was hoog van nervositeit. 'Gisteravond niet, en vanochtend ook niet.'

'Ik heb uw naam niet goed verstaan,' zei Slagter stoïcijns.

'Asli Verkallen.'

Slagter schreef het op. 'U probeert uw man te bereiken op zijn mobiel, maar hij neemt niet op.'

'Nee.'

'Gisteravond niet, en vanochtend ook niet.'

'Nee.'

'Hoe vaak hebt u geprobeerd hem te bereiken?'

'In totaal vier keer.'

'U verwachtte hem gisteravond thuis?'

'Ja.'

'Maakte u zich gisteravond dan al ongerust?'

'Nee. Hij zou later thuiskomen, ik ben vergeten waarom. Een vergadering, geloof ik. Of misschien een zakendiner, ik weet het niet meer precies.'

'En dan is het niet ongebruikelijk dat hij de telefoon niet op-neemt?'

'Nee. Niet als hij in bespreking is.'

'Wat deed u?'

'Hoe bedoelt u?'

'Gisteravond,' zei Slagter geduldig. Ze klonk niet hysterisch, maar je kon beter voorkomen dat ze dat zou worden. 'Uw man nam gisteravond niet op. Wat deed u vervolgens?'

'Ik ben naar bed gegaan. Ik dacht dat de afspraak misschien was uitgelopen, dat er ergens nog iets werd gedronken. Zoiets.'

'Dat gebeurt vaker?'

'Ja. Maar toen ik vanochtend wakker werd, was hij er nog steeds niet.'

Slagter keek naar het adres dat hij had genoteerd. Een van de betere buurten. 'Uw man is zakenman. Kan het zijn dat hij ergens in een hotel verblijft en dat u dat bent vergeten?'

'Nee, want ik zou schone kleren voor hem hebben ingepakt. Een overhemd, sokken, dat soort dingen.'

Slagter keek op zijn horloge. Tegen tienen. 'Hebt u contact opgenomen met zijn bedrijf?'

'Ja. Daar is hij niet. In feite zitten ze op hem te wachten, omdat hij een afspraak had om negen uur.'

'Heeft hij zijn paspoort bij zich?' vroeg Slagter.

'Ik… Dat zou ik niet weten,' zei ze verward.

Slagter liep al lange tijd mee. Het zou niet de eerste keer zijn dat een vrouw melding maakte van de vermissing van haar echtgenoot, waarna later bleek dat die echtgenoot had besloten een tripje naar het buitenland te maken in gezelschap van een jonge meid die wel voelde voor een lolletje. 'Hoe oud is uw man?'

'Veertig.'

Gevaarlijke leeftijd. 'Uw man is gisterochtend op de normale tijd van huis gegaan?'

'Ja.'

'U hebt niets ongewoons geconstateerd?'

'Hoe bedoelt u?'

'Was hij in zijn gewone doen,' zei Slagter vriendelijk. 'Heeft hij ontbeten zoals gebruikelijk, was hij gekleed zoals u dat van hem gewend bent als hij naar zijn werk gaat.'

'Ja. Ja, er was niets aan de hand.'

'Wat is het kenteken van zijn auto?'

Ze gaf het hem zonder haperen, wat hem verbaasde. Je zou de mensen de kost moeten geven die het niet paraat hadden.

'Hebt u kinderen?'

'Een zoon. Hij is dertien.'

'Is hem iets opgevallen?'

'Dat weet ik niet,' zei Asli Verkallen. 'Ik heb het hem niet gevraagd. Ik wil hem niet ongerust maken.'

'Het moet hem toch zijn opgevallen dat zijn vader niet kwam ontbijten,' zei Slagter pienter.

'Hij slaapt nog.'

Kerstvakantie. Een jongen van dertien. Slagter dacht aan zijn eigen kinderen, nu goddank volwassen of wat daarvoor doorging. Toen zij pubers waren, lagen ze in de weekends in bed te rotten tot hij ze eruit joeg.

'Ik heb uw melding genoteerd,' zei hij. 'Ik geef die door. Er wordt contact met u opgenomen.'

'Gaat u niets doen?' Tijdens het gesprek was de stem tot een aangenaam warm timbre gezakt. Nu steeg hij weer.

'Er wordt contact met u opgenomen,' herhaalde Slagter. 'Maakt u zich intussen niet te veel zorgen. In bijna al dit soort gevallen is er een logische verklaring.'

'Een logische verklaring' kon alles inhouden, dacht hij terwijl hij opnieuw de telefoon greep. Ongeval, dood, onverhoedse krankzinnigheid, ziekte, *you name it*. En hij had vergeten te vragen of ze de ziekenhuizen had gebeld. Maar als ze dat had gedaan, zou ze het ongetwijfeld hebben verteld.

'Vegter.'

'Een melding van vermissing, inspecteur.'

'Van wie?'

'Richard Verkallen. Man van veertig. Gisterochtend naar zijn werk vertrokken op de gebruikelijke tijd, geen bijzonderheden. Zou later thuiskomen dan gewoonlijk, vanwege een vergadering of diner, dat is niet helemaal duidelijk. Zijn vrouw probeerde hem te bellen, later op de avond, maar hij nam niet op. Vanochtend evenmin. Op zijn werk is hij vanochtend niet verschenen, hoewel hij een afspraak had.'

'Paspoort?'

'Weet ze niet.'

'Hij is in zijn auto vertrokken?'

'Ja.'

'Mail me even de gegevens.'

Slagter hing op. Tien tegen één dat die gozer gisteravond al aan de glühwein had gezeten in een luxe skioord, en zich nu lag af te vragen hoe hij die spijker uit zijn kop kreeg.

Paul Vegter stond voor het raam en keek naar de grauwe straat beneden zich. De kerstverlichting die boven de weg was gespannen wiegde in de wind die opnieuw was opgestoken, de gekleurde lampjes armetierig in het scherpe ochtendlicht. Het eetcafé aan de overkant was eveneens in kerstsfeer. Aan weerszijden van de ingang stond een mager sparretje in een roodbruine pot. Plastic, zoals hij gisteren had vastgesteld. De zilveren slingers waren dof geworden na de aanhoudende regen van de afgelopen dagen, de dunne snoertjes van de verlichting verdwenen onder de deur door naar binnen. De ruiten waren in de hoeken wit gespoten, opgewaaide sneeuw suggererend, de opgeplakte gouden sterren hadden hun glans verloren.

Binnen was het nog erger. Daar jengelde onophoudelijk kerstmuziek, variërend van John Lennon tot Bing Crosby, die al zeventig jaar droomde van een witte kerst. En er lagen roodgroen geruite kleedjes over de tafels, plastic dennentakken hingen boven de bar, overal flakkerden waxinelichtjes in kleverige houders.

Hij dacht aan zijn huis, waar eindelijk de dieprode velours gordijnen hingen, de houtkachel 's avonds gloeide en de booglamp een plas goudgeel licht wierp op de gebeitste houten vloer. Als er ergens vrede op aarde heerste, dan was het in zijn eigen huis, en hij had geen enkele behoefte de sfeer te verstoren met een kerstboom die al vóór Kerstmis zijn naalden zou verliezen.

Ingrid had hem een zilveren kandelaar gebracht, en een doos kaarsen, het in goudpapier verpakte geheel tegen haar enorme buik geklemd terwijl ze met enige voorzichtigheid het glibberige kiezelpad op liep. Kandelaar en kaarsen gingen vergezeld van de uitnodiging om eerste kerstdag bij haar te komen eten. De uitnodiging had hij graag aanvaard, en de kandelaar vond hij mooi. De strakke soberheid en de diepe glans contrasteerden fraai met de ruw gemetselde schouw waarop hij de kandelaar had gezet. Het kerstdiner was onder voorbehoud; het was mogelijk dat zijn kleinzoon zou besluiten Kerstmis in persona mee te vieren.

Ingrid was bang dat hij eenzaam was, wat hij niet was. Althans niet op de manier die zij vreesde. Het huis, nu hij er na maanden van verbouwing eindelijk woonde, deed precies waarvoor hij het had gekocht: het gaf hem rust. Hij zou er nu willen zijn. Met geduld en beleid de kachel aanmaken, het vuur opbouwend van splinters tot gekloofde stammetjes. Ernaast zitten tot de schroeiende hitte hem dwong zijn stoel te verplaatsen. Een boek, een tweede en een derde kop koffie, af en toe opstaan om nieuw hout te halen, een cd te verwisselen.

Maar er was iemand zoek, en hij werd verondersteld daar iets aan te doen. Hij ging achter zijn bureau zitten en las de gegevens op het scherm van zijn computer.

Richard Verkallen. Veertig. Gehuwd. Leidde ogenschijnlijk een geregeld leven, had niettemin kans gezien zichzelf vlak voor Kerstmis onvindbaar te maken.

Hij bleef nog even zitten, keek zijn kale kamer rond en besloot dat de dag sneller voorbij zou gaan als hij er iets mee deed. Talsma of Brink? Talsma natuurlijk. Beiden zaten ze waarschijnlijk in de recherchekamer, want naarmate Kerstmis dichterbij kwam, nam de misdaad af. Een wet van Meden en Perzen. Talsma zou het papierwerk afwisselen met het cryptogram uit de krant van gisteren, Brink zou als het hem te machtig werd door het gebouw gaan zwerven.

Hij stond op.

'Misschien zit hij op de Malediven,' zei Talsma op weg naar de auto.

'Daar komen we gauw genoeg achter.' Vegter keek naar het eetcafé, waar men had besloten dat halfelf 's ochtends een geschikt tijdstip was om de kerstverlichting te ontsteken.

Talsma volgde zijn blik. 'Die klote kerstdagen. Ik wou dat ze voorbij waren.'

'Wat gaan jullie doen?'

'Wij gaan tegen alle adviezen in naar Friesland.' Talsma lachte. 'Op die manier ontlopen we de diners met jengelende kleinkinderen en kunnen we allebei een borrel drinken zonder dat een dochter vraagt of dat wel goed is voor haar moeder.'

'Mag Akke alcohol?'

'Daar hebben we niet naar geïnformeerd. Wat niet weet wat niet deert, en dat geldt zowel voor de dokters als voor ons.'

Ze stapten in, en Talsma startte terwijl Vegter zich afvroeg of hijzelf tot deze attitude in staat zou zijn geweest, was hem overkomen wat nu Talsma overkwam. In navolging van zijn vrouw scheen hij zich bij het onvermijdelijke te hebben neergelegd, al school de bitterheid dicht onder de oppervlakte. Vegter had Talsma's vrouw onlangs ontmoet, en hij was geschokt door de uiterlijke verandering die ze had ondergaan. Klein en mager was ze altijd geweest, nu was ze bijna doorschijnend. Pols- en vingergewrichten schemerden door de droge huid, jukbeenderen staken messcherp uit. Ze had de blik die hij ook eens had gezien bij een aidspatiënt – de blik van iemand die weet dat hij gaat sterven. Er lag afstandelijkheid in, en een vage verwondering over het naderende afscheid. Nog meer dan gewoonlijk was ze gereserveerd geweest, en op zijn vraag hoe het nu ging, had ze geantwoord: 'Zoals verwacht mag worden.'

Hij had zich afgevraagd hoe die twee communiceerden, maar tijdens het gesprek was hem de onhandige tederheid opgevallen waarmee Talsma zijn vrouw bejegende. Een kussen in haar rug voordat ze daarom vroeg, een kop koffie op een tafeltje dat naast haar stoel werd gezet, bril en krant binnen handbereik. Hij had begrepen dat het bij hen niet het woord was, maar het gebaar.

'Wat doet die knakker voor de kost?' vroeg Talsma.

'Is mede-eigenaar van een autoschadeherstelbedrijf. Familiebedrijf, opgericht door zijn vader. Drie vestigingen. Gezond bedrijf, zo lijkt het.'

'Geld zat?'

'Het schijnt zo.'

'Geen twijfelachtige connecties, geen strafblad?'

'In elk geval geen strafblad. Verder ben ik nog niet gekomen.'

Talsma sloeg rechts af de juiste straat in en minderde vaart, zoekend naar het huisnummer. 'Was het een kwestie van een gespreid bedje?'

'Misschien. We gaan ernaar vragen.'

'Dat kon slechter,' constateerde Talsma toen ze de oprit op liepen.

Vegter knikte. Het huis stond in een betrekkelijk nieuwe wijk, bestaand uit ruime percelen met daarop forse woningen, en hij herinnerde zich dat dit destijds 'de proeftuin' werd genoemd, wat inhield dat de gemeente de toekomstige bewoners de vrije hand had gegeven in het ontwerp van hun huis. Hier en daar had dat wansmakelijke bouwsels opgeleverd, met fantasietorentjes, te witte steen en overdadige gevelornamenten en andere verfraaiingen. Er was ook sprake van wat hij meende dat

29

boerderettes heetten, met groen en rood geschilderde luiken en vakwerk, en omgeven door smeedijzeren hekken met goudkleurige punten. Maar een aantal huizen was onder architectuur gebouwd, wat had geresulteerd in strakke belijning en verrassende vormgeving.

Met het huis van Richard Verkallen was het bijna goed gegaan. De sobere lijnen werden ietwat bedorven door de twee reliëfpilaren die het afdak boven de voordeur torsten. De voortuin bestond voornamelijk uit een streng patroon van de buxushaagjes die Vegter verfoeide; struikjes mishandeld tot levenloze groene blokken waarbinnen kiezels lagen opgesloten alsof men bang was dat die zouden ontsnappen.

De bel liet een welluidend klokkenspel horen, dat pas verstomde toen de deur werd geopend door een jonge vrouw.

'Recherche.' Vegter toonde zijn legitimatiebewijs. 'Paul Vegter, rechercheur Talsma.'

Hij kreeg een smalle hand, waarvan de zwarte huid dezelfde subtiele glans had als het gezicht, dat werd omlijst door een enorme hoeveelheid haar dat glad en recht naar beneden hing, maar de indruk wekte te zullen kroezen zodra het de kans kreeg. Vegter dacht aan Renée, die hij weleens in de weer had gezien met wat zij een steiltang noemde, omdat ook haar haren de neiging hadden onhandelbaar te worden zodra de luchtvochtigheid een bepaald peil bereikte.

'Komt u binnen.' De stem was laag en warm. En kalm. De ogen waren daarmee in tegenspraak. Groot en met een onrust erin waarvan hij niet wist of die permanent was.

Asli Verkallen ging hun voor naar een ruim bemeten zitkamer met uitzicht op de achtertuin, die tot Vegters verrassing volledig in tegenspraak was met de kaalheid van de voortuin. Zelfs nu, midden in de winter, kon hij zien dat deze tuin 's zomers een bloeiende weelde zou zijn; een beschut paradijsje.

Ze gingen zitten op een driekwart ronde bank van streng

zwart leer. Asli Verkallen bleef staan. Ze droeg een spijkerbroek en een dikke grijze coltrui die niet kon verhullen hoe mager ze was, en ze had de jukbeenderen van een Keniaanse marathonloper. 'Kan ik u iets aanbieden? Koffie misschien?'

Ze bedankten, en aarzelend ging zij ook zitten, niet op de bank maar in een helderrode fauteuil die te groot voor haar was. Het voetenbankje dat erbij hoorde, schoof ze opzij, en ze bleef rechtop zitten.

De stoel van haar man, dacht Vegter. 'U hebt melding gemaakt van de vermissing van uw man,' begon hij.

Ze knikte.

'U hebt intussen niets van hem gehoord?'

Ze schudde haar hoofd. 'Ik heb hem een kwartier geleden opnieuw gebeld, maar ik kreeg weer zijn voicemail.'

'U maakt zich ongerust?'

'Ja.'

'Op welke gronden?'

'Omdat dit niets voor Richard is. Hij is veel weg, maar hij laat het me altijd weten als er iets in zijn planning verandert. Als hij niet thuis eet, of juist wel.'

'Hij is veel weg, zegt u,' zei Vegter. 'Is dat alleen vanwege zijn werk, of heeft dat ook een andere reden?'

'Vooral vanwege zijn werk, natuurlijk. Hij is samen met zijn broer directeur van een bedrijf.'

'Een autoschadeherstelbedrijf, heb ik begrepen.'

'Ja. En hij is dikwijls weekends niet thuis vanwege zijn hobby. Met zijn broer rijdt hij rally's overal in Europa.'

'Hebt u ook geprobeerd zijn broer te bereiken?'

'Ja. Of eigenlijk, hij belde mij. Omdat Richard vanochtend niet kwam opdagen voor een afspraak. Hij dacht dat Richard zich misschien verslapen had.'

'Bij uw melding zei u dat u contact had gehad met het bedrijf.'

'Ja, met de hoofdvestiging. Ze hebben drie garages, maar Richards kantoor is in de hoofdvestiging.'

'Het bedrijf is opgericht door uw schoonvader?'

'Ja.'

'Hebben uw man en zijn broer het uitgebreid, of bestonden die drie vestigingen al voordat zij de zaak overnamen?'

'Er waren er toen twee, en zij hebben een derde opgestart, een paar jaar geleden. Ze zijn nu bezig met de vierde, vandaar dat Richard het momenteel extra druk heeft.'

'Hebt u de afgelopen weken of maanden de indruk gekregen dat uw man problemen heeft, ergens over tobt? Overspannen is, misschien?'

'Nee.'

'Hij gedroeg zich niet anders dan gewoonlijk?'

'Nee.'

Haar antwoorden waren gedecideerd, en Vegter bedacht dat ze zich hierover waarschijnlijk al het hoofd had gebroken.

'Zover u weet floreert het bedrijf?'

'Ja. Hij praat er niet zoveel over. Maar ik zou het hebben gemerkt als er iets was. Misschien niet meteen aan hem, maar zeker aan zijn broer.'

'Er is een goede band tussen u en uw schoonfamilie?'

'We zien elkaar regelmatig.'

'Dat is niet helemaal wat ik vroeg,' zei Vegter vriendelijk.

Ze keek naar haar handen. De nagels waren ongelakt en staken als bleke schelpjes af tegen haar donkere huid. Ze droeg alleen een brede trouwring. 'De familie heeft moeite gehad mij te accepteren.'

Voor het eerst hoorde Vegter een licht accent. 'Waarom?' Hij moest het vragen, al vermoedde hij de reden, en hoopte hij dat hij zich vergiste.

Ze lachte. Een kleine, snelle glimlach. 'Dat moet u kunnen raden.'

'Uw huidskleur,' zei Talsma, die niet van omwegen hield.

'En mijn afkomst. Ik kom uit Somalië.'

'Maar u woont al lang in Nederland?'

'Zeventien jaar. Ik kwam hier als studente, ontmoette Richard en ben met hem getrouwd. Destijds leverde dat minder problemen op dan nu het geval zou zijn.'

'Om ons een beeld te kunnen vormen moeten wij iets weten van de achtergrond van uw man,' zei Vegter. 'Daarbij horen vragen die u als onprettig kunt ervaren.'

Ze knikte, maar gaf geen commentaar.

Vegter besloot tactvol terug te sturen naar de broer. 'Heeft de broer van uw man, voor hij u belde, geprobeerd contact met hem op te nemen?'

Ze moest nadenken. 'Ik geloof dat hij zei dat hij hem niet kon bereiken. Ja, want daarom belde hij hiernaartoe op de vaste lijn.'

'Uw man werkt de hele week?'

'Ja. Soms ook op zaterdag, als hij iets wil afmaken.'

'Hij vertrekt 's ochtends altijd op dezelfde tijd?'

'Ja. Meestal gaat hij om halfacht de deur uit.'

'Hebt u zijn agenda hier?'

'Nee. Ik heb ernaar gezocht. Hij moet hem bij zich hebben.' Ze stond op, liep naar een kast en kwam terug met een paspoort. 'Ik heb wel zijn paspoort voor u. De agent op het politiebureau vroeg ernaar.'

Vegter sloeg het paspoort open. De naam Richard Cornelis Verkallen hoorde bij een man met donker haar dat op zijn voorhoofd begon te wijken. Brede kaken, dunne lippen, nietszeggende blik. Een typische pasfoto, die niets prijsgaf van een karakter. Verkallen zou over een maand eenenveertig worden.

Hij keek naar Talsma, die zijn onderlip naar voren stak. Het kon vriezen of dooien.

'Hebt u hier een adresboekje?' vroeg Vegter. 'Ik zou graag namen, adressen en telefoonnummers van familie en vrienden hebben.'

'Boven.' Ze stond opnieuw op en liep de kamer uit.

'Wat denk jij?' Vegter gaf Talsma het paspoort, en op zijn beurt bestudeerde Talsma de foto.

'Het voelt niet jofel. Als hij aan het passagieren was geslagen zou hij zijn paspoort hebben meegenomen.'

'Ja. Eerst de broer of eerst het bedrijf?'

'Dat is waarschijnlijk twee vliegen in één klap,' zei Talsma, die nooit opzag tegen een cliché.

Vegter keek de kamer rond en verwonderde zich over de ordelijkheid. Nergens rommel, de meubels waren stofvrij, de natuurstenen vloer was smetteloos. De enorme kerstboom leek bijna misplaatst. Wat opviel was de doodsheid van het geheel. Er was een zoon van dertien. Lieten pubers niet overal hun sporen achter? Maar ook de hal was bijna pijnlijk opgeruimd. De jassen in een garderobekast, geen modderige sportschoenen, geen vergeten sjaal of handschoenen. Waar was trouwens de zoon?

Asli Verkallen kwam weer binnen en gaf hem een zwartleren adresboekje. 'Alstublieft.'

'Uw zoon,' zei Vegter. 'Is hij inmiddels op de hoogte van de situatie?'

'Nee. Hij is nu bij een vriendje.'

Vegter dacht een ogenblik na. Een jongen van dertien was geen klein kind meer. Hem zou misschien iets zijn opgevallen wat zijn moeder was ontgaan. Anderzijds was het heel goed mogelijk dat zijn vader zich op dit moment vermaakte op een manier die zijn moeder voor hem verborgen zou willen houden. Al zou haar dat niet meer lukken als Verkallen langer wegbleef.

'Het kan zijn dat wij met hem moeten praten.'

'Daar zou ik dan graag bij willen zijn,' zei Asli Verkallen. Er klonk spanning door in haar stem.

Vegter wachtte.

'Dat zal ook nodig zijn,' zei ze. 'Normaal gesproken ben ik zijn tolk. Hij is doof.'

4

Bernard was de telefoon helemaal zat. Meerdere malen had die hem uit zijn slaap gehaald, en met groeiend onbehagen had hij gekeken naar het schermpje, dat op één keer na steeds dezelfde melding gaf. 'Thuis belt'. Die ene keer stond er: 'Peter belt'. Hij durfde het ding nog amper aan te raken. Vertrouwd met moderne media was hij niet, daarvoor was hij al te lang uit de running, maar duidelijk was dat de dode man, God hebbe zijn ziel, ergens een thuis had dat kennelijk niet de plaats was waar hij hem had gevonden. Wilde hij nergens bij betrokken raken, dan was het beter om de telefoon weg te gooien.

Zijn maag en de dorst vertelden hem dat de ochtend intussen een eind op streek moest zijn. Misschien was het toch de moeite waard Harry te polsen over een transactie. De gedachte luchtte hem op. Harry zou weten wat met het apparaat te doen, en voor hemzelf betekende het dubbel voordeel, want een paar gratis borrels waren een goed begin om de nieuwe dag onder ogen te zien.

Hij groef zich uit zijn lappennest, vond zijn sokken en schoenen en trok ze aan. Door het kleine vuile raam van het souterrain keek hij naar de benen die passeerden. Soms had hij er plezier in zich een voorstelling te maken van wat er zich boven die benen bevond. Dat kon zelfs nuttig blijken, want zag hij naast de benen een gevulde boodschappentas, dan was het dikwijls een kwestie van volgen en wachten op het goede moment om zo'n tas te ontdoen van een portemonnee, al moest hij erkennen dat het steeds vaker voorkwam dat zijn looptempo tekortschoot.

Hij was koud wakker geworden, en daarom zette hij een tweede muts op voor hij de deur achter zich dichttrok.

Om de Heer gunstig te stemmen neuriede hij onderweg een paar psalmenflarden. Het hielp, want Harry was er al. Bernard struikelde over het snoer van de stofzuiger en had de bar nodig om overeind te blijven.

'Ik ben nog niet open,' zei Harry.

Om hem niet tegen zich in het harnas te jagen, weerhield Bernard zich ervan zijn lippen afkeurend te tuiten. In zijn vroegere leven, vóór de *troubles*, was hij docent Engels geweest op een christelijk gymnasium, en nog altijd stoorde hem slecht taalgebruik.

'Goedemorgen, Harry.'

'Ik ben nog niet open,' herhaalde Harry. Hij spoelde in hoog tempo glazen.

Bernard legde de telefoon op de bar. 'Misschien ben je hierin geïnteresseerd?'

Harry bekeek de iPhone, voerde met snelle vingers een paar handelingen uit, knikte, reikte achter zich en zette een fles jenever op de bar.

'Halfleeg,' zei Bernard ontgoocheld.

'Halfvol,' corrigeerde Harry.

'*I must be laying on a bed of roses,*' declameerde Bernard, '*for I feel the thorns in my flesh.*'

'Toe maar.' Harry schonk geroutineerd een jonge uit een andere fles en Bernard sloeg die even geroutineerd achterover.

De warmte die zich vanuit zijn slokdarm verspreidde gaf hem de moed een vraag te stellen. 'Wat kun je ermee doen?'

'Doorverkopen. Ander simkaartje erin en je bent in business.'

'Ik bedoelde met het apparaat.'

'Te veel om aan jou uit te leggen.' Harry ontdooide enigszins. 'Je hebt de boot gemist, oude man. Hoe kom je aan dit ding? Genakt zeker?'

'Gevonden.'

'Waar?' Harry staakte het spoelen, weifelde een ondeelbaar ogenblik en tapte een biertje voor zichzelf.

Verheugd klom Bernard op een barkruk. Een goed mens, Harry. Fijnbesnaard. Voelde aan dat je behoefte had aan een praatje, voelde zelfs misschien aan dat je over iets tobde. Niettemin bleef hij voorzichtig. 'In de buurt van iemand die hem niet meer nodig had.'

Harry goot het biertje naar binnen, keek op de klok, weifelde opnieuw en doopte toen zijn glas in de spoelbak. 'Omdat hij een nieuwe had?'

Bernard keek opzichtig naar zijn lege glaasje, en Harry pakte de fles. 'Dit is de laatste.'

'Dat is me niet bekend,' zei Bernard. 'Ons contact bleef aan de oppervlakkige kant.' Hij kantelde zijn tweede borrel, probeerde zich in te houden, maar verloor. 'Er was iets aan de hand met die meneer.'

De drank won altijd, maakte hem mild en kwetsbaar. Als hij nog nuchter genoeg was, kon hij dat toegeven. Zelfs was hij dan genegen in te zien dat het beter 'loslippig' genoemd zou kunnen worden, maar daarvoor had hij het excuus paraat dat een mens recht had op wat aandacht. Misschien was hij nu al te ver gegaan, want Harry bekeek de iPhone met hernieuwd wantrouwen. 'Je fokt me niet, hè? Als het me gelazer oplevert, neem je hem maar weer mee.'

'Nee, nee.' Bernards hand sloot zich om zijn fles. Hij gleed van de kruk, struikelde opnieuw over het snoer en scharrelde naar buiten.

'Ik begrijp niet wat er aan de hand kan zijn.' Peter Verkallen keek van Vegter naar Talsma. 'Dit is niets voor Richard.'

Ze zaten in het kantoor van de hoofdvestiging van Verkallen Autoschadeherstelbedrijven. Een kantoor dat Peter Verkallen deelde met zijn broer, getuige de twee bureaus die elk aan een kant van het vertrek stonden – dat van Richard leeg, dat van zijn broer bedekt met paperassen.

'Er is een oproep uitgegaan om uit te kijken naar zijn auto,' zei Vegter. 'Intussen hopen wij van u iets meer te horen over de relatie tussen u en uw broer, en tussen hem en de overige familie. Ook, trouwens, tussen hem en het personeel.'

Peter Verkallen haalde een hand door zijn haar, dat in tegenstelling tot dat van zijn broer weelderig dik was. Hij was een korte, gezette man van tegen de vijftig. Dubbele kin, de taille gesneuveld als gevolg van het goede leven. Geruit pak, de ruiten te groot. Maar, dacht Vegter, ruiten waren altijd te groot voor wie er niet van hield. Stef had ooit gekscherend gedreigd van hem te zullen scheiden mocht hij besluiten tot een geruit of een bruin pak. '*A gentleman never wears brown.*'

Onder het geruite pak een zachtgeel overhemd en een das als een gestreepte doktersvis. Het geheel gaf Vegter de indruk van iemand die zich meer liet leiden door zijn eigen smaak dan door een verkoper.

'Die relatie is goed,' zei Peter Verkallen. 'Wij zijn een hechte familie. En wat het personeel betreft: er gaan zelden mensen weg. Richard is bovendien degene die de financiële kant van het bedrijf behartigt. Met het personeel heeft hij niet dagelijks te maken.'

'U bent bezig een vierde vestiging op te zetten. Is dat waar hij zich momenteel voornamelijk mee bemoeit?'

'Ja.'

'En alles verloopt naar wens?'

'Ja. Natuurlijk zijn er haken en ogen. De locatie, een vestigingsvergunning, de bouw, de gemeente. Enfin, noem maar op.'

'Maar u hebt niet de indruk dat hij het niet aankan?'

'Nee. Integendeel. We hebben dit eerder gedaan, vijf jaar geleden, dus hij heeft er ervaring mee.'

'Wanneer sprak u hem voor het laatst?'

'Gisteren.'

'En u hebt niets ongewoons opgemerkt?'

'Nee.'

'Hoe laat zag u hem?'

'Ik heb hem een paar maal gezien.' Verkallen dacht na. 'Ook nog rond drieën. Toen hadden we het over een winterrally waaraan we mee gaan doen. In januari is dat.'

'Hij was van plan naar huis te gaan?'

'Na een meeting met de architect, en iemand van de gemeente. Ik geloof dat het gepland stond voor vier uur, maar dat weet ik niet zeker.'

'Uw schoonzus sprak over een dinertje of een vergadering.'

'Dat kan.' Verkallen haalde zijn schouders op. 'De architect is dezelfde die eerder voor ons heeft gewerkt. Richard mag hem wel. Misschien had hij een eetafspraak met hem.'

'Hebt u zijn naam en adres voor mij?'

Verkallen krabbelde iets op een papiertje en overhandigde dat. Vegter stak het weg. 'Maakt uw broer op u de indruk dat hij problemen heeft? U bent een hechte familie, zegt u.'

'Dat zijn we.' Verkallen trok de doktersvis recht. 'Richard en ik zitten al ons hele leven in het bedrijf. Mijn vader is begonnen met een garage niet groter dan een schuur, en hij heeft zich letterlijk kapotgewerkt om hogerop te komen. Zijn grootste wens was dat zijn zoons het bedrijf over zouden nemen. Dat is gebeurd.'

'Met uw beider instemming? Die van u en uw broer?'

'Ach.' Verkallen lachte. 'Richard had vroeger aspiraties in een andere richting, maar hij zag in dat die geen geld zouden opleveren.'

'Wat voor aspiraties?'

'Hij wilde naar de kunstacademie. Dat heeft mijn vader hem uit het hoofd gepraat. In de kunst valt geen droog brood te verdienen.'

'Dat begreep uw broer ook?' Vegter hield zijn stem neutraal.

'Uiteindelijk wel.'

'Leeft uw vader nog?'

'Jazeker. Hij is nu tachtig, en het spijt hem nog elke dag dat hij het bedrijf aan ons moet overlaten.'

'Levert dat conflicten op?'

'Niet met mij. Ik hou hem op de hoogte van de gang van zaken, en daar is hij tevreden mee.'

'En uw broer?'

'Ach,' zei Verkallen weer. 'Richard is een beetje het buitenbeentje. Hij wou altijd anders zijn dan anderen. Een en al idealisme en wilde plannen. Had vroeger intellectuele vriendjes. Van die halvezolen. Kwam ten slotte thuis…' Hij zweeg.

'Kwam ten slotte thuis?'

'Kwam thuis met een negerin.' Verkallen zei het met iets uitdagends in zijn blik.

'Daar hebt u problemen mee?'

'Het is zijn leven.'

'Maar het zorgde voor frictie binnen de familie?'

'Kijk,' zei Verkallen. 'Mijn vader is geboren in een tijd dat Nederland nog wit was. Toen kwamen na de oorlog die blauwen uit Indonesië. Daarna kreeg je de Turken en de Marokkanen. En daarna werd het een zootje. Nederland is Nederland niet meer, zo denkt hij erover.'

'En u?' Vegter vermoedde al wat het antwoord zou zijn. Dit was een zoon die nooit op het idee was gekomen zijn vaders opvattingen in twijfel te trekken.

Verkallen legde zijn handen op zijn bureau. Mollige handen, met aan de pink van de rechterhand een zegelring. 'Laat ik het zo zeggen. Als iemand op de vlucht is voor oorlog, dan heb ik daar begrip voor. Al zou je kunnen denken dat je voor je land moet vechten. Maar al die gelukzoekers mogen ze van mij vandaag nog de grens over zetten. Leveren niks op, kosten alleen maar geld.'

'Zo denkt u ook over uw schoonzuster?' Vegter wist dat hij te ver ging.

Het viel Verkallen niet op. 'Zij kwam hier onder het mom van een of andere studie. Ik heb daar nooit zo erg in geloofd. Ze palmde Richard in, en ze wilde hier maar al te graag blijven.'

Vegter zweeg, en hij wist dat naast hem Talsma ook zou zwijgen.

Verkallen scheen iets aan te voelen, want hij haalde opnieuw zijn schouders op. 'Ze zorgt goed voor hem. Houdt het huis schoon, heeft fatsoenlijk de taal geleerd. Jammer van de jongen.'

'Hij is doof, heb ik begrepen.'

'Ja. Nou ja, dat is hun probleem.'

So much voor de innige familie, dacht Vegter. Hij stond op. 'Mocht u iets van uw broer horen, laat u het ons alstublieft onmiddellijk weten.'

'Maar u gaat toch wel iets meer doen?' Voor het eerst toonde Peter Verkallen bezorgdheid. 'Wie weet wat er gebeurd is. U laat het hier toch niet bij?'

'Uiteraard niet.' Vegter stak zijn hand uit. 'We zijn bij zijn vrouw en u begonnen, omdat u beiden hem het meest na staat. Vanaf hier breiden we het onderzoek uit.'

'Droplul,' zei Talsma op weg naar de auto.

'Ja.' Vegter dacht aan het smalle gezicht van Asli Verkallen. Hoe moest het zijn je altijd de mindere te voelen, ook al was dat nergens op gebaseerd?

'Pa ook maar meteen knippen en scheren?' vroeg Talsma.

'Eerst die architect. Als die hem inderdaad gesproken heeft, hebben we wat meer zicht op het tijdsverloop.'

De architect zat in zijn kantoor en moest uit een bespreking worden losgeweekt. Hij kwam met uitgestoken hand op hen af. Een dertiger die het woord 'geslaagd' personifieerde van zijn brogues tot zijn gebruinde gezicht. 'Heren, wat kan ik voor u doen?'

Vegter keek de bescheiden ontvangstruimte rond, zich met enige jaloezie verbazend over hoe je met ogenschijnlijk minimale middelen luxe en smaak kon suggereren. Maar toen dacht hij aan zijn houten vloer en ouderwetse velours gordijnen, die een behaaglijkheid uitstraalden die deze met steen en staal ingerichte kamer ontbeerde.

'Wij hebben begrepen dat u gistermiddag een afspraak had met Richard Verkallen.'

'Jazeker.' Een handgebaar naar een zithoek die leek te zweven, zo fragiel waren de chromen buizen die het geheel droegen. 'Gaat u zitten.'

Talsma, al vele jaren niet meer te imponeren, schoof direct door naar de rugleuning, die verder weg was dan op het eerste gezicht leek. 'U hebt hem gesproken?'

'Jawel. Tegen halfvijf, ik was iets verlaat.'

'Was hij daar gepikeerd over?' vroeg Talsma met plotselinge inspiratie.

'Nu u het zegt: ja.' De architect sloeg een spijkerbroekbeen over het andere. Het jasje erboven had precies de juiste nonchalance. Hij was er niet voor de klanten, de klanten waren er voor hem. Hij heette Jon Brox.

Zelfs de naam deugde, dacht Vegter, en miste bijna de rest van het antwoord.

'We zouden samen gaan eten,' zei Brox. 'Maar dat cancelde

hij meteen. Hij was een beetje… kortaf. Ja, dat is het juiste woord. Maar mag ik vragen waar dit allemaal over gaat?'

'Meneer Verkallen is gisteravond niet thuisgekomen, en er is niets meer van hem vernomen.'

'U bedoelt dat hij wordt vermist?' Brox haalde een hand door zijn sluike blonde haar. 'Daar schrik ik van. Denkt u aan een ongeluk?'

'Wij denken nog helemaal nergens aan,' zei Vegter. 'Op dit moment proberen we te achterhalen wie hem het laatst heeft gezien. Tot hoe laat sprak u hem?'

Brox keek naar het lichtgrijze plafond. 'Tot laten we zeggen zes uur. Heel precies weet ik het niet. Het kan ook kwart over zes zijn geweest.'

'In welk restaurant zou u zijn gaan eten?'

'Daar hebben we het niet over gehad, maar ik neem aan bij L'empereur. Daar hebben we vaker gegeten. Hij is een liefhebber van de klassieke keuken.'

'Bij uw bespreking was ook een gemeenteambtenaar aanwezig?'

'Ja, tot ongeveer halfzes. Daarna hebben Richard en ik verder gepraat. Ik had nieuwe tekeningen bij me, omdat de eerste door de gemeente waren afgekeurd. De nieuwe vestiging moet worden gerealiseerd op een locatie waar eerder een school heeft gestaan, en de gemeente heeft bepaald dat de nieuwbouw niet mag detoneren in de omgeving.' Brox lachte. 'Een uitdagende voorwaarde, kan ik u vertellen.'

Vegter knikte. 'U nam dus om ongeveer zes uur afscheid. Heeft Verkallen u iets verteld over zijn verdere plannen voor de avond?'

'Nee. We hebben een paar borrels gedronken in zijn kantoor.' Brox zweeg even. 'Hij leek er niet helemaal met zijn gedachten bij te zijn. Maar voor hetzelfde geld is dat mijn perceptie achteraf.'

Vegters waardering steeg. De man dacht in elk geval na. 'Wat is over het algemeen uw indruk van hem?'

Brox woog zijn antwoord. 'Ik mag hem, laat ik dat vooropstellen. Vooral omdat hij intelligent is, snel van begrip. Minder een harde zakenman dan zijn broer, en met een bredere belangstelling. Maar hij is geen blije man, sorry voor het woord. Hij is vrij snel geïrriteerd, heeft weinig geduld voor oponthoud, terwijl hij ervaring heeft met een project als dit, dat altijd vertraging kent. Misschien moet ik zeggen dat hij kortaangebonden is. Het lijkt me dat hij iemand is die gewend is zijn zin te krijgen.' Na enig nadenken voegde hij eraan toe: 'Of juist niet, natuurlijk.'

Vegter was geneigd hem de brogues te vergeven. Deze man gaf in een paar zinnen een betere kijk op het karakter van Verkallen dan waartoe de broer in staat was geweest.

'Bent u samen met hem naar buiten gelopen?'

'Ja. Hij sloot zijn kantoor af, en ook de buitendeur. Het personeel was al naar huis.'

'En toen?'

'Toen liep hij naar zijn auto, en ik naar de mijne.'

5

Op weg terug naar autoschadeherstelbedrijf Verkallen belde Vegter Brink. 'Ga naar restaurant L'empereur en vraag of Richard Verkallen daar gisteravond heeft gegeten, en of hij alleen was of in gezelschap. Vraag ook of hij er vaker komt.'

'Niet zo'n bal als ik dacht, die Brox,' zei Talsma nadat Vegter had opgehangen.

'Nee.' Wat was het prettig, overwoog Vegter, om iemand naast je te hebben die je de tijd gaf de informatie te rangschikken. Had hij Brink gekozen, dan zou die onmiddellijk een analyse hebben gegeven die voornamelijk gestoeld zou zijn op aannames. Renée zou hebben gezwegen. Renée was de bescheidenheid zelve. Kijkend, lerend, afwachtend. God, wat miste hij Renée. Nadat ze met ziekteverlof was gegaan, had ze hem nog eenmaal gebeld, uitsluitend om te vertellen dat ze geen prijs stelde op contact. En niet alleen hem had ze geëxcommuniceerd; geen van de collega's wist hoe ze het maakte. Enerzijds stelde hem dat gerust – kennelijk betroffen haar grieven niet louter het feit dat hij degene was die haar met verlof had gestuurd. Maar hij zou graag, al was het zijdelings, hebben vernomen hoe het met haar ging. De radiostilte duurde nu al drie maanden, en naarmate de tijd verstreek, miste hij haar meer. Veel meer dan hij voor mogelijk had gehouden. Blijkbaar was hij nog niet te oud om te leren. Maar misschien wel te oud voor Renée. Steeds verder gleed hij terug in het bestaan van man alleen. Het koken had hij opgegeven. In plaats daarvan kocht hij weer kant-en-klaarmaaltijden of at helemaal niet, dronk weer meer en sliep slecht als gevolg daarvan. Het huis hielp. Het hielp absoluut, en geen moment had hij spijt gehad van de aankoop. Het was ontegenzeggelijk een thuis, terwijl de flat alleen een onderkomen was geweest. Maar het was een tamelijk leeg thuis, een leegte die niet kon worden gevuld door een kat, hoezeer hij Wolfs aanhankelijkheid ook waardeerde. Hij zocht nog steeds, en nog altijd wist hij niet precies waarnaar.

In de garage was het personeel inmiddels op de hoogte van het feit dat er iets bijzonders aan de hand was. Op Vegters verzoek hadden zich tien man verzameld in wat fungeerde als een bedrijfskantine. Peter Verkallen en negen mannen in overall en met verf en olie besmeurde handen. De receptioniste, die de afspraken regelde voor alle vestigingen, was wegens ziekte afwezig.

Vegter keek de kleine kring rond. 'Ik heb begrepen dat u allemaal intussen weet dat Richard Verkallen wordt vermist. Zover wij nu weten is hij na zes uur gisteravond niet meer gezien. Dat kan van alles betekenen. Hij kan onwel zijn geworden, een afspraak hebben gehad, een ongeluk hebben gekregen.'

De ziekenhuizen waren gebeld; er was niemand binnengebracht die aan de beschrijving voldeed. Maar Verkallen was niet nuchter in zijn auto gestapt, en de stad beschikte over een flink aantal grachten.

'Heeft iemand van u hem gisteravond na zes uur nog gezien?'

Stilte.

'Heeft iemand van u hem gisteren gesproken?'

Schouders werden opgehaald.

'Hij maakt altijd een rondje,' zei een van de monteurs. ''s Ochtends als hij binnenkomt. En vaak ook aan het eind van de dag.'

'Gisteren ook?'

'Alleen 's ochtends. Daarna heb ik hem niet meer gezien.' De man keek naar de anderen. 'Jullie?'

'Bij de koffieautomaat.' Een jongen niet ouder dan achttien knikte een paar maal om zijn woorden kracht bij te zetten. 'Daar was hij. Om ongeveer elf uur.'

'Heeft een van u iets ongewoons opgemerkt?' vroeg Vegter. 'In het gedrag van meneer Verkallen? Gisteren, of al eerder?' Het was een van die vragen die meestal zinloos waren, maar toch dienden te worden gesteld. Om mensen werkelijk te laten nadenken, moesten ze persoonlijk worden ondervraagd.

Negen hoofden schudden nee. Peter Verkallen had zijn armen over elkaar geslagen, en van zijn gezicht viel af te lezen dat hij weinig vertrouwen had in de gang van zaken. Wat je hem niet kwalijk kon nemen, dacht Vegter. Mensen verwachtten grootscheepse maatregelen, en in plaats daarvan werden ze, tenzij het de vermissing van een kind betrof, in eerste instantie geconfronteerd met een voorzichtig aftasten.

'Heeft een van u iets ongewoons opgemerkt bij het bedrijf? Iemand gezien die hier niet thuishoort?'

De hoofden ontkenden weer.

'Een merkwaardig telefoontje misschien? Niet per se gisteren, maar in de afgelopen weken? Een ontevreden klant?'

'Dat soort dingen handel ik af,' zei Peter Verkallen. 'Richard heeft weinig met de klanten te maken. Maar dat had ik u al verteld.'

'Gebruikt uw broer medicijnen?' Vegter bedacht dat hij dat al aan Asli Verkallen had moeten vragen, en ook of Richard Verkallen drugs gebruikte.

'Niet dat ik weet. Hij is gezond, werkt elke dag, meldt zich zelden ziek.' Verkallen keek op zijn horloge. 'Het is na vieren. Hij is nu bijna vierentwintig uur zoek. Wordt het niet tijd dat u actie onderneemt?'

Vegter liet zich niet provoceren. 'Ik zou u allemaal graag even afzonderlijk spreken. Met uitzondering van u, meneer Verkallen. Al heb ik verzuimd u te vragen of uw broer drugs gebruikt.'

'Drugs?' zei Verkallen verbijsterd. 'Bent u nou helemaal besodemieterd?'

Een van de monteurs lachte besmuikt, wat hem op een priemende blik kwam te staan.

'Goed,' zei Vegter. Hij gebaarde naar de lachende monteur. 'Als u even wilt blijven? We zullen u om de beurt binnenroepen.'

Ze stommelden de kantine uit. De knul van achttien draaide zich om. 'Mag ik buiten gaan roken?'

'Wat mij betreft wel,' zei Vegter. 'Misschien kunt u dat beter aan meneer Verkallen vragen.'

Talsma wreef over zijn mond.

De deur ging dicht, en Vegter wendde zich tot de monteur. 'Hoe is uw relatie met Richard Verkallen?'

De man haalde zijn schouders op. 'Ik werk hier al vijfentwintig jaar.'

'Bedoelt u daarmee dat u dat met plezier doet? Ook nadat de broers het bedrijf hebben overgenomen?'

'Ja. Er is weleens wat, natuurlijk. Het zijn geen gemakkelijke jongens.'

'In welk opzicht?'

'Peter is net zijn vader. Keihard. Richard kan niet tegen hem op. Dat reageert hij soms op ons af. Nou ja, niet op ons allemaal.' De monteur had weer het heimelijke lachje. 'Maar over het algemeen is hij goed te pruimen. Voor zover we hem zien.' Hij trok een pakje shag uit de borstzak van zijn overall en begon een sigaret te draaien. In de groeven van zijn eeltige handen zat vuil dat zich niet meer liet verwijderen.

'Hoe bedoelt u, "niet op ons allemaal"?'

De man likte het vloeitje dicht, stak de sigaret terug in het pakje en het pakje terug in zijn borstzak. 'Och.'

'Ik zou graag een beter antwoord hebben.'

'Het zijn mijn zaken niet.'

'Wat niet?'

De man keek naar zijn werkschoenen. 'Niks niet.'

'Wat u zegt komt niet verder dan deze kamer,' zei Vegter. 'En alles wat u zegt, kan ons helpen. Wij moeten ons een beeld vormen, en u kent Richard Verkallen. Wij niet.'

'Dat snap ik wel.'

'Mooi. Legt u me dan nu maar uit wat u bedoelde met uw opmerking.'

De monteur wreef zijn handen over elkaar. 'Hij is er niet van gediend als je je bemoeit met dingen. Peter ook niet, maar die verpakt het beter. Ik zeg weleens wat, en dan krijg ik meteen een grote bek. Terwijl ik Richard nog heb zien binnenkomen als jochie van achttien, negentien.'

Vegter bleef hem aankijken. 'U weet zeker dat dit het antwoord is dat u wilde geven?'

'Hoezo?'

'Omdat ik de indruk heb dat het niet compleet is.'

'Dat is het wel. Wat ken ik die man nou? Het gaat mij geen flikker aan wat hij wel of niet uitspookt. Ik werk hier alleen maar.'

Een voor een werkten ze de andere monteurs af, die ongeveer hetzelfde oordeel gaven over Verkallen, en die allemaal terughoudend waren met dat oordeel.

Toen ze op weg waren naar de auto, belde Brink. 'Verkallen is min of meer vaste klant bij L'empereur. Hij komt er met verschillende mensen.'

'Alleen zakenrelaties?'

'Dat heb ik niet gevraagd. "Verschillende mensen", zeiden ze. En soms ook alleen.'

'Was hij er gisteravond?'

'Ze dachten van niet.'

'Wie heb je dan gesproken?'

'Een ober.'

Vegter hing op en zuchtte. 'Naar L'empereur.'

Talsma onthield zich van commentaar.

L'empereur was gevestigd net buiten het centrum. Klassiek ingericht met goudkleurig behang, eiken lambrisering, gerieflijke stoelen. Men had de kerstsfeer weten te beperken tot een kaarsenarrangement op de tafels. Er waren nog nauwelijks gasten.

De gerant kwam glimlachend op hen af. 'U had gereserveerd, heren?'

'Nee.' Vegter liet zijn legitimatiebewijs zien. 'We willen graag nog wat inlichtingen omtrent Richard Verkallen. Ik heb begrepen dat hij een vaste klant van u is.'

De gerant knikte. 'Een van onze mensen zei dat er iemand van de politie was geweest.' Hij gebaarde hoffelijk. 'Wilt u niet even gaan zitten? En misschien mag ik u iets aanbieden?'

'Koffie,' zei Talsma, voor Vegter kon weigeren.

'Twee koffie.' De gerant haastte zich weg met de typische loop van de ober; de voeten naar buiten gedraaid, de schouders na jaren van serviliteit licht gebogen. Hij kwam terug met twee fraai opgeschuimde koppen koffie, die hij geruisloos neerzette.

Talsma stortte zijn suiker in een punt op de schuimlaag en roerde. Als hij zijn lunch oversloeg, compenseerde hij dat met suiker.

'U werkt hier al lang?' vroeg Vegter.

De gerant ging zitten. 'Vanaf de opening, nu bijna dertig jaar geleden.' Hij glimlachte. 'Ik ben begonnen als leerling-kelner.'

Vegter knikte. 'U kent Verkallen goed, meen ik. Sinds wanneer komt hij hier, en met wie?'

'Sinds een jaar of vijf, zes, misschien.' De gerant dacht na. 'En met verschillende mensen. Hun namen ken ik niet. Ik denk dat het meestal zakelijke etentjes zijn.' Hij klaarde op. 'En hij eet hier met zijn vrouw. Al is dat alweer een tijdje geleden.'

'Met zijn vrouw en zoon, neem ik aan? Of altijd alleen met zijn vrouw?'

'Zoon?'

'Een jongen van nu dertien jaar.'

'Ik heb hem nooit met een kind gezien,' zei de gerant onzeker.

'Maar u kent zijn vrouw.'

'Jazeker. Een lieve dame, als ik dat zo mag zeggen. Bescheiden. Rustig. Toch wel wat jaartjes jonger dan hij.'

Vegter haalde zich Asli Verkallen voor de geest. Ze kon hooguit twee of drie jaar jonger zijn dan haar man. 'Kunt u haar beschrijven?'

'Natuurlijk,' zei de gerant hulpvaardig. 'Blond, halflang haar, iets kleiner dan hij. Volslank.' Hij keek schalks. 'Ze eet veel groente en weinig vlees.'

Vegter wisselde een blik met Talsma. 'Weet u haar voornaam?'

De gerant schudde zijn hoofd. 'Helaas. U moet niet vergeten: ik bedien niet meer. Ik houd de tafels in het oog en als ik zie dat gasten klaar zijn met eten, maak ik een praatje. Over het algemeen wordt dat op prijs gesteld.'

'Wanneer was de laatste keer dat hij hier at?'

'Dat kan ik nakijken. Hij reserveert altijd.' De gerant stond op.

Talsma en Vegter dronken hun koffie terwijl ze wachtten.

'Hij had voor gisteravond gereserveerd.' De gerant ging weifelend weer zitten, als voelde hij dat het gesprek ten einde liep. 'Voor twee personen. Maar hij is niet geweest.'

'Heeft hij geannuleerd?'

'Nee.'

'Blijft hij vaker weg zonder te annuleren?'

De gerant spreidde verontschuldigend zijn handen. 'Nu

vraagt u wel veel. Ik zou zeggen van niet. Hij is altijd heel correct.'

Ze lieten een man achter die brandde van nieuwsgierigheid, maar te beleefd was om het te laten blijken.

'Dus hij heeft een lekkere vriendin,' zei Talsma toen ze in de auto stapten.

'Het lijkt erop.' Vegter keek op zijn horloge.

Richard Verkallen had nu drieëntwintig uur niets van zich laten horen.

■

De dag was ondraaglijk traag verstreken. Ze was niet in staat iets te doen, maar drentelde door het stille huis van kamer naar kamer, keek naar het onopgemaakte tweepersoonsbed; één kussen met een kuil, één zonder, schoof een van de deuren van de kledingkast open en meteen weer dicht bij het zien van het rijtje colberts, de broeken, elk aan hun eigen hanger, de stapels gestreken overhemden. Kleren die op hun eigenaar wachtten.

Ze ging weer naar beneden, lichtte het deksel van de wasmand, waarin Richards witte overhemd bijna schuilging onder zijn sokken en Keja's sweater. De wasmand was halfvol, en normaliter zou ze de kleren hebben gesorteerd, de machine gevuld. Nu deed ze niets.

Ze trok het overhemd tevoorschijn en rook de vertrouwde mengeling van lichaamsgeur en aftershave. Richard zweette snel, geen denken aan dat hij twee dagen hetzelfde overhemd zou dragen. Ze gooide het terug in de wasmand, stopte het diep onderin. Dwaalde weer naar de zitkamer, zette de radio aan en meteen weer uit toen ze de opgewonden stem van een dj hoorde.

Wat moest ze doen, wat kon ze doen? Niets. Het was in handen van de politie. Voor de zoveelste maal keek ze op haar mobiel. Geen bericht van Peter, geen bericht van haar schoonouders.

Ze maakte een nieuwe ronde door het huis. Verschoonde het bed omdat Richards geur niet nóg een nacht te verdragen zou zijn, legde in de badkamer zijn tandenborstel recht, zette scheerkwast en de bus scheerschuim in het gelid naast de flacons aftershave, verving de handdoeken, ook de zijne.

In de zitkamer schroefde ze de fles whisky open en weer dicht. Nam ze afscheid? Ze wist het niet. Ze was als een hond die een doodlopend spoor volgt.

Ten slotte vond ze zichzelf terug in wat hij zijn werkkamer noemde, al zat hij er nooit langer dan een uurtje. Zij kwam er alleen om schoon te maken. Een kale kamer was het – een bureau met computer, een kast, een bureaustoel. Op het bureau een ingelijste foto. Peter die breed grijnzend een bokaal omhooghield, Richard ernaast. Altijd ernaast.

Ze ging zitten en zette de computer aan. Las de mail, die zuiver zakelijk was, op één berichtje na. 'Ik moet je morgen spreken. Je moet komen, je moet! Kus.' De afzender heette Gemma van Son.

Ze keek bij verzonden mails en las het antwoord. 'Na werktijd. Gebruikelijke plaats.'

Tweemaal controleerde ze alle e-mails, maar de naam Gemma van Son kwam niet vaker voor. Dit ene bericht was van eergisteren. Richard had gisteren een vrouw genaamd Gemma van Son gezien. Of zullen zien. Een vrouw die hem zo goed kende dat ze haar boodschap afsloot met een kus. Richard die deze vrouw zo goed kende dat ze een vaste ontmoetingsplaats hadden. Wat zou hij allemaal nog meer met haar delen? Een bed, ongetwijfeld. Vertrouwelijkheid, blijdschap, misschien zelfs tederheid. Alles wat hij haar al jaren onthield. Ze lachte hardop. De vele avonden dat ze opgelucht was geweest omdat hij moest werken, een vergadering had, een etentje met relaties, steeds vaker de weekends waarin hij een rally reed met Peter – ze had het maar al te graag willen geloven, omdat ze terugschrok voor de consequenties van het weten.

Ze sloot de computer af en ging voor het raam staan, dat uitzicht bood op de achtertuin, waar het gras winters kort was en de struiken ineengedoken wachtten op het voorjaar. Vier maanden per jaar geen kleur, geen leven. Alles stierf, of ging ondergronds, legde zich neer bij een slapend bestaan. Nog altijd verbaasde haar de onverbiddelijkheid van dit klimaat. Thuis was het even onverbiddelijk, maar met tegengesteld resultaat.

Niet denken aan thuis. Thuis betekende leven, geuren, warmte, aandacht. Een marktje met hoog opgetaste meloenen, zwetende, breed lachende vrouwen die ze aan je verkochten terwijl ze informeerden naar jouw welzijn en dat van je familie, thuis betekende een enkel laken om onder te slapen, magere, klaaglijke geiten binnen een omheining, ondersteboven opgehangen kippen die met moedeloze blik wachtten op hun onvermijdelijk lot. Thuis betekende geen stromend water, geen elektriciteit. Thuis betekende armoede. Nederland betekende een toekomst voor Keja.

Ze draaide zich om. Wie was Gemma van Son? Misschien was ze het antwoord op haar gebeden.

Ze dwarrelde weer naar beneden. Ze moest nadenken, maar eerst moest ze iets eten. Keja moest eten. Ze had hem horen thuiskomen. Hij zat op zijn kamer, en ze had geen idee wat hij er uitvoerde. Waarschijnlijk speelde hij een eenvoudig computerspel, waarvan de eindeloze herhaling hem boeide, of misschien tekende hij met geduldige precisie een voorwerp na dat hij op zijn bureau had gezet, een talent dat hij van zijn vader had geërfd, en net als zijn vader was hij waarschijnlijk niet meer dan een goede kopiist.

Wat hij ook deed, hij zou het haar niet vertellen, hij vertelde het nooit. Niet aan denken nu. Eerst eten. Voedsel hielp altijd.

Ze had niet ontbeten, noch geluncht, ze was duizelig van de honger en ze had het koud. Ze had het meestal koud, maar deze kou was anders. Dit was een kou die zelfs haar botten verkilde, haar bloed trager deed stromen, als was ze een hagedis die vergeefs wachtte op de zon.

Soep. Soep was heet. Soep troostte.

In de hal eindigde een spoor van modderige voetstappen bij Keja's schoenen, die naast de garderobekast stonden. Zijn vochtige jack hing over de radiatorknop. Ze was al op weg naar de bijkeuken om een dweil te halen toen ze zich bedacht.

Kip snijden, groente snijden, wat boterhammen ontdooien. De automatische handelingen waren kalmerend, de geur van de soep schiep een sfeer van huiselijkheid, en toen eindelijk achter haar de deur openging kon ze zelfs glimlachen.

Haar zoon bleef in de deuropening staan. Snel bewegende handen. Waar is papa?

Ik weet het niet, gebaarde ze. Ik weet het niet.

Een ogenblik kruiste zijn blik de hare. Onleesbaar, uitdrukkingsloos.

Hij stak zijn handen in de zakken van zijn spijkerbroek, ten teken dat hij niet verder wilde praten. De broek sloot strak om zijn onwaarschijnlijk smalle heupen. Zo mager als hij was. Ze zou haar armen om hem heen willen slaan, hem wiegen als was hij nog een baby, zijn jongensgeur opsnuiven. Maar hij wilde het niet, ze wist dat hij het niet wilde.

Ze keek naar zijn prachtige hoofd. De haren een zwartglanzende helm, de ogen diepbruin, de lippen vol zonder zwaar te zijn, de neus licht gebogen als zijn vaders neus, de oren klein en fraai en nutteloos.

Wil je soep? vroeg ze zwijgend.

Hij schudde nee.

Wat heb je gedaan?

Lopen.

De hele dag?

Ja.

Alleen?

Ja.

Een jongen van dertien die in de stad rondsjouwde, nat werd en koud. Mensen om hem heen die praatten en lachten, rinkelende trams, auto's wachtend voor het rode licht, scooters die knetterend optrokken. Een wereld van geluiden waarvan hij was buitengesloten. En het werd Kerstmis, god, het werd Kerstmis. In de huiskamer praalde de boom, versierd volgens de regels. Een aanfluiting. Moest ze hem weghalen? Ze roerde in de soep.

Een lichte aanraking. Ze deed een stap opzij. Haar zoon tilde de pan van het fornuis en keerde hem om boven de gootsteen. Kip, groente en vermicelli kolkten naar het rooster, waarin het hete water borrelend verdween.

Ze protesteerde niet, keek toe hoe Keja de pan terugzette, de vriezer opende en twee pizza's op het aanrecht legde – de gebruikelijke maaltijd wanneer zijn vader er niet was.

En toen lachte hij zijn hortende, klankloze, pijnlijke lach.

6

'Waarom weten wij dit niet?'

Verkallen senior mocht dan tachtig zijn, hij straalde gezag uit. Zijn zoon Peter was zijn evenbeeld, zij het dat senior aan toch al geringe lengte had ingeboet. Hij reikte amper tot Vegters schouder, maar wat hij aan lengte miste, werd ruimschoots gecompenseerd door de felle blik, de nog altijd brede schouders en de luide stem. Een stem die uitging van onderdanigheid.

'Omdat er niet meteen aanleiding is voor groot alarm als het een volwassen persoon betreft,' zei Vegter.

'Wie heeft de politie dan gewaarschuwd?'

'Zijn vrouw.'

Senior snoof.

'Cor...' zei mevrouw Verkallen. 'Misschien moet je meneer even laten uitpraten.' Haar ogen waren klein en roodomrand, en ze leek ouder dan haar man. Versleten.

'Wat nou "Cor"?' zei Verkallen. 'Richard is al een nacht en een dag zoek, en de politie komt nu pas op het idee om ons ook eens in te lichten.'

'De gebruikelijke gang van zaken is dat wij eerst contact opnemen met de mensen die de vermiste persoon dagelijks zien,' zei Vegter. Hij had een hekel aan het ambtelijke jargon, maar bij een man als Verkallen zou het een kalmerende invloed kunnen hebben. 'Als uw zoon intussen van zich had laten horen, zou u zich onnodig ongerust hebben gemaakt.'

Ze stonden in de zitkamer, die was voorzien van een dubbel bankstel met gebloemde bekleding, en veel bijzettafels met droogboeketten erop. Geen kerstboom, maar een ouderwetse kerststal met forse gipsen beelden te midden van kunstmos en waxinelichtjes. In de nok van de stal hing een goudgelokte cherubijn die een banier droeg met de tekst: GLORIA IN EXCELSIS DEO. Was hier sprake van sluimerend katholicisme, of van een hang naar oude waarden?

Een van de wanden was een fotogalerij, elke foto in een zilveren lijst. Peter Verkallen in trouwkostuum, met naast zich een struise brunette in spierwitte jurk, Peter met brede grijns en helm in een Formule 1-wagen, Peter en echtgenote aan boord van een klassiek zeiljacht, Peter naast een Rolls Royce, Peter en zijn vrouw met baby, Peter en zijn vrouw met een andere baby.

Links onderaan een foto van Richard en zijn bruid, hij in grijs pak, zij in een smalle witte jurk die haar armen bloot liet. Een foto van hen samen met een donkere baby.

Veel Peter, weinig Richard.

Mevrouw Verkallen gebaarde nerveus naar de bankstellen. 'Gaat u toch zitten.'

'Hou op met die flauwekul,' zei Verkallen. 'Ik wil weten wat er met Richard aan de hand is.'

'Uw zoon heeft sinds gisteravond zes uur niets meer van zich laten horen,' zei Vegter. 'Ik begrijp uit uw reactie dat u sindsdien ook geen contact meer met hem hebt gehad.'

'Nee. Ik heb hem eergisteren gesproken. Telefonisch.'

Vegter keek naar mevrouw Verkallen. Haar handen verdwenen in de mouwen van haar vest. 'Hij kan toch niet zomaar weg zijn?' De oude ogen liepen vol tranen. 'Hij moet een ongeluk hebben gehad!'

'Wie zegt dat hij vermist is?' zei Verkallen.

'Zijn vrouw,' herhaalde Vegter, hem opzettelijk verkeerd begrijpend.

Verkallen zweeg.

Zijn vrouw zakte neer op een van de banken. 'We kunnen hem toch bellen?'

'Dat heeft zijn vrouw meerdere malen geprobeerd, maar zonder resultaat,' zei Vegter.

'Wat gaat u doen?' vroeg Verkallen ingehouden.

Vegter bewonderde zijn koelbloedigheid. 'Wij breiden uiteraard het onderzoek uit, maar gebruikelijk is dat we eerst kijken naar het gedragspatroon. Van daaruit werken we verder.'

Het waren machteloze zinnen, en Verkallen voelde het feilloos aan. 'U hebt dus geen flauw idee.'

Vegter besloot dat verdere franje bij deze man geen zin had. 'Nog niet.'

'Er was niets aan de hand toen ik hem sprak,' zei senior.

'Hoe is uw relatie met hem?'

'Goed.'

'Geen problemen?'

'Nee.'

'Maakt hij op u de indruk dat hij ergens over tobt?'

'Nee.'

Mevrouw Verkallen stond weer op. 'Hij tobt altijd, Cor, dat weet je.'

'Niet op zo'n manier,' zei Verkallen.

'Op welke manier?' vroeg Vegter.

'Dat hij zichzelf iets zou aandoen.'

'Waarover maakt hij zich zorgen, volgens u?'

'Over alles en niks,' zei senior. 'Omdat hij zo in elkaar steekt.'

'Noemt u eens iets?'

'Gewoon. De zaak. De financiën. Nergens voor nodig, het bedrijf draait goed. Maar dat is Richard. Ziet altijd leeuwen en beren op de weg. Meestal lachen we erom, en soms kan hij dat ook.'

'Hij is daarin anders dan zijn broer?'

'Hij is in alles anders dan zijn broer,' zei senior. 'Toen hij jong was, gaf dat een hoop gelazer. Maar uiteindelijk kwam het goed. Hij zag in dat zijn toekomst lag in een groeiend bedrijf.'

'Waar droomde hij van?' vroeg Talsma.

Senior keek naar hem alsof hij hem nu pas ontwaarde, terwijl Vegter een virtuele buiging maakte. Met al zijn nuchterheid prikte Talsma zoals gewoonlijk door naar de kern.

'Hij wilde schilder worden.' Verkallen liet het klinken alsof zijn zoon een escortservice had willen beginnen. Hoewel hij daar misschien minder moeite mee zou hebben gehad, dacht Vegter. Meer brood op de plank, en handel was handel.

Mevrouw Verkallen liep naar het achterste gedeelte van de kamer en kwam terug met een klein schilderij. 'Dit heeft hij gemaakt.' Ze lachte verlegen. 'Een portret van mij.'

Het was niet onverdienstelijk geschilderd, al had Richard Verkallen de fout van de amateurschilder gemaakt; niet weten wanneer te stoppen. Ontegenzeggelijk was het zijn moeder die hen aankeek, maar de te ver doorgevoerde detaillering had het portret bedorven. Niet haar wezen had Richard gevangen, maar hij had een nauwgezette kopie van haar uiterlijk gemaakt.

'Nou ja,' zei Verkallen ruw. 'Die onzin heeft hij dus uit zijn hoofd gezet. Maar we dwalen af. Wat gaat u doen? Televisie? Kranten?'

'Zover is het nog niet,' zei Vegter voorzichtig.

'Waarom niet?'

'Omdat uw zoon een man lijkt te zijn die goed bij zinnen is,' zei Vegter. 'Een man die in staat is zijn eigen beslissingen te nemen. Er wordt naar zijn auto uitgekeken. U moet niet vergeten dat er in bijna alle gevallen een logische verklaring is voor een plotselinge verdwijning.'

'Maar dus niet altijd.'

'Niet altijd.'

Verkallen knikte. 'Dan weet ik wat me te doen staat.'

'U bedoelt?'

'Kijk,' zei senior. 'Jullie hebben blijkbaar procedures waaraan je je moet houden. Ik heb geen zin om daarop te wachten. Dan hoor ik misschien over een week dat hij…' Hij keek naar zijn vrouw. 'Ik ken wat mensen, en ik ga ervoor zorgen dat die iets voor me regelen.'

'Zoals?'

'Dat merkt u vanzelf.'

'Ik moet u afraden op eigen houtje dingen te ondernemen,' zei Vegter. 'De praktijk heeft ons geleerd dat het meestal averechts werkt.'

'Meestal,' zei Verkallen. 'Ik zal u niet opzettelijk in de wielen rijden, maar het gaat om mijn zoon. Wat kan er gebeurd zijn?' Hij telde af op zijn vingers. 'Hij heeft besloten er een tijdje tussenuit te gaan, hij heeft een ongeluk gehad, of er is sprake van een misdrijf. In alle drie de gevallen hoef ik niet te wachten tot de politie tijd voor hem heeft.' Zijn stem werd nog luider. 'Daar kunt u het niet mee eens zijn, dat interesseert me niet.'

Vegter keek naar de staalharde ogen. Deze man was gewend anderen zijn wil op te leggen, en indien nodig betaalde hij daarvoor. De wereld was maakbaar, mits je genoeg geld had. Misschien was het ook de manier geweest waarop hij de zoon het bedrijf had binnengeloodst. Hij betrapte zich erop dat hij hoopte dat de zoon zich op dit moment overgaf aan *Wein, Weib und Gesang*. Het leek niet onmogelijk, of was veertig te jong voor een midlifecrisis? Renée zou het weten, ze was thuis in het onderwerp.

'Ik zou graag van u horen wat uw plannen zijn,' zei hij. 'En ik hoef u niet te vertellen dat u contact met ons moet opnemen zodra uw zoon zich meldt.'

'Vertelt u me dat dan ook niet,' zei Verkallen grof.

Mevrouw Verkallen huilde. Geluidloos, met tranen die een glinsterend spoor trokken over het craquelé van haar wangen.

Vegter schudde haar kleine, droge hand.

Senior liep met hen mee naar de voordeur. 'Ik reken erop dat jullie je best doen.'

Hij stond nog in de deuropening toen ze wegreden.

Op het parkeerterrein van het bureau stopte Talsma naast Vegters auto. Onderweg had hij maar één opmerking gemaakt. 'Ik weet niet of ik bij die familie zou willen horen.'

Vegter stapte uit. 'Je gaat toch wel naar huis nu, Sjoerd?'

'Jazeker.' Onder de schrale binnenverlichting kwamen Talsma's groeven goed tot hun recht. 'Ik ga onder de kerstboom zitten.'

Zijn vlijmend cynisme was moeilijk te hanteren, dacht Vegter terwijl zijn auto hem begroette met opgewekt knipperende lampen. Maar hij had zelf precies zo gereageerd na Stefs dood, elk blijk van medeleven afgewezen uit angst zijn zelfbeheersing te verliezen. Nu vroeg hij zich af of dat zo erg zou zijn geweest. Was er zoveel mis met kwetsbaarheid? Of kon hij zich deze gedachtegang permitteren omdat hij geen medelijden meer nodig had? Een mens had recht op het tonen van leed, mits het niet smakeloos werd.

Talsma keek hem na, rolde een sigaret terwijl hij moed verzamelde om naar huis te gaan. Akke zou nu in de keuken staan, de televisie murmelend op de achtergrond, en op zijn vraag hoe haar dag was geweest, zou ze antwoorden: 'Gewoon.'

Er was weinig méér dat ze kon zeggen. Haar wereld was gekrompen tot flat en ziekenhuis, en wat zich daarbuiten voordeed werd gesmoord door de grauwsluier die over alles scheen te liggen. De sluier was haar wapen. Ze beschermde zich ermee tegen de liefde. Die kon ze er niet bij hebben, niet van hem, niet van de dochters. Liefde maakt zwak, dat had ze goed begrepen.

Hij stak de sigaret op, keerde en mengde zich in het verkeer, zette de raampjes op een kier om de rook te laten ontsnappen. Thuis werd er niet meer gerookt. Niet omdat Akke het verbood; ze had zelf gerookt, en ze had er nooit een probleem van gemaakt dat hij niet ook was gestopt. Dat was zijn verantwoordelijkheid. Hij had die houding gewaardeerd, ook al omdat hij de combinatie van een borrel met nicotine slecht kon missen. Bij de dochters voelde hij zich een junk als hij in zijn eentje op een kil balkon stond, en op het bureau had hij er plezier in al die gezondheidsmaniakken tegen zich in het harnas te jagen. Maar onder de omstandigheden kon hij het Akke niet langer aandoen. Ze noemden het 'de omstandigheden', ze hadden er geen andere woorden voor.

Op de parkeerplaats voor zijn flat keek hij omhoog naar het verlichte keukenraam. Ongetwijfeld had ze met het eten weer op hem gewacht, al drong hij erop aan dat ze haar eigen patroon volgde. 'Nee Sjoerd, wanneer het kon hebben we altijd samen gegeten, dat blijven we doen.' Dus kookte ze dagelijks de maaltijden waar hij van hield. Stoofvlees, karbonades, stamppotten. Eten dat stond in de maag. Zelf at ze schrikbarend weinig; zag kans de indruk te wekken dat ze at, maar als hij afruimde, was haar bord nog halfvol.

Hij overwoog een nieuwe sigaret, maar zag ervan af.

De keuken rook naar hachee.

'Hoe was je dag?'

Akke goot de aardappelen af voor ze zich naar hem omdraaide. 'Goed. Gewoon.'

Hij boog zich naar haar toe en kuste haar wang. Ze droeg een van zijn truien, omdat die dikker waren dan de hare en ze het voortdurend koud had. De mouwen rolde ze op, en de truien reikten tot halverwege haar bovenbenen. Ze leek op een oude kabouter.

'Heb ik nog tijd voor een borrel?'

'Eentje.'

Hij pakte de fles Beerenburg uit de koelkast en schonk in.

'Een kop erop.' Ze lachte.

'Een glas is een glas.' Hij nam de borrel mee naar de kamer, waar kaarsen brandden en de kerstboom flonkerde, zette het geluid van de televisie harder en zag toen het opengeslagen schrift op de tafel. Een aantal bladzijden was gevuld met haar fijne, hellende handschrift.

'Wat ben je aan het doen?'

Ze ging naast hem zitten, draaide haar glas rode wijn rond tussen haar vingers. 'Voor de famkes. Je weet dat ze altijd moeite hebben met die ouderwetse gerechten. Koken van alles, maar een lekkere pan boerenkool snappen ze niet. Dus ik dacht, ik heb er nu mooi de tijd voor om het eens allemaal op te schrijven.'

Hij bladerde door het schrift. Bij elk gerecht stonden de hoeveelheden vermeld voor een, twee en vier personen.

In de supermarkt sloeg Vegter voldoende in om vriezer en koelkast te vullen. Hij stouwde de boodschappen in de auto en ging op weg naar de slijter om ook de drankvoorraad weer op peil te brengen. De kerstkoopavonden waren al losgebarsten, en ondanks de schrale wind was het druk op straat. Mensen beladen met tassen en dozen passeerden hem, in etalages van kledingzaken toonden in smoking en glitterjurk gehulde poppen hun starre glimlach, op een hoek stond een kerstbomenman diep in zijn kraag gedoken naast een stuk of tien iele sparren die Vegter deden denken aan het kind dat met gym het laatst wordt gekozen. Hij wilde oversteken naar de slijterij toen iets zijn aandacht trok. Een glinstering achter de ruit van een kunsthandel, of misschien was het niet meer dan een luxe cadeauwinkel.

Een vaas. Rank en ijl en zich rekkend met een onwaarschijnlijke elegantie, alsof de glasblazer had getracht de grenzen van het mogelijke te bereiken. Vanaf de doorzichtige kristallen bodem schoten kobaltblauwe vlammen omhoog – een zuivere, rijke kleur. De vaas stond daar volmaakt te zijn, reflecteerde in gebroken schittering het licht van de lamp erboven. Vegter ging naar binnen.

Het was geen vaas. Het was een massief glazen object, absurd duur, en eenmaal ingepakt in een doos, tussen dikke lagen vloeipapier, woog het een ton. Hij bracht de doos naar zijn auto en liep terug naar de slijterij.

Thuis at hij een diepvriesmaaltijd, en dat alleen omdat hij na twee jenevers voelde dat het verstandiger was. Hij had de kachel aangemaakt en Wolf gevoerd, die nu ernaast lag te schroeien. De gordijnen waren dicht, een warmrode muur waartegen het frisse groen van de kamerlinde helder afstak. De wasmachine draaide en in het lamplicht glansde de vloer, al was het minstens een week geleden sinds hij was gezogen. Vegter zette een cd op, kalme Chopin-preludes, glashelder en van een bedrieglijke eenvoud die suggereerde dat het leven kon worden teruggebracht tot een paar hoofdzaken, en dat de rest zelfopgelegde ballast was. Niets stond een prettige avond in de weg, behalve de onrust die hij altijd voelde wanneer zich een zaak voordeed die hij nog niet kon overzien. Er was iets wat hem niet zinde, en het had te maken met de afstandelijkheid van Richard Verkallens naasten. De moeder was oprecht ontdaan, maar wat had hij gemist in de reactie van de vader, de broer, het personeel en zelfs de echtgenote? Verbazing. Had men – misschien onbewust – rekening gehouden met een noodsprong van Richard?

Hij keek naar de vaas die geen vaas was, en die hij had uitgepakt omdat hij wilde weten of deze aankoop niet toch een vergissing bleek te zijn. De vaas detoneerde in de kamer. Het diepe blauw misstond bij de rode gordijnen, de elegantie botste met de robuustheid van de kachel. Maar hij had hem ook niet voor zichzelf gekocht.

Even overwoog hij hem toch aan Ingrid te geven. Ze zou er blij mee zijn, er een goede plaats voor zoeken, maar over een jaar zou er een jongetje rondkruipen in haar huis. Kleine jongetjes en glazen voorwerpen waren een slechte combinatie. Bovendien hoorde de vaas in een andere kamer te staan, waar hij zou dienen als remplaçant.

Restte de vraag of hij niet een sentimentele idioot was, en of Renée de vaas zou accepteren.

■

Ze hadden de pizza's gegeten, Keja de zijne helemaal, zij de hare voor een kwart, en ze had naar hem gekeken terwijl hij at op de manier waarop dertienjarige jongens eten. Nooit kon ze genoeg naar hem kijken, misschien omdat die volmaakte buitenkant een zekere troost bood, een kleine compensatie voor de kapotte binnenkant. Keja was zich niet bewust van haar blik, concentreerde zich op zijn bord. Het zou haar niet meer moeten verwonderen dat in dat broodmagere lijf voedsel verdween als in een bodemloze put. Het zou haar evenmin moeten verwonderen dat hij überhaupt kon eten. Ergens in dat ondoorgrondelijke brein rubriceerde hij alles wat er gebeurde, labelde het. Waarna hij het vergat, misschien juist omdat het was gerubriceerd en dus, in zijn eigen onnavolgbare logica, verklaard. Zodra iets verklaarbaar was, was het niet langer beangstigend, en wat niet beangstigend was, kon worden weggestopt. Ze kon hem erom benijden, al had het jaren geduurd voor ze zover was. Het vergeten sloot ook gevoelens uit, en ze had geloofd dat hij daardoor armer was dan anderen, tot ze besefte dat wie het gemis niet voelt, niet beklagenswaardig is.

Wat ze zag terwijl ze naar hem keek, was tevredenheid. Er

heerste geen spanning, er was rust. Voor spanningen was hij gevoelig, omdat hij die niet begreep, de signalen niet kon interpreteren. Hij pikte ze op, maar omdat hij ze niet kon ordenen, veroorzaakten ze chaos in zijn brein. Toen hij kleiner was, had ze vergeefse pogingen gedaan het uit te leggen of hem tenminste gerust te stellen. Tegenwoordig trok Keja zich terug bij het eerste gebaar dat onenigheid voorspelde. Liep de kamer uit, sloot zich op in zijn slaapkamer en bleef daar.

Nu zat hij kalm op zijn stoel, veegde met zijn wijsvinger over zijn bord om de achtergebleven tomatensaus op te deppen, controleerde of ze het zag en lachte toen ze haar hoofd schudde. Ze beloonde hem door terug te lachen. Hij maakte zelden grapjes, omdat humor gedachtesprongen vereiste die hij niet kon maken.

Hij bracht zelf zijn bord en bestek naar de keuken, leunde tegen het aanrecht terwijl zij alles vluchtig afspoelde, liep mee terug naar de huiskamer.

Wil je televisiekijken?

Hij knikte, en ze gebaarde naar de afstandsbediening. Keja had weinig aan de televisie, al schenen de beelden hem meer te vertellen dan zij zich kon voorstellen. Aan films waagde hij zich nauwelijks, meestal beperkte hij zich tot sport. Geen teamsporten, omdat hij die slecht begreep, maar een tenniswedstrijd boeide hem – de overzichtelijkheid van het spel paste in zijn denkpatroon, ook al kende hij de regels niet.

Ze zou blij moeten zijn dat hij zich op zijn gemak voelde, maar juist vanavond zou ze willen dat hij op zijn eigen kamer televisie keek. Niet alleen het geflikker van de snel wisselende beelden verhinderde haar haar gedachten te ordenen, ook Keja's onverstoorbaarheid stond haaks op haar eigen onttreddering.

Als ze de politie belde, wat zouden dan de gevolgen zijn? Kwam die inspecteur terug? Hij leek meer te zien dan zij wilde prijsgeven, en hetzelfde gold voor zijn collega, die zwijgzame man met het gegroefde gezicht en de lichte ogen. Hun kalmte suggereerde competentie. Als ze Richard niet vonden, zouden ze alles willen weten over zijn leven en het hare. De politie gaf niet op. In de zeventien jaar dat ze in dit land woonde had ze geleerd dat hoe groot de verschillen ook waren, sommige dingen hetzelfde bleven. Haar angst voor uniformen was onuitroeibaar, maar ze had geleerd de mannen zonder uniform nog meer te vrezen, omdat zij degenen waren die werkelijk de macht hadden.

Ze ging naast Keja op de bank zitten. Hij had zich omgekleed in zijn oude trainingspak, dikke sokken aan zijn voeten, die hij had opgetrokken op de bank, en hij keek naar een bokswedstrijd waarbij een van de boksers in het nauw werd gedreven, achteruitwankelde en in de touwen hing. De bokser verloor zijn gebitsbeschermer en hief zijn armen kruislings voor zijn hoofd om de slagen af te weren, terwijl zijn tegenstander op hem inbeukte. De agressie maakte haar bijna onpasselijk, en het was een opluchting toen de scheidsrechter ertussen stapte, het kappende gebaar maakte dat betekende dat hij het genoeg vond. De verslagen bokser gleed langs de touwen naar beneden en bleef zitten met een verdwaasde uitdrukking op zijn gehavende gezicht. Keja maakte afkeurende geluiden, en ze wist dat hij genoot, niet eens zozeer van het gevecht, maar vooral van het feit dat zij rustig naast hem zat. Hij hield van haar gezelschap zolang ze niets van hem wilde. Ze had de gordijnen dichtgedaan, een paar kaarsen aangestoken, de kerstboom straalde, de kamer was warm en behaaglijk.

Voor even was Keja's wereld in orde, en het was haar taak om ervoor te zorgen dat dat zo bleef.

7

Vegter werd gewekt door zijn telefoon. Ondanks zijn goede voornemens had hij na de kant-en-klaarmaaltijd de verleiding van een fles rode wijn niet kunnen weerstaan. De wijn had ervoor gezorgd dat hij vlot in slaap was gevallen, maar ook dat hij die nacht een paar maal wakker was geworden, intervallen waarin hij zich voornam dat dit de laatste keer was geweest. Hij werd te oud voor meer dan een halve fles.

Toen de telefoon ging, sliep hij eindelijk vast en rustig, en gedesoriënteerd tastte hij met halfdichte ogen rond op het nachtkastje, keek met ingesleten discipline meteen op de wekker. Twintig over zes.

'Vegter.'

'Die ouwe heeft het goddomme geflikt,' zei Talsma bij wijze van begroeting. 'Dit gaat u niet leuk vinden, Vegter.'

'Wat niet?'

'Kop in de krant,' zei Talsma. 'Ik citeer: "Besteedt politie voldoende aandacht aan vermissing?" Chocoladeletters. En daaronder: "Bezorgde vader slaat alarm."'

'Nee toch.'

'Ja toch,' zei Talsma, die klonk alsof hij al uren op was.

'In welke krant?'

'De krant die u niet wilt lezen.'

Vegter ging rechtop zitten. 'Heb jij daar een abonnement op?'

'Ik niet. Akke. Vanwege de kruiswoordpuzzel. Maar ik haal hem 's ochtends uit de brievenbus.'

'Toch niet op de voorpagina?'

'Jawel.'

'Ik ben over een uur op het bureau.'

'Ik ook,' beloofde Talsma.

Vegter wist dat Talsma dit als een kostelijke grap beschouwde. Zijn gevoel voor humor was uitstekend ontwikkeld, en hij was in het voordeel; het was niet zíjn verantwoordelijkheid als een bezorgde vader in een sensatiekrant klachten ventileerde omtrent het functioneren van de politie. Hij zette zijn voeten op de vloer en aarzelde tussen eerst douchen of eerst koffie. De koffie won.

In de huiskamer blonk de vaas die geen vaas was hem tegemoet, even misplaatst als de avond tevoren. Vegter beschouwde zichzelf niet als impulsief, al had eerst Stef en vervolgens Renée hem daarom uitgelachen. Misschien zat er toch een kern van waarheid in hun scepsis als hij dacht aan de aankoop van zijn huis, het adopteren van Wolf en de aanschaf van dit object. Nu, op dit nuchtere ochtenduur, vroeg hij zich af of hij het ding niet gewoon in de glasbak moest proppen. De schoonheid ervan verzette zich tegen dat idee, plus de wetenschap dat de vaas niet door de opening zou passen. Hij zou moeten gaan nadenken over een geschikt moment om haar de vaas te geven. Als dat er was. Hij had geen zin om als een niet-verklede kerstman voor haar deur te staan. Wat betekende dat hij het niet lang meer zou kunnen uitstellen. Zou ze het opvatten als een goedkope poging iets te lijmen wat misschien niet meer te lijmen viel? En hoe legde hij in godsnaam uit wat dan wél zijn bedoeling was, als hij die zelf niet helemaal begreep?

Wolf struinde rond zijn benen, en terwijl hij wachtte op de koffie, vulde hij de bakjes met vers water en voer. Hij dronk de hete koffie en keek naar de kat die krakend de brokjes vermaalde. Werd hij niet te dik? Hij zag er schitterend uit, zijn vacht dicht en glanzend, zijn ogen helder, de witte snorharen een fiere krans rond zijn roze neus. Bij Johans dood had de dierenarts gewaarschuwd voor overgewicht bij katten – dat zou diabetes in de hand werken. Hij zette de lege mok neer en ging naar de badkamer. Onder de douche bedacht hij dat die waarschuwing natuurlijk ook voor mensen gold, en dat hij zich dat diende aan te trekken.

Wat konden de gevolgen zijn van het artikel? Allereerst een stortvloed van telefoontjes van mensen die zeker wisten Verkallen ergens te hebben gezien. Daar zou iets bruikbaars tussen kunnen zitten, maar meestal bleek het informatie van het kaliber: 'Ik stond gisteren naast die meneer in de supermarkt.' Daarnaast een milde reprimande van de hoofdinspecteur, die zich verplicht zou voelen die te geven, al wist hij best dat ze het normale protocol hadden gevolgd.

Bleef over dat ze, op instigatie van het krantenartikel en de reactie van de hoofdinspecteur, het onderzoek iets eerder zouden moeten uitbreiden dan hij van plan was geweest.

Hij droogde zich af, kleedde zich aan, liet Wolf buiten, gaf de kamerlinde water en besloot zijn ontbijt te verplaatsen naar de broodjeszaak om de hoek bij het bureau, en om de vaas weer in zijn auto te leggen, zodat hij hem op elk gewenst moment zou kunnen afleveren.

Talsma wachtte hem op in de gang, krant onder zijn arm.

'Hoe moet dat nu met Akkes kruiswoordraadsel?' vroeg Vegter.

'Dit is een los nummer.' Talsma showde zijn porseleinen gebit. 'Anders breekt de pleuris uit.'

In zijn kamer spreidde Vegter de krant uit op zijn bureau. Het voorpagina-artikel, verluchtigd met een foto van een lachende

Verkallen, werd geschraagd door een vervolg op pagina drie, ten teken dat de krant deze kwestie serieus nam.

Geslaagd zakenman, gelukkig gezinsleven, goede familieband, groot verdriet vanwege gehandicapte zoon, onbegrijpelijke nonchalance van de politie.

'Tja.' Hij vouwde de krant dicht. 'Al reacties?'

'Een. Een mevrouw die zeker weet dat ze Verkallen heeft gezien terwijl hij stond te tanken.'

'Waar?'

'Op de A1 bij Antwerpen.'

'Automerk? Kenteken?'

'Wist ze niet.'

'Wanneer heeft ze hem gezien?'

'Drie dagen geleden.'

Vegter zuchtte. Betrapte zich erop dat hij geen zin had in deze dag. Geen zin in de warboel van informatie die op hen af zou komen, en waarvan naar alle waarschijnlijkheid honderd procent onbruikbaar zou zijn. Betrapte zich er ook op dat hij zich afvroeg waarom mensen in godsnaam niet hun leven konden leiden zonder in de problemen te komen. Hoe moeilijk kon het zijn? Was het niet gewoon een kwestie van keuzes maken, en die van tevoren goed te overwegen? Toen dacht hij aan Renée, die ongewild en buiten haar schuld slachtoffer was geworden van een verslaafde gek. Zo eenvoudig lag het allemaal niet. Het was beroepsvermoeidheid die hem deze gedachten ingaf. Mensen die werden geconfronteerd met misdaad konden het niet helpen dat hij het gevoel had alles al eens te hebben gezien, dat elk misdrijf in zichzelf een herhaling was en alleen de omstandigheden verschilden. Dat was een eeuwenoud gegeven, maar hij werd ervoor betaald om de waarheid boven tafel te krijgen, zodat gerechtigheid kon geschieden. Een grijze decemberochtend was niet het juiste moment om je af te vragen of het toepassen van de wet hetzelfde was als gerechtigheid. Deze Richard Verkallen leek een oppassend burger. Hij had recht op de bekommernis van het politionele en justitiële apparaat, al was het maar omdat hij daarvoor belasting betaalde. Richard Verkallen was een man met een gezin, een baan en toekomstverwachtingen, en hij verdiende zijn aandacht.

Hij keek op zijn horloge. 'We bellen zijn vrouw en gaan ernaartoe.'

Asli Verkallen zag eruit alsof ze nauwelijks had geslapen. Aan de telefoon had ze verward gereageerd. 'Ik wilde u bellen.'

'Waarover?'

'Dat kan ik u misschien beter straks uitleggen, als u toch hiernaartoe komt.'

Nu stond ze in de deuropening, klein en kouwelijk en gehuld in dezelfde trui als de vorige dag. Ze trok de grote col nog iets hoger op terwijl ze hun voorging naar de huiskamer. In de hal hing een jack aan de radiator, een paar sportschoenen stond eronder, en op de tegelvloer waren opgedroogde voetsporen zichtbaar.

Als bij afspraak gingen ze zitten op dezelfde plaats als de dag tevoren; Vegter en Talsma op de enorme bank, Asli Verkallen in de rode fauteuil. Het viel Vegter op dat de voetenbank in een hoek van de kamer stond. Misschien had ze gestofzuigd, al was de vloer gisteren smetteloos geweest en zou het logischer zijn als ze de hal had gedweild. Maar in een situatie als deze waren mensen niet zichzelf.

Op de salontafel lag de krant opengeslagen bij het sensatiebeluste artikel over de vermissing van haar man. Ze zag dat hij ernaar keek, en hij besloot het gesprek daarmee te openen.

'Uw schoonvader heeft gemeend actie te moeten ondernemen,' zei hij. 'Enfin, dat zal hij u hebben uitgelegd.'

'Ik heb hem niet gesproken.'

'Niet?' Vegter kon zijn verbazing niet helemaal maskeren, en hij zag ook Talsma zijn wenkbrauwen optrekken.

'Nee.'

'Hebt u de broer van uw man gesproken?'

'Nee.' Ze strengelde haar vingers stijf in elkaar.

Vegter zweeg een ogenblik. Een man werd als vermist opgegeven door zijn vrouw, zijn ouders waren zozeer verontrust dat ze een krant inschakelden, maar ze namen geen contact op met hun schoondochter. En zij op haar beurt niet met hen.

'Gisteren zei u dat de familie moeite had u te accepteren,' zei hij voorzichtig. 'Moet ik uit uw woorden opmaken dat uw relatie met hen nog steeds slecht is?'

'Ja.' Ze had moeite haar tranen binnen te houden.

Hij besloot het te laten rusten. 'Wat wilde u ons vertellen?'

'Ik vond op zijn computer een e-mail van een vrouw,' zei ze. 'Ze vraagt of ze elkaar zullen zien, en Richard heeft teruggemaild "gebruikelijke plaats".'

Talsma bewoog, en Vegter wist dat ook hij hoopte dat hier een aanknopingspunt lag. 'Ik zou die mail graag zien.'

Ze ging hun voor de trap op. Er kwamen vijf deuren uit op de overloop, allemaal gesloten. Lag de zoon achter een ervan nog te slapen? Maar de jongen zou van hun geluiden niet wakker worden. Deze Asli Verkallen leek een hoop op haar bord te hebben.

Ze deed een deur open, en ze keken rond in een kale mannenkamer. Een stoel, een bureau en een kast. Verkallen leek geen huiselijke man te zijn.

Asli Verkallen zette de computer aan en opende Outlook. 'Deze is het.'

'Mag ik?' vroeg Vegter.

Ze stond onmiddellijk op.

Ze lazen de e-mail, en Richards antwoord. Vegter draaide zich om. 'Wie is Gemma van Son?'

'Dat weet ik niet. Of misschien kan ik beter zeggen: ik heb haar nooit gezien.'

'Maar u kent haar naam.'

'Ja. Richard had een verhouding met haar. Eerst wilde hij het niet toegeven, en ik geloofde hem. Maar daar vergiste ik me in.' Ze boog haar hoofd alsof het te zwaar was om te dragen.

Vegter keek neer op het dichte zwarte haar. 'Wanneer is die verhouding begonnen?'

'Dat weet ik niet, hij wilde het me niet vertellen.'

Talsma zette de printer aan, en Vegter printte de e-mails, die beide waren gedateerd op de dag voor de vermissing van Verkallen; de eerste verzonden om 19.46 uur, het antwoord om 21.12 uur. Verkallen had in elk geval de intentie gehad om deze vrouw te ontmoeten op de dag van zijn verdwijning, hoewel hij de hele dag op zijn bedrijf aanwezig was geweest. Hij had de eetafspraak met zijn architect afgezegd; dat moest betekenen dat hij van plan was geweest Gemma van Son 's avonds te zien.

Vegter controleerde de overige mails, checkte ook bij Verwijderde items. Het zou nuttig zijn een digitaal rechercheur op deze computer los te laten. Maar dat kwam later.

Hij noteerde dat Talsma's gezicht iets opgewekter stond toen ze weer naar beneden gingen.

In de hal bleef Asli Verkallen staan alsof ze verwachtte dat ze zouden vertrekken, maar Vegter zette koers naar de huiskamer. Ze volgde aarzelend, ging pas zitten toen zij dat hadden gedaan.

'Deze Gemma van Son,' zei Vegter. 'Als ik het goed begrijp, hadden u en uw man problemen vanwege zijn relatie met haar. Hoe lang is dat geleden?'

Ze dacht na. 'Ongeveer een halfjaar.'

'Hebt u een scheiding overwogen?'

'Nee.'

'En uw man?'

'Nee. Hij zei dat hij de afleiding nodig had omdat de problemen met Keja hem boven het hoofd groeiden. Hij zei ook dat het hem speet, en dat het niets had betekend. Daarna hebben we er nooit meer over gepraat, dat stond hij niet toe.' Ze bleef naar haar ineengestrengelde handen kijken. 'We waren niet een gezin zoals hij zich dat had voorgesteld. Hij was boos en ongelukkig. Maar hij zag in dat het geen oplossing was. Hij zei dat hij begreep dat Keja ook zijn verantwoordelijkheid was, en hij beloofde dat hij zijn best zou doen.'

'Waarom hebt u ons dit niet meteen verteld?' vroeg Vegter.

Ze hief haar hoofd. 'Omdat ik geloofde dat het voorbij was. Het ging beter, alles ging beter. Hij had meer geduld met Keja. En met mij. Maar toen zag ik vanochtend dat mailtje.'

'Ik zou graag iets meer weten van de familie Verkallen, en vooral van uw relatie tot hen,' zei Vegter. 'Heeft de familie zich verzet tegen uw huwelijk?'

'Ja.'

'Op welke manier?'

'Richards vader heeft me geld aangeboden, zodat ik terug zou kunnen gaan naar Somalië.'

'Wist uw man dat?'

'Dat weet ik niet. Ik heb het hem nooit verteld. Ik vond het… vernederend.'

'Wat hield uw studie hier precies in?'

'Het was meer…' Ze weifelde. 'Ik was hier op uitnodiging van…'

'Van?'

'Ik kan het u maar beter vertellen.' Ze lachte wrang. 'Liegen heeft geen zin, u komt er toch achter. En een schande is het niet. Ik heb nooit iets onwettelijks…' Ze stokte. 'Iets onwettigs gedaan.'

Het was de eerste maal dat Vegter haar betrapte op onzekerheid in haar taalgebruik. 'U bent hier gekomen in de hoop op een betere toekomst?'

'Ja. Een neef van mij was naar Nederland gegaan, en hij had hier een bestaan opgebouwd. Hij zei dat hij dingen voor me kon regelen. Maar toen ik hier kwam, bleek dat hij in een restaurant werkte en dat hij niets had geregeld. Ik ben in hetzelfde restaurant gaan werken. Niet meteen, pas na een jaar. Eerst heb ik schoongemaakt in kantoren. Intussen woonde ik bij mijn neef.'

'Hebt u nog contact met hem?'

'Hij is dood.'

'En toen?'

'Ik leerde de taal heel snel, en daardoor kreeg ik vrienden. Zo heb ik Richard ontmoet. Ik vertelde hem dat ik een studie ging volgen.'

'Geloofde hij dat?'

'Eerst wel, later niet meer. Maar toen was het niet meer belangrijk.'

'En hij vertelde zijn ouders hetzelfde?'

'Ja, want ze wilden me eerst niet eens ontvangen. Ze dachten dat ik een gelukzoeker was.' Ze keek hen aan met iets van verontwaardiging in de enorme zwarte ogen. 'Dat was ik niet. Ik werkte voor mijn brood. En ik kon het niet helpen dat Richard verliefd op me werd.'

Strikt genomen had ze daar gelijk in, dacht Vegter. 'En toen?'

'Ik werd zwanger, en we zijn getrouwd. Richard wilde dat.'

'Zwanger van uw zoon?'

'Nee. De zwangerschap eindigde ongelukkig.'

Was ze werkelijk zwanger geweest, vroeg Vegter zich af, en deed het ertoe? Verkallen was destijds dik in de twintig, oud genoeg om zijn eigen beslissingen te nemen. 'Hoe waren de omstandigheden bij u thuis? In Somalië bedoel ik?'

'Hoe denkt u?'

'Hoe kwam u aan het geld om naar Nederland te reizen?' vroeg Talsma. 'U hoeft daar geen antwoord op te geven.'

'Mijn familie,' zei ze. 'En het dorp. Iedereen betaalde mee.'

'En nu?'

'Hoe bedoelt u?'

'Nu u een goed huwelijk hebt gesloten. Onderhoudt u uw familie?' Talsma had geen last van de scrupules waaronder Vegter soms leed.

Ze knikte. 'Natuurlijk. Elke maand stuur ik geld.'

'Uw man weet dat?'

'Jawel.'

Het viel niet te controleren, dacht Vegter. Maar het hoefde ook niet gecontroleerd te worden, het waren zijn zaken niet. Verkallen steeg in zijn achting. De man was – dwars tegen zijn autoritaire vader in – een onwenselijk huwelijk aangegaan, en hij steunde al jaren een schoonfamilie die hij misschien niet eens kende.

'Bent u ooit met uw man in Somalië geweest om uw familie te bezoeken?'

'Eén keer. Niet zo lang nadat we getrouwd waren. Het was er toen even rustig.'

'Waarom niet vaker?'

'Richard wilde niet meer. Hij had moeite met de dingen.'

'Zoals?'

Ze haalde nauwelijks merkbaar haar schouders op. 'Alles. We logeerden natuurlijk bij mijn ouders, en Richard schrok van hoe zij leven, ook al had ik hem gewaarschuwd. We zouden twee weken blijven, maar na een paar dagen zei hij dat hij niet langer op de grond wilde slapen, en dat hij ziek werd van het eten. Dus toen hebben we een hotel genomen tot we terug konden vliegen.'

'Bent u zelf daarna nog in Somalië geweest?'

'Nee. Het is daar immers altijd oorlog.' Ze haalde haar handen door haar haar, dat de vorige dag glad en glanzend was geweest, maar nu kroezend om haar hoofd stond.

Vegter vroeg zich af of het alleen het haar was waardoor ze afstandelijker leek. 'Afstandelijk' was trouwens niet het juiste woord. En het was niet alleen het haar. Het accent was geprononceerder, er was iets in de manier waarop ze zat, in elkaar gedoken, de huid die aan glans had verloren – ze leek op een bootvluchtelinge die zojuist droge kleren uitgereikt had gekregen.

'De mailwisseling tussen uw man en Gemma van Son hoeft niet te betekenen dat de relatie nog bestaat,' zei hij, al geloofde hij daar zelf niet in. 'Of hebt u de indruk dat het toch het geval is?'

Ze gaf niet meteen antwoord. Haar ogen dwaalden rond, leken de luxe van de kamer in zich op te nemen; de enorme flatscreentelevisie, fraai ingebouwd in een strak belijnde kast, de eethoek met zes gerieflijke stoelen, de zware lichtgrijze gordijnen. 'Ik weet het niet,' zei ze ten slotte.

'Hebt u hem ooit gecontroleerd? Zijn computer? Zijn telefoon?'

'Nee.'

'Waarom niet?'

Ze zweeg lang. 'Misschien omdat ik het niet wilde weten,' zei ze eindelijk. 'Dan zou ik hem toch nog wantrouwen. Het zou niet verdwijnen, begrijpt u? Alles.'

'Hebt u eigenlijk een baan?'

'Nee, niet meer sinds Keja's geboorte. Hij is niet alleen doof, hij is ook autistisch. Hij kan niet door andere mensen worden verzorgd, en ik zou dat ook niet willen. Richard ook niet. Hij wil geen vrouw die ergens schoonmaakt. En voor het geld hoeft het niet.'

Haar horizon was wel erg smal geworden, dacht Vegter. Een gehandicapte zoon, een man die nooit thuis was en een verhouding had. Waarom accepteerde ze het allemaal zo gelaten? Maar aan de andere kant: wat was het alternatief?

'Hebt u nooit een studie willen volgen? Dan zou u…' Hij zocht naar een woord dat niet kwetsend was, maar vond het niet. 'U zou niet afhankelijk zijn geweest.' Strikt genomen ging het hem niet aan. Misschien was het Renées invloed die maakte dat hij zich stoorde aan de lijdzaamheid die Asli Verkallen uitstraalde.

Hij scheen een snaar te hebben geraakt, want ze ging rechtop zitten. 'U begrijpt het niet. Ik zou dat graag hebben gewild, maar altijd was er Keja. U weet niet hoe hij…' Ze haalde diep adem. 'Het heeft jaren geduurd voor we wisten wat er allemaal mis was. En nu… We hebben eindelijk de juiste school voor hem gevonden, en ze doen hun best, het gaat beter met hem, maar het gebeurt regelmatig dat ik word gebeld omdat er iets fout gaat. Hij kan niet zonder toezicht. Nooit. Hoe zou ik kunnen werken? Ik ben de enige die hij vertrouwt.' Ze zei het met iets van trots.

Vegter besefte dat hij zich op glad ijs bevond. Hij had zich nooit hoeven verdiepen in autisme. Ingrid was een normaal kind, opgegroeid met niet meer dan de problemen die een normaal kind met zich meebracht. Nu ving hij een glimp op van de wereld van een gezin dat leefde onder omstandigheden waar hij geen notie van had. Misschien had hij zijn oordeel te snel klaar, werd je murw als je werd geconfronteerd met een situatie die geen uitzicht bood op verbetering. Hij herinnerde zich de geestelijk zwaar gehandicapte jongen uit zijn jeugd. Toentertijd werd zo'n jongen een mongool genoemd, nu zou hij een Downer heten, maar een eufemisme maakte voor het probleem geen verschil. De jongen zat dagelijks op de vensterbank van de bakkerij die zijn ouders dreven, een stok in zijn handen, waarmee hij onverhoeds sloeg naar wie hem passeerde. Als jochie was hij bang voor hem geweest, voor de onvoorspelbaarheid en de kwaadaardige kracht waarmee de jongen had uitgehaald. Wat hij zich nu herinnerde was de berustende blijmoedigheid waarmee de ouders hun lot hadden aanvaard. Ze schikten zich en maakten er het beste van. Stef had ooit gezegd dat het altijd leek alsof het de sterkste mensen waren wie zoiets overkwam, en hij had tegengeworpen dat ze misschien niet sterk waren geweest, maar geworden.

Hoe had Richard Verkallen op dit alles gereageerd? Hij had moeten opboksen tegen een dominante vader en broer, hij was tegengewerkt in zijn artistieke aspiraties, was een huwelijk aangegaan dat de familie niet goedkeurde, en kreeg daarenboven een zoon die niet aan de verwachtingen beantwoordde. En deze magere kleine vrouw zag eruit alsof ze moest vechten om het hoofd boven water te houden.

'Schildert uw man eigenlijk nog?'

Ze keek een moment naar het schilderij dat naast de deur hing en haalde haar schouders op. 'Hij heeft de spullen nog wel, maar hij doet er nauwelijks nog iets mee.'

Vegter volgde haar blik. Een smalle rivier, meanderend tot waar het doek ophield, een wolkenlucht, knotwilgen op de voorgrond, het onvermijdelijke kerktorentje in de verte. Een landschap, meer viel er niet over te zeggen.

'Komt u weleens in het bedrijf?'

'Nee. Ik ben er in geen jaren geweest. Richard vindt het niet prettig als ik daar kom.'

'En uw zoon? Een jongen van dertien zal geïnteresseerd zijn in auto's.'

Ze schudde haar hoofd. 'Keja niet. Hij houdt niet van machines omdat hij die niet begrijpt. Ze doen dingen die hij niet kan horen aankomen.' Haar ogen verwijdden zich in alarm. 'Ik geloof dat ik hem hoor.' Haastig stond ze op en wilde de kamer uit lopen, maar de deur ging al open, en haar zoon kwam binnen.

De jongen was verbijsterend mooi, maar hij had een houterige motoriek die niet bij die schoonheid paste. Hij droeg een verschoten trainingspak dat om hem heen slobberde. Zijn diepzwarte haar was kortgeknipt en sterk krullend zonder te kroezen, en het liet de kleine oren vrij. Het smalle gezicht was een boeiende mengeling van Afrika en Europa; de neus niet plat maar met een lichte kromming, de jukbeenderen hoog. Onder de fraai gebogen wenkbrauwen waren de ogen als die van zijn moeder –

groot en zwart, met blinkend oogwit. Vegter dacht aan de edele krijger in een niet al te beste film.

De jongen bleef staan toen hij Vegter en Talsma ontwaarde, en er lag angst in zijn blik. Hij keek onmiddellijk vragend naar zijn moeder, die geruststellend haar hoofd schudde. Ze gebaarde snel, en haar zoon knikte, aanvankelijk aarzelend, bijna argwanend, toen met meer zelfvertrouwen. Hij liep op hen af, de ogen gericht op hun middenrif, stond stil op een meter afstand.

'Keja Verkallen.' De naam was nauwelijks te verstaan.

Hij was niet de eerste dove die Vegter ontmoette. Desondanks schrok hij van de stem. Een jongensstem, al met iets van de breking die de baard in de keel voorspelde, maar ruw en klankloos.

'Vegter,' zei hij, duidelijk articulerend en zich onhandig voelend.

Ook Talsma was ietwat overrompeld, wat bleek uit het feit dat hij zijn voornaam noemde.

De jongen keerde zich direct weer naar zijn moeder en gebaarde. Ze knikte, en hij liep naar de deur. Daar draaide hij zich om, stak zijn hand op en sloot de deur onberispelijk zacht achter zich.

Asli Verkallen zag hun verwarring. 'Op school is hem geleerd dat hij moet groeten als hij de klas verlaat. Nu doet hij het altijd, ook thuis, en ook als er niemand aanwezig is. Blijkbaar heeft hij begrepen dat hij de ruimte moet groeten, in plaats van personen. We laten het maar zo. Het is al moeilijk genoeg om hem nieuwe gebaren aan te leren. De combinatie van doofheid en autisme beperkt de communicatie aanzienlijk.'

Het klonk als een uit het hoofd geleerd lesje, en misschien was het dat ook, overwoog Vegter. Deze vrouw had een grote ontwikkeling moeten doormaken sinds ze in Nederland woonde. 'Spreken is voor hem dus ook een probleem?' vroeg hij voorzichtig.

Ze knikte. 'Extra moeilijk, omdat hij oogcontact vermijdt. We gebruiken alleen een beperkte gebarentaal, en daarnaast hebben we een plaatjessysteem, zodat hij of ik kan aanwijzen wat we willen vragen of hebben of doen.'

'Weet hij intussen dat zijn vader wordt vermist?'

Ze weifelde een ondeelbaar ogenblik. 'Nee.'

'Hij is dertien,' zei Vegter. 'Geen klein kind meer. Heeft hij niet recht op de waarheid?'

'Die kan ik hem niet uitleggen,' zei ze. '"Vermist" is een abstract begrip. Hij kan alleen denken in concreetheden.' Ze zweeg onzeker. 'Is dat een woord?'

'U bedoelt dat hij uitsluitend denkt in concrete beelden?' Vegter was geïntrigeerd door de enorme implicaties van deze dubbele handicap.

'Ja. Hij ziet situaties, en die kan hij niet overdenken. Of liever: hij begrijpt niet dat hij zich kan vergissen in zijn interpretatie daarvan. Hij kijkt naar een film zonder geluid, en wat hij ziet is voor hem de waarheid.' Ze dacht even na. 'Dat is wat overblijft,' zei ze toen.

Geen nuances, dacht Vegter. Geen grapjes, geen boeken, geen muziek, geen opvattingen, geen eruditie. Een bijna dierlijke wereld. Viel er iets te genieten, behalve een warm bed en de smaak van voedsel? Hij zou er langer over willen nadenken, maar daarvoor was dit niet het moment.

'Zelfs al zou ik het hem kunnen uitleggen,' zei Asli Verkallen, 'hij reageert niet zoals andere mensen. Ik weet niet wat hij zou doen.'

'Alles is mogelijk?'

Ze knikte. 'Hij zou kunnen verdwijnen en de hele dag niet terugkomen, omdat daarna het probleem niet meer bestaat. Dan heeft hij het verdrongen, van zich afgezet. Hij kan een woedeaanval krijgen, en dan vernielt hij dingen. Of hij kan zich in zijn kamer opsluiten en weigeren te eten. Ik weet het niet.'

'Denkt u dat hij zijn vader nu mist?' Het was een vraag die hij niet behoorde te stellen, een vraag die alleen werd ingegeven door nieuwsgierigheid.

Ze leek moeite te hebben met haar antwoord, en hij begreep waarom toen ze ten slotte zei: 'Nee, dat denk ik niet.'

Heel even vroeg hij zich af of ze nooit spijt had van haar besluit om in Nederland te gaan wonen. Toen bedacht hij dat dit alles haar ook in Somalië had kunnen overkomen, en dat ze daar niet over alle emolumenten van een verzorgingsstaat had kunnen beschikken. Maar naar alle waarschijnlijkheid wel over een warme, betrokken familie.

Hij stond op. 'U hoort van ons zodra er nieuws is. Probeert u zich intussen niet te veel zorgen te maken.'

Een bloedhekel had hij aan de clichés. Hij bezigde ze enkel omdat er geen passende woorden bestonden.

'Weet u wat ik zomaar denk?' vroeg Talsma op weg terug naar het bureau.

'Nou?'

'Ik denk zomaar dat de familie Verkallen weleens zou kunnen weten wie Gemma van Son is.'

'Wat brengt je op dat idee?'

'Weet ik niet.' Talsma ontweek een fietser met suïcidale intenties. Hij claxonneerde, en de fietser keek om en stak opgewekt een middelvinger op. 'Misschien het gevoel dat die hele verrekte familie dat kind Asli loopt te belazeren. Al jaren.'

'Is dat niet wat kort door de bocht?'

'Kan,' zei Talsma, 'maar korte bochten hebben het voordeel dat je eerder bent waar je wezen wilt.'

Soms ging hij je voorbij, dacht Vegter. Soms gaf hij – ondanks zijn gekoesterde imago van ruwe bolster, blanke pit – blijk van een fijn afgestemde antenne, pikte hij lichaamstaal en stemkleuringen feilloos op.

'Denk jij dat ze weten waar hij zit?'

'Nee,' zei Talsma. 'Of in elk geval: pa en ma waren oprecht geschrokken. Van de broer weet ik het niet. Die broer heeft van belazeren zijn vak gemaakt.'

'Ben je niet erg hard?'

'Dat kan blijken. Maar liever te hard dan te zacht.'

Vegter ging verzitten. Die kon hij in zijn zak steken. Nooit zou Talsma rechtstreeks kritiek uiten, maar als hij van mening was dat er meer schot in een zaak mocht komen, vond hij altijd een manier om dat duidelijk te maken.

8

Gemma van Son bleek sinds vijf jaar werkzaam als receptioniste bij autoschadeherstelbedrijf Verkallen. Op de hoofdvestiging. Talsma kwam het grijnzend melden, ontzag zich zelfs niet om achteloos te poneren: 'Dacht ik het niet?'

'Touché,' zei Vegter.

Talsma streek de Post-it glad waarop hij het adres had geschreven. 'Hebt u tijd om ernaartoe te gaan? Anders ga ik met Brink.'

Vegter schoof papieren opzij en stond op. 'Ik ga mee. Wat voert Brink trouwens uit?'

'Tikt zich het schompes,' zei Talsma ongeïnteresseerd.

'Hoe oud is ze?' vroeg Vegter terwijl hij instapte.

'Tweeëndertig.'

'En ze is nog steeds ziek?'

'Yep.'

'Heb je gevraagd hoe ze eruitziet?'

'Nee. Maar ik gok op blond. En op dat ze weinig vlees eet en veel groente.'

Vegter klikte de gordel vast en dacht aan de monteur die had gezegd dat Richard zich afreageerde op het personeel, maar 'niet op iedereen'. Hij keek op zijn horloge. Bijna elf uur. Het eetcafé was al in bedrijf, en de straat was vol winkelende mensen. Wat hem eraan deed denken dat hij een kerstcadeau voor Ingrid en Thom moest verzinnen. Hun huis was inmiddels getransformeerd tot een prematuur kinderparadijs. Hij had de babykamer bewonderd, lichtblauw en grijs, de witrieten wieg, een zitje dat Stef en hij destijds prozaïsch 'het zwiepstoeltje' hadden genoemd, de rij knuffels op hun eigen plank met een lege plank daaronder voor de 'cadeauknuffels', zoals Ingrid lachend had gezegd, de rail met piepkleine kleertjes, en de multifunctionele kinderwagen met knoppen en hendels waarvan hij niets begreep.

Voor het eerst besefte hij dat zijn kleinzoon een Keja zou kunnen zijn, en hij schrok terug voor de consequenties van die gedachte. Met Ingrid en Thom had hij er nooit over gesproken.

Voor het eerst kwam ook de gedachte boven dat zijn kleinzoon letterlijk en figuurlijk een gespreid bedje wachtte. Alles was af, niets was aan het toeval overgelaten. Hij probeerde zich te herinneren of Stef en hij destijds ook zo voorbereid waren, maar kwam niet verder dan de geleende box en de van vrienden overgenomen commode die sporen van intensief gebruik had vertoond. In het appartement dat ze destijds bewoonden had hij het kleinste slaapkamertje geschilderd en behangen in een neutrale kleur, omdat ze niet wisten of hun een zoon of dochter te beurt zou vallen. Samen hadden ze de gevlochten rieten tegels vervangen door goedkoop tapijt, waarover Stef praktisch had opgemerkt dat het mee kon tot zoon of dochter op de middelbare school zat. Ze had een kast op de kop getikt voor kleertjes en luiers, een ouderwetse kast, voorzien van een dikke laag lelijke verf, die ze met behulp van afbijt had verwijderd. Hij had zich zorgen gemaakt over de dampen, maar ze had hem uitgelachen. 'Een beetje kind kan wel tegen een stootje.' Plotseling zag hij scherp voor zich hoe ze moeizaam zijwaarts van een trap klom nadat ze gordijnen had opgehangen.

En waarom bedacht hij dit nu allemaal? Was het omdat hij

zich had afgevraagd of Keja Verkallen, en vooral zijn moeder, niet beter af zouden zijn geweest in het warme nest van een liefhebbende familie? Ongetwijfeld was hij een onuitstaanbare moralist.

Hij keek naar de lucht, die egaal grijs was, het soort grijs dat sneeuw voorspelde. Het daglicht accordeerde daarmee; een zacht getint maar helder licht, zonder de somberte van de vorige dag. Een witte kerst, een aanstaande kleinzoon, het was bijna *too much*. En waarschijnlijk vergiste hij zich – een witte kerst was zeldzaam.

Maar toen ze uitstapten bij de flat waar Gemma van Son woonde, beet de wind in zijn wangen met een waarschuwing van vrieskou. Talsma keek met onverwachte opgewektheid omhoog. 'Er komt sneeuw, Vegter.'

'God verhoede.'

'Tja,' zei Talsma. 'De romantiek ligt op de loer. Je kunt er maar beter op voorbereid zijn.'

Vegter lachte ook, en samen liepen ze de hal in, die was zoals de meeste hallen in de meeste flatgebouwen; tamelijk verwaarloosd, rijen brievenbussen onder en naast elkaar, een bekraste liftdeur.

Ze stegen op naar de zesde etage, waar hun een winderige galerij wachtte met identieke donkerblauwe voordeuren, en voor de zoveelste maal prees Vegter zich gelukkig dat hij hieraan was ontsnapt. Nu waren er de weilanden, leeg sinds koeien en paard Klaas op stal stonden, maar met een wijde hemel erboven. Er was het licht dat kierde tussen de gordijnen van de oude Warman en zijn vrouw, er waren de vriendelijk knerpende kiezels als hij het pad naar zijn huis op liep, en Wolf die tevoorschijn sprong zodra hij het geluid van zijn voetstappen herkende. Bevrijd was hij van luidruchtige, door hormonen gestuurde knullen die hun knetterende rondjes reden, bevrijd van de buurtfeesten met barbecue en bier.

Ze belden aan. Belden nogmaals aan toen er niet werd gereageerd. De deur ging open, en voor hen stond de vrouw die door de gerant zo treffend was omschreven. Haar halflange blonde haar hing los, en ze was gekleed in een lichtblauwe ochtendjas die zijn beste tijd had gehad.

'Mevrouw Van Son?'

'Ja?' Haar hand ging in een filmisch gebaar naar haar keel.

'Recherche.' Vegter toonde zijn legitimatiebewijs. 'We zouden graag even met u praten.'

'Ik ben… Ja, natuurlijk. Komt u binnen.'

In het halletje hingen twee jassen aan de kapstok; een donkerrood sportief jack en een grijze winterjas.

Gemma van Son liep voor hen uit naar de zitkamer. Haar blote voeten waren winters wit, maar met roodgelakte nagels. Grote voeten, breed en plat. Voeten die ouder leken dan de vrouw die ze droegen. Ondanks – of misschien dankzij – het feit dat ze niet was opgemaakt, was haar gezicht fris en meisjesachtig. De ronde blauwe ogen keken met iets van naïviteit de wereld in, de mond was week met een te korte bovenlip. Ronde heupen, zware borsten. Geen mooie vrouw, maar zeker aantrekkelijk. Gejaagd raapte ze tijdschriften van de bank en een stoel. 'Gaat u zitten.'

De bank was lila en roze gestreept, en Talsma's bruine jack stak er lelijk tegen af. Vegter nam de kamer in zich op en voelde zich als een gezondheidsinspecteur in een bordeel. Zachte kussentjes in pasteltinten, porseleinen vaasjes, kandelaars, een windorgel, posters met idyllische meren bij zonsondergang, tegen een muur een rij versleten poppen die stoïcijns voor zich uit keken. Een poezelige kamer voor een poezelige vrouw. Hij dacht aan de onpersoonlijk ingerichte zitkamer van Asli Verkallen. Had Richard hier iets gezocht wat hij thuis niet vond?

'U weet waarvoor wij komen,' zei hij op constaterende toon, gokkend vanuit het principe dat de aanval de beste verdediging was.

'Ik… Ja, ik denk het wel.' Ze trok de panden van de ochtend-jas verder over elkaar, streek ze glad over haar knieën.

'Waarvoor denkt u?'

'Voor Richard.'

'Wat zou er zijn met Richard?' Vegter wist niet zeker of zijn harde vraagstelling werd ingegeven door intuïtie, of doordat Talsma's opmerking hem nog dwarszat.

'Hij is… Peter belde me. Richard is vermist. Wordt vermist.' Haar stem was te hoog, en hij paste niet bij haar figuur.

'Wanneer belde Peter u?' vroeg Talsma soepel.

Vegter leunde naar achteren. Talsma miste weinig. Ook hem viel het op dat ze de naam Peter uitsprak op een manier die ver-trouwelijkheid verried. Die vertrouwelijkheid kon meerdere oorzaken hebben, hield hij zich voor.

'Gisteren.'

'Wanneer gisteren?'

'Gistermiddag.'

'Hoe laat?' vroeg Talsma geduldig.

'Ongeveer om halfeen.'

Vegter dacht na. Talsma en hij waren rond die tijd vertrokken bij het bedrijf, na hun eerste gesprek met Peter Verkallen. Die onmiddellijk daarna zijn receptioniste had gebeld over de ver-missing van zijn broer. Niet gebruikelijk voor een werkgever.

'U vond het niet nodig om contact op te nemen met de poli-tie?'

'Nee.' De ogen werden nog ronder. 'Hoezo?'

'Uit ongerustheid bijvoorbeeld. En u hebt Richard eergister-avond nog gezien.'

'Natuurlijk ben ik ongerust! Maar ik heb hem niet gezien. Hoe komt u daarbij?'

'O nee?'

'Nee.'

'U had met hem afgesproken,' zei Vegter zachtmoedig. 'U

drong sterk aan op een ontmoeting, blijkbaar was het dringend.'

'Wie zegt dat?'

'De e-mail die u aan hem stuurde, en de mail die hij u terugstuurde. U zou hem eergisteren ontmoeten. Hoe laat?'

'Ik was ziek. Ik heb me ziek gemeld. Hoe komt u aan die e-mail?'

Vegter negeerde de vraag. 'U hebt zich ziek gemeld, maar toch wilde u de volgende dag Richard spreken.'

'Ik was echt ziek. Ik heb griep.'

'Hebt u voor die griep een dokter geconsulteerd?'

Ze schudde haar hoofd. 'Ik ben verkouden, en ik had koorts, meer niet.'

'U klinkt niet verkouden,' zei Talsma. Hij keek de kamer rond. 'Ik zie ook nergens zakdoekjes.'

'Zakdoekjes?' Ze keek hem verwilderd aan.

'Om uw neus te snuiten,' zei Talsma. 'Erg handig als je verkouden bent. Meer mensen gebruiken ze.'

'Die liggen in de slaapkamer. Ik lag nog in bed,' zei ze vijandig.

Talsma keek naar Vegter, die nauwelijks merkbaar knikte, en hij stond op, liep de kamer uit en kwam even later weer terug. 'Geen zakdoekjes.'

'Dan liggen ze in de badkamer,' zei Gemma van Son. 'Of ze zijn op. Wat doet het ertoe? Ik begrijp niet wat u hier komt doen.'

'Dat zal ik u uitleggen,' zei Vegter. 'U had een afspraak met Richard Verkallen voor eergisteren. Overdag was hij op zijn werk, net als u. Maar 's avonds mailde u elkaar en sprak af voor de volgende dag. Ik wil weten voor hoe laat, en waar.'

'Rond negen uur.' Het was amper verstaanbaar.

'Waar?'

'In een café.'

'Welk café?'

'De Blauwe Hoed.'

'U spreekt daar vaker af?'

Ze gaf geen antwoord. Haar voeten stonden nu boven op elkaar, alsof ze de ene met de andere trachtte warm te houden. Het zag er kinderlijk uit. Te kinderlijk voor een vrouw van tweeëndertig.

'U hebt een verhouding met hem,' zei Vegter. 'Hoe lang al?'

'Ik heb geen verhouding met hem.'

'De meeste werkgevers spreken niet 's avonds met hun personeel af in een café.'

'We zijn een soort vrienden,' zei ze. 'Meer niet. Je kunt toch gewoon vrienden zijn met iemand, ook met een man?'

Vegter had weinig vertrouwen in Plato's denkbeelden in dezen. 'Komt u bij hem thuis?'

'Nee.'

'Komt hij bij u thuis?'

'Heel soms.'

'En als u samen in het café zit, waarover praat u dan zoal?'

'Over van alles.'

'Noemt u eens iets.'

'Gewoon, wat er speelt op het werk. Of over een televisieprogramma, of een film. Dat soort dingen.' Ze deed zichtbaar haar best.

'Dat kunt u toch ook op het werk doen? Tijdens de koffiepauze, of tussen de middag?'

'Daar kun je niet rustig praten.' Haar blik vestigde zich op een punt tussen hen in.

'Bent u ook bevriend met Peter?'

'We mogen elkaar graag.'

'Dat vroeg ik u niet. Gaat u ook met Peter naar het café?'

'Nee.'

'Is Peter op de hoogte van uw relatie met Richard?' vroeg Talsma.

Ze opende haar mond en sloot hem onmiddellijk weer.

Net niet, dacht Vegter. Ze was nu zo op haar hoede dat haar schouders zich spanden onder de dunne ochtendjas. 'Geeft u antwoord,' zei hij.

'Ik heb geen relatie met Richard.'

'Waar is hij nu?'

'Dat weet ik niet! Ik weet niet waar hij is. Ik heb hem niet gesproken, en ik begrijp niet waarom u mij al die vragen stelt. Ik wil dit niet, ik heb hier niets mee te maken. Ik wil dat u weggaat!'

'Dat zullen we doen zodra u antwoord geeft op onze vragen.'

'Ik weet niet wat ik nog meer moet zeggen. Ik weet niet waar hij is.' Ze stond op, vergat de ochtendjas, die openviel en roze dijen toonde, een glimp van een zwarte slip. 'Waarom vraagt u niet aan zijn vrouw waar hij is?' Haar stem steeg tot hysterische hoogte. 'Zij zal het weten. Zij is met hem getrouwd, ik niet. Ik wil dat u weggaat. Ik wil niet dat u hier bent en mij vragen stelt. Dit is mijn huis.' Ze sloeg haar armen om zich heen. 'Ga weg!'

'Misschien is het beter dat u met ons meegaat naar het bureau,' zei Vegter kalm.

Ze viel stil, keek ongelovig van hem naar Talsma, ging weer zitten, klemde haar handen in elkaar in haar schoot.

'U lijkt niet te beseffen dat u in een lastig parket zit,' zei Vegter. 'U had een afspraak met Richard Verkallen voor eergisteravond. Sinds zes uur die avond heeft niemand hem meer gezien. Behalve u.'

'Hij heeft afgezegd,' zei ze zachtjes.

'Heeft hij u gebeld?'

'Ik kreeg een sms'je.'

'Mag ik dat even zien?'

'Ik heb het gewist.'

'Waarom?'

'Ik wis mijn sms'jes altijd meteen.'

'Mag ik uw mobiel zien?'

Ze stond op en liep de kamer uit. Talsma wilde opstaan en haar achternalopen, maar Vegter gebaarde dat hij moest blijven zitten.

Ze kwam meteen terug, gooide een iPhone op tafel. Talsma pakte hem, checkte en schudde zijn hoofd. 'Niets.'

Vegter dacht aan zijn eigen mobiel, waarop hij de ontvangen berichten pas wiste wanneer het geheugen vol was. Had ze alle berichten verwijderd op instigatie van Richard? Of misschien op aandringen van Peter?

'Mevrouw Van Son,' zei hij. 'Ik raad u aan goed na te denken over dit gesprek. Hebt u ons iets te melden, dan wil ik dat u dat onmiddellijk doet.' Hij legde zijn kaartje op de tafel. 'En bovendien wil ik dat u binnen een uur uw paspoort en uw telefoon inlevert op het hoofdbureau.'

'Ik had haar liever meegenomen,' zei Talsma op de galerij.

'Dat heb ik overwogen,' zei Vegter. 'Maar even broeien kan geen kwaad. De schrik zit er goed in. En ik wil eerst weten wat er op haar computer en op die van Verkallen staat aan weggegooide e-mails. Dat ga ik zo meteen regelen. Heb je trouwens tussen al die Caran d'Ache-platen dat schilderijtje zien hangen? Ik durf te wedden dat het door Richard Verkallen is gemaakt.'

'Bedoelt u die rietpluimen?'

'Ja.'

'Het leek er wel een cadeauwinkel,' zei Talsma. 'Waarom denkt u dat trouwens?'

'Omdat het even goed, of even beroerd, is geschilderd als het portret van zijn moeder. En Gemma van Son is volgens mij geen groot liefhebber van kunst. Hoe was de slaapkamer?'

'Een babykamer voor een heel grote baby. En ze kwam inderdaad net uit bed, het voeteneind was nog warm.'

Op het bureau liep Vegter de recherchekamer binnen, waar Brink veinsde aan het werk te zijn. Hij gaf hem de krant met de foto van Richard Verkallen. 'Er wordt zo meteen een paspoort ingeleverd. Gemma van Son. Maak een vergroting van de foto en ga daarmee en met deze foto naar café De Blauwe Hoed en vraag of ze deze mensen kennen. Vraag door.'

Brink knikte gretig.

Vegter ging naar zijn eigen kamer. Talsma stond voor het geopende raam te roken. Hij wees naar buiten. 'Zei ik het niet?'

Vegter keek naar de motsneeuw die door de straat joeg. 'Als het hierbij blijft, kan het nog een geslaagde kerst worden.'

Talsma lachte. 'Het is aan u niet besteed, Vegter. Wat gaat u eigenlijk doen? Boeken en muziek?'

'Boeken in elk geval.' Vegter dacht aan het *Weihnachtsoratorium*, dat hij in geen jaren had beluisterd. *Ehre sei Gott in der Höhe.* Waarom ook niet? Baatte het niet, dan schaadde het niet. 'En waarschijnlijk ook de muziek. Voor de rest hangt het van mijn aanstaande kleinzoon af. En van Verkallen.'

'Gaat het goed met de dochter?'

'Uitstekend. Al denkt zij daar anders over.'

Hij moest Ingrid bellen. Hij had haar al twee dagen geleden moeten bellen, ook al bezat hij niet de tact die Stef gehad zou hebben om te reageren op klachten over dikke benen en een pijnlijke rug. Ze moest veel missen, zijn dochter. De relatie met Thoms moeder was goed, maar zoals Ingrid had opgemerkt: 'Ze is lief, maar anders.' Stef had de laatste weken voor de bevalling in huis rondgedoold, en nooit was het schoner geweest dan toen. 'Ik moet toch íéts doen. Als dat kind nou kwam, dan kon ik daar tenminste mijn tanden in zetten.' Ingrid vertoonde dezelfde rusteloosheid.

'Ze verveelt zich.'

Talsma knikte begrijpend. 'Akke sleepte de dochter overal mee naartoe toen de eerste op komst was. Voor de afleiding. En ze breien niet meer, nou?'

Vegter schoot in de lach, en Talsma lachte mee, al keek hij er verwonderd bij. Vegter gaf hem Asli Verkallens adresboek. 'Ga jij dat uitpluizen.'

Talsma verdween, en Vegter pakte de telefoon, regelde een digitaal specialist en belde daarna Ingrid.

Ze nam onmiddellijk op. 'Hoi pap.'

'Hoe gaat het met je?'

'Ik lijk als twee druppels water op een oud-Hollandse theepot, en ik heb er schoon genoeg van.'

'Hou vol.'

'Wat ben je toch een echte man.'

'Ik kan moeilijk zeggen dat ik het van je over zou willen nemen.'

'Waarom niet?' Onder de luchtige toon lag kribbige ernst.

'Biologisch gezien…' begon hij.

'Je lijkt Thom wel.'

'Sorry.'

'Ach,' zei ze. 'Ik zeur. En ik ben helemaal niet interessant. Ik sta in een lege wieg te staren en ik volg soaps waar ik anders nooit naar kijk, en intussen zijn ze op kantoor bezig met een project waarmee ik ook bezig had willen zijn.'

'En hoe gaat het met junior?'

'Junior wordt denk ik profvoetballer. Hij heeft een fenomenale traptechniek.'

'Hij is toch nog wel gewenst?'

'Hij is heel gewenst. We hebben erg ons best voor hem gedaan. Laten we het over jou hebben. Wat ben je aan het doen?'

'Op dit moment kijk ik naar het café aan de overkant en probeer ik te besluiten of ik daar zal lunchen.'

'Papa!'

'Er wordt een man vermist,' zei hij. 'En we zijn naar hem op zoek.'

'Ik heb niets in de krant zien staan.'

'Dan lees je de verkeerde. Of juist de goede.'

'Ik moet nog boodschappen doen,' zei ze verheugd.

'Ga naar een supermarkt waar ze je niet kennen.'

Ze lachte en hing op, en Vegter trok zijn jas weer aan en ging door de sneeuw naar de overkant, waar hij een boerenomelet at terwijl Mariah Carey hem vertelde dat hij het enige was wat ze voor Kerstmis wilde hebben.

9

Brink spreidde de voorpagina uit op de bar van café De Blauwe Hoed en legde er de foto van Gemma van Son naast. 'Deze mensen hier ooit gezien?'

De barkeeper wierp er een blik op. 'Nee.'

'Dat is wat snel,' zei Brink. Hij ritste zijn ski-jack open en hees zich op een kruk. 'Fiks mij een cappuccino en kijk daarna nog een keer.'

De barkeeper fikste de cappuccino en keek nog een keer. Intussen brandde Brink zijn mond aan de hete koffie die door de schuimlaag sijpelde.

'Nee.'

'Werk je hier de hele week?'

'Nee.'

Brink maakte een animerende beweging met zijn hand.

'Twee dagen per week,' zei de barkeeper inschikkelijk. 'Gisteren en vandaag.' Hij was jong, niet ouder dan twintig. Golvend haar, en met wat Brinks tandarts destijds 'een fraai beugelbekkie' had genoemd toen Brink zelf nog leed onder stalen hekwerken in zijn mond.

'Waarom niet de hele week?'

'Omdat ik niet meer tijd heb. Ik studeer.'

Brink hield niet van studenten. Ze herinnerden hem aan de tijd dat hij zelf begin twintig was en al voor de politie had gekozen. Nu was hij tweeëndertig, en soms vroeg hij zich af of hij de juiste keuze had gemaakt. Hij keek naar de knul, die zich in zijn verwassen T-shirt en spijkerbroek geroutineerd achter de bar bewoog. Eén bonk zelfvertrouwen. Wist dat hij niet de rest van zijn leven glazen zou hoeven spoelen, beschouwde dit baantje als een grap waarmee hij geld verdiende. Het moest een leuk bestaan zijn; niets méér om je druk over te maken dan tentamens, en voor de rest lekker zuipen en wat rondneuken. Misschien had hij ook een serieuze studie moeten doen. Al hadden zijn examencijfers daar niet direct aanleiding toe gegeven.

'Wat studeer je?'

'Rechten.'

Jezus. Makkelijker kon niet. En als je strafrecht koos, kon je er onbeschoft rijk mee worden. Hij keek graag naar de bekende strafpleiters op de televisie en verbaasde zich over de achteloosheid waarmee ze over hun zaken praatten, ook al wist hij dat die achteloosheid schijn was, dat ze zich terdege voorbereidden en dat hun houding imponeergedrag was, dat ze zich voortdurend bewust waren van de camera, misschien zelfs wel een mediatraining hadden gevolgd. Hij bewonderde hen er des te meer om, en hij was allang klaar met de gewetensvraag of je een vent moest verdedigen van wie je wist dat hij schuldig was. Het was een spel dat je zo goed mogelijk speelde – justitie tegenover verdediging, en wie het best scoorde, won. Wat hem dwarszat was dat hij steeds vaker het idee had bij de verkeerde ploeg te zitten. De ploeg die zich een ongeluk trainde in weer en wind, maar niettemin na meestal verloren te hebben vermoeid naar de kleedkamer afdroop.

Rechten. Hij had de brains, hij had de looks, en vier jaar was te overzien. Al verdiende je gedurende die tijd geen moer, en zou hij moeten teren op Sharons zak. Maar ze zou het toejuichen. Zij klom gestaag verder op haar eigen carrièreladder, zonder dat ze daar veel drukte over maakte.

Hij werd zich ervan bewust dat de barkeeper afwachtend naar hem keek.

'Is je collega er?'

'*Lucky you*,' zei de jongen. Hij verdween door een deur achter de bar en kwam terug met een oudere man. Wit overhemd, zwarte broek, bierbuik, snor. Een beroeps.

Brink schoof zonder plichtplegingen de foto's naar hem toe. 'Kent u deze mensen?'

De man had niet lang nodig. 'Jawel.'

'Zijn ze hier eergisteren geweest?'

De man liet zijn wangen bollen. 'Ik durf het niet te zeggen. Het zou kunnen. Het is de drukke tijd.'

'Maar in elk geval kent u ze. Komen ze hier vaak?'

'Mm.'

'Regelmatig?'

'Wat is regelmatig?'

Brink zuchtte. 'Eén keer per week, twee keer per week, één keer per maand, twee keer per maand.'

Zijn cappuccino was op, en hij had geen zin in een tweede. Pluchen tafelkleedjes, teakhouten bar, foute muziek. Wat een kutkroeg. Bovendien had hij het gevoel dat Vegter al korte metten zou hebben gemaakt met deze gehaaide cafébaas. Hij kon jaloers zijn op diens overwicht, en bij vlagen was hij genegen toe te geven dat het aangeboren moest zijn.

'Ik zou u kunnen vragen mee te gaan naar het bureau om een verklaring af te leggen.'

Het was een veel te zwaar dreigement, maar iets bereikte hij toch, want de man zei: 'Dat zou je kunnen doen, maar het hoeft niet. Ze komen hier af en toe, en dan zitten ze daar.' Hij wees naar een nis. 'Hij drinkt whisky, zij witte wijn. En de laatste keer dat ik ze heb gezien, hadden ze ruzie.'

'Zijn ze getrouwd, volgens u?'

'Niet met elkaar,' zei de barkeeper met door zijn beroep gevoede mensenkennis.

'Waarover ging die ruzie?'

'Ik zou het niet weten. Zolang ze elkaar de strot niet afbijten, bemoei ik me nergens mee.'

'Wat is uw algemene indruk?' Brink vond dat hij met deze vraag de stommiteit van twee vragen geleden neutraliseerde.

'Ik sta zo'n dertig jaar achter de tap,' zei de barkeeper. 'Ik zie ze komen, ik zie ze gaan. Je kunt ze indelen. Daar kun je een sport van maken. Ik heb er een sport van gemaakt. Dat leukt het op, snap je? Anders sta je alleen maar pilsjes te tappen.'

Brink knikte enthousiasmerend.

'Je hebt de drinkers,' zei de barkeeper. 'Niet interessant. Willen zo snel mogelijk dronken worden, en als ze het eenmaal zijn, gooi ik ze eruit. Dan heb je de stelletjes. Zitten hand in hand, geilen elkaar op. Krijg je geen last mee.' Hij stak twee vingers op en voegde er een derde aan toe. 'Dan hebben we de echtparen die elkaar mee uit nemen. Ze vinden het niet leuk, maar het moet.' Een vierde vinger ging de lucht in. 'En dan hebben we de rest.'

'Deze mensen vallen onder de rest?'

'Drinkers zijn het niet. Ze zijn niet getrouwd, en niet verliefd. Nou ja, hij niet, zij wel. Dus ja, dan horen ze bij de rest.' De man legde zijn armen op de toog. 'Ben je nou wat wijzer geworden, jongen?'

Brink ging er niet op in. 'Waaruit blijkt dat hij niet en zij wel verliefd is?'

'Omdat zij met koeienogen naar hem zit te staren als hij aan het woord is, maar niet andersom.'

'U hebt goed opgelet,' zei Brink met enige ironie.

'De sport, zoals ik al zei.' De man wees achter zich. 'Er staat iemand op me te wachten.'

'Bedankt.' Brink legde een paar euro neer en liep naar de deur.

Vegter stond in dubio. Eerst naar Peter Verkallen of wachten op de resultaten van de digitaal specialist? Hij besloot tot het laatste. Twee computers en een telefoon; zo lang kon het niet duren. Hij belde Talsma. 'Schiet het op met dat adresboek?'

'Tot zover alleen vrienden en zakenrelaties,' zei Talsma. 'Van de relaties hebben een paar Verkallen nog telefonisch gesproken, eergisteren. Niks aan de hand, niks te melden. De vrienden zijn geen echte vrienden, maar mensen die hij kent van de rally's die hij rijdt. Ik ben nu bij de N.'

'Staat Gemma van Son erin?'

Talsma bladerde. 'Nee.'

'Een van de andere personeelsleden?'

'Tot dusver niet.'

Vegter hing op. De telefoon begon onmiddellijk te rinkelen. 'Ik heb hier een meneer die u graag wil spreken,' zei Slagter.

'Wie?'

'Ene Harry Alting. Hij heeft een iPhone bij zich waarvan hij denkt dat die van de vermiste Richard Verkallen kan zijn.'

'Breng hem hier.' Vegter belde Talsma opnieuw.

'Het zal toch niet meezitten?' zei Talsma. 'Ik kom eraan.'

Harry Alting had een gezicht dat Vegter herinnerde aan een uitspraak die hij eens over The Rolling Stones had gehoord. '*They don't look old, they look knackered.*' Hij was klein en pezig, en zijn huid verried de zware roker, de groeven zo diep dat ze leken te zijn ingeslepen. De ogen onder de overhangende oogleden waren levendig en alert. Zijn hand was droog en warm. Zonder uitnodiging ging hij zitten, niet onder de indruk van zijn omgeving.

Vegter trok zijn bureaustoel bij. 'U denkt nieuws voor ons te hebben?'

Alting haalde een iPhone uit de binnenzak van zijn gekreukte jasje en legde hem op het bureau. 'Ik denk dat dit de mobiel is van die Verkallen die wordt vermist. Er staan de telefoonnummers in van alle schadeherstelbedrijven van Verkallen. Ik heb ze gebeld met mijn eigen telefoon. Er staat het nummer in van zijn ouders. Die heb ik ook gebeld. Niks gezegd, meteen weer opgehangen. Onder "thuis" staat zijn eigen nummer. Dat heb ik gecheckt in het telefoonboek. Bellen leek me niet gepast.'

Enig gevoel voor dramatiek kon hem niet worden ontzegd, dacht Vegter. Hij pakte de iPhone.

'Hij is nu inmiddels leeg,' zei Alting. 'Je moet die krengen dagelijks opladen.'

Vegter keek naar Talsma. 'Regel jij een oplader.'

Talsma nam de iPhone mee en verdween.

'Hoe komt u eraan?' vroeg Vegter.

'Gekregen.'

'Wanneer? En van wie?'

'Gisterochtend. Ik werk in café De Buffer. Er kwam een zwerver binnen die ervanaf wilde.'

Vegter kende het café – een oude zaak met de sfeer van een buurtkroeg. 'U bedoelt dat hij hem aan u verkocht.'

Alting haalde lichtjes de schouders op. 'Het is maar hoe je het noemt. Hij wou hem kwijt. Liet hem achter. Soms gebeurt dat.'

'U verkoopt ze dan door?'

Alting zuchtte. 'Kunnen we het niet gewoon hebben over waar het om gaat? Ik gooi daarstraks de tent open, er is nog geen hond, ik lees de krant. Er valt me iets op, en ik besluit mijn burgerplicht te doen. Dus ik gooi de tent weer dicht en ga hiernaartoe. Kom me nou niet aan met zeikvragen. U zit me klanten te kosten.'

Vegter lachte. 'U had intussen die iPhone gecheckt?'

'Voor hij stierf,' zei Alting. De kerven in zijn wangen verdiepten zich. 'Als ik heel eerlijk wou zijn, zou ik zeggen dat ik intussen de simkaart er al uit had gehaald.'

'Die zit er nu weer in?'

'Die zit er weer in. Ik hoop dat hij het nog doet.'

'Wie is die zwerver?'

'Hij heet Bernard, verder weet ik het niet. Maar hij sjouwt al jaren rond, ik denk dat jullie hem wel kennen. Ouwe vent, alcoholist. Zo gek als een ui, maar niet stom, ik kan hem af en toe niet bijbenen. En ik zou niks uitstellen als ik u was, want hij redt het niet lang meer.'

Talsma kwam weer binnen. 'Komt eraan.'

Vegter knikte. 'Heeft hij verteld hoe hij aan die telefoon kwam?'

'Daar heb ik over nagedacht,' zei Alting. 'Hij kwam binnen en wou er drank voor, want hij liep te snakken naar een borrel. Hij zei dat hij hem had gevonden in de buurt van iemand die hem niet meer nodig had. En hij zei iets in de trant van dat er wat aan de hand was met die persoon. Daarna peerde hij 'm met zijn halve fles jenever, want hij had door dat ik niet meer zo blij was met dat ding.' Zijn ogen glinsterden. 'Ik wil alleen eerlijke handel.'

'Ik zou daar van alles op kunnen antwoorden,' zei Vegter, 'maar dat zal ik niet doen. Ik wil graag uw gegevens, en ik wil dat u bereikbaar blijft, want tot uw verhaal is geverifieerd heb ik alleen uw woord.'

'Bekend als de bonte hond,' zei Talsma. Hij kwam binnen met een uitdraai. 'Bernardus Lucas Wilderman. Meerdere malen veroordeeld wegens kruimeldiefstallen en inbraak. Draaideurgeval. Al denk ik dat hij zo langzamerhand duizelig moet zijn, want hij is negenenzestig, en zwaar alcoholist. Hij heeft verdomd een adres ook nog. Gaan we erheen?'

Vegter keek naar buiten, waar de sneeuw niet langer wegsmolt, maar een wit laagje had gevormd op geparkeerde auto's en op de takken van de kastanjeboom. 'Dat hoeven wij niet per se te doen.'

'Nee, maar ik heb zin in een uitje.'

Vegter lachte. 'Oké. Is Brink al terug?'

'Kwam net binnen.'

'Dan laten we hem nog een keer uit.'

Brink liet de ruitenwissers zwiepen, warme lucht circuleerde in de auto, Talsma geeuwde. De sneeuwvlokken plakten aan de voorruit, niet meer waterig, maar groot en stevig. Wonderlijk, dacht Vegter, hoe alles leek te worden verzacht. De contouren van bruggen en gevels minder streng, de kale bomen sierlijker, een geketende fiets zonder voorwiel plotseling een sprookjesachtig voorwerp, het driftige rinkelen van de trams gedempt tot een milde waarschuwing. Mensen bogen het hoofd en schuifelden voorzichtig voort, auto's reden in kalm tempo. De stad paste zich zonder morren aan.

Bernardus Lucas Wilderman woonde aan een van de kleine grachten, in een souterrain waarvan de voordeur zat verstopt onder de trap naar de etages erboven. Een bel was er niet, noch een naambordje. Voor het vuile kleine raam hing theekleurige vitrage.

Vegter bonsde op de bladderende verf, zich voelend als Ebenezer Scrooge voor de deur van een schuldenaar. Er volgde geen reactie. Vegter bonsde opnieuw.

Talsma hurkte voor het raam. 'Stervensdonker daar. Ik kan goddomme niks zien.'

'Jij vond dit leuk.' Vegter klopte weer.

Brink maakte zich breed. 'Zal ik?'

Vegter tilde de klep op van de dofkoperen brievenbus, waarin waarschijnlijk sinds jaren geen post was bezorgd. 'Ik hoor iets.'

Een slot kraakte, de deur ging langzaam open, en voor hen stond een karikatuur. Klein, krom, gehuld in wat ooit een jopper heette, en een vormeloze ribfluwelen broek. Onder de twee mutsen, een bruin, een blauw, knipperden waterige ogen, omlijst door grijze haarslierten.

'Bernard Wilderman?' vroeg Vegter.

De mutsen knikten.

'Wij willen graag even met u praten.' Vegter greep in zijn binnenzak. 'Recherche.'

'*Had I not acted, I would not have been disturbed,*' zei Bernardus Lucas Wilderman. Zijn uitspraak was onberispelijk. 'Komt u binnen, heren.'

Misschien was de stank het ergst. De dikke, stilstaande lucht was ervan doortrokken, zodanig dat Vegter door zijn mond ademde om minder te hoeven ruiken. De geur was afkomstig van, of had zich gehecht aan alle voorwerpen in de kleine kamer; bergen afval, opgebouwd uit lege blikjes, variërend van kattenvoer tot bier, dozen die macaroni hadden bevat, of soep, of mie, opengescheurde vleesverpakkingen, rimpelige aardappels waaruit bleke wortels ontsproten als embryonale aliens. Ontelbare flessen, opgestapeld als het glas dat hij had gezien bij een recyclingbedrijf, wachtend op compostering van de restanten van de inhoud. Als een triomf van de rede stond op de vloer naast het aanrecht één schoon maar stoffig bord in een rood plastic afdruiprek.

Verrast zag hij dat er overal boeken lagen, aangetast door wit wolkende schimmel. Het meubilair bestond uit een stoel en een tafeltje met een aantal geconglomereerde kaarsen erop. De schouw, puntgaaf bekleed met antieke tegeltjes, ontbeerde een kachel. Het was er bijna even koud als buiten.

'Hebt u een toilet?' vroeg hij, en betreurde het onmiddellijk. Hij zou beter moeten weten dan zich dit aan te trekken.

'Ik zal het u wijzen,' zei Wilderman hoffelijk. Hij zette koers naar het gangetje onder de buitentrap.

'Niet nodig.' Vegter hoorde Talsma lachen, en voelde Brinks hoon. Brink was het prototype van de geharde stadsjongen, al was hij opgegroeid in een dorp met duizend inwoners – een feit waaraan hij niet wenste te worden herinnerd.

'Wij willen even met u praten,' herhaalde hij. 'Maar niet hier.'

'Dan zou ik wel graag mijn tas meenemen,' zei Wilderman. 'Voor het geval ik moet blijven overnachten.'

Brink zette zonder het te vragen twee raampjes op een flinke kier. Vegter keek een keer achterom. Talsma zat stoïcijns in een hoek van de achterbank, zo ver mogelijk bij Wilderman vandaan. Niemand zei iets. Wilderman leek te slapen, al verdacht Vegter hem ervan klaarwakker te zijn.

Op het bureau zette hij hem op een stoel en liet Brink koffie halen. Wilderman slurpte er dankbaar van, terwijl hij met iets van jeugdige nieuwsgierigheid om zich heen keek. Bereidwillig gaf hij zijn personalia.

Talsma deed het raam open.

'U hebt gisterochtend in café De Buffer aan Harry Alting een iPhone verkocht,' begon Vegter.

'Een wat?'

'Een telefoon.'

Wilderman keek sluw. 'Heel veel apparaten heten tegenwoordig telefoon. Kunt u ze nog onderscheiden?' Hij was onmiskenbaar dronken, maar had zijn dictie onder controle.

Talsma ging er gemakkelijk bij zitten en sloeg zijn armen over elkaar. Hij genoot hiervan. Hij was ongeduldig wanneer het nodig was. Nu was het niet nodig.

'U verkocht die telefoon aan Harry Alting voor een halve fles jenever,' zei Vegter. Misschien had Talsma geen ongelijk. Misschien moest je niet afleren de uitzonderingen in de maatschappij te waarderen.

'Dat zou kunnen.'

'Mooi. Hoe kwam u aan die telefoon?'

'Ik vond hem,' zei Wilderman.

'Waar?'

'Op een aardse plek, door God geschapen.'

'U gelooft in God?'

'Natuurlijk,' zei Bernard verbaasd. 'Ik weet niet wie Hij is, alleen maar dat Hij er is. Hij bestaat, Hij bestiert alles. Begrijpt u? Hij neemt iedereen onder Zijn hoede. De een wat meer dan de ander. Maar daar lijd ik niet onder. Ik vind troost in de nabijheid van de fles. Hij zwaait naar me, de fles. Hij zwaait niet echt, hoor. Hij wenkt.' Hij deed het voor. 'Zie je wel? Als een mannelijke sirene. Een beetje anders.'

'Welke aardse plek?'

De oude man bukte zich en opende zijn tas, waarvan de rits kapot was. Hij haalde er een bal uit. Een bal voor een jongetje van vijf dat nog niet toe was aan een echte voetbal. 'Ik heb de aarde bij me.' Hij draaide de bal rond tussen zijn vingers. De nagels waren brokkelig en zwart. 'Mijn eigen wereld. Zie je?'

'Ik zie het,' zei Vegter. 'En op welke plek op aarde vond u de telefoon?'

Bernard ging er niet op in. 'Hij is rond. Hij is af. Een wereld zonder kwaad, en mij heel welkom.'

'Is het dus een mooie wereld?' vroeg Vegter.

'Rond,' zei Wilderman. 'Eindeloos, net als die andere. Je komt er niet onderuit.'

'Dat ben ik met u eens. Waar vond u de telefoon?'

'Als ik u dat vertel,' zei Wilderman op onderhandelaarstoon. 'Wat dan?'

'Dan kan het zijn dat wij u over een uurtje weer terugbrengen naar huis,' zei Vegter. 'Maar misschien moeten we anders beginnen. U bent een erudiet man. We kunnen ons samen afvragen hoe het mogelijk is dat een man van uw statuur een telefoon vindt. Zomaar.' Hij liet zich in de luren leggen door een stakker die uit was op aandacht.

Maar Bernard knikte verheugd. 'U wilt een goed gesprek. Dank u. Ik ben daartoe in staat. Ik heb geen last van *bad behav-*

iour, begrijpt u?' Hij krabde ergens onder zijn kleren. 'Totaal geen last.'

'Niemand die dat denkt,' zei Vegter. 'U vond zomaar een telefoon. Niet veel mensen overkomt dat. Had u hem niet liever zelf gehouden?'

'Zoals mijn naamgenoot Shaw zei: "Arme mensen overschatten de waarde van de dingen die zij niet bezitten."'

'U wilde hem dus liever verkopen,' begreep Vegter. 'Maar om ons gesprek voort te kunnen zetten, moet u nu mijn vraag beantwoorden. Waar vond u hem?'

'In de nabijheid van een persoon,' zei Bernard.

'Een dode persoon?' vroeg Talsma.

'Een persoon die niet bewoog,' corrigeerde Wilderman.

'Maar u denkt dat hij dood was?'

De oude man knikte voorzichtig. '*May God have mercy on his soul.*'

'We zullen God even buiten beschouwing laten,' zei Vegter.

'Dat is onmogelijk,' vond Bernard. 'Hij is alomtegenwoordig.'

'We komen erop terug,' beloofde Vegter. 'Nu wil ik van u de plaats waar u man en telefoon aantrof.'

Wilderman pakte de lege beker en keek erin.

'Later,' zei Vegter.

De oude man zuchtte en gaf het adres. 'Het is het vijfde huis,' voegde hij er behulpzaam aan toe. 'Al is dat afhankelijk van welke kant men komt.'

Vegter pakte de telefoon. 'We zetten ons gesprek later voort. U blijft hier nog even.'

Talsma stond al.

10

Het lichaam maakte een groteske indruk, bedekt als het werd door een groeiende sneeuwlaag. Vegter hurkte en veegde met voorzichtige vingers het witte dodenmasker van het gezicht.

'Verkallen.' Talsma zuchtte, en Vegter wist niet of het een zucht van opluchting was, of van spijt omdat hij voorlopig niet naar Friesland zou kunnen.

Hij stond op en keek op zijn horloge. Tegen vieren. Over drie kwartier zou het donker zijn. Hij pakte zijn mobiel.

'Hier gaan een hoop mensen niet blij van worden,' zei Talsma.

'Zoals ik.' Brink trok de kraag van zijn jack hoger en keek naar zijn suède schoenen.

Ze hurkten allebei terwijl Vegter telefoneerde om wat Talsma steevast 'het circus' noemde in gang te zetten. Brink raapte iets op. 'Autosleutel.'

'Afblijven,' zei Talsma scherp, en toen berustend: 'Al maakt het door die verrekte sneeuw waarschijnlijk niks meer uit.'

Brink keek om zich heen. De acht huizen stonden er verlaten bij, de tuinen liepen bijna ongemerkt over in het beboomde landschap. 'Zijn dit vakantiehuisjes?'

'Heel oude,' zei Talsma. 'Vroeger waren er meer. Dit waren de eerste, en de grond werd niet verpacht maar verkocht. Daar kreeg de gemeente spijt van, maar toen was het te laat. De andere huisjes moesten plaatsmaken voor een natuurgebiedje waar geen hond ooit komt. Ik vraag me af wat die ouwe gek hier te zoeken had.'

'Inbraak.'

'Waarschijnlijk wel. Maar toen zag hij Verkallen en schrok zich een ongeluk.'

'Of legde hem om.'

'Goed zo, jongen.' Talsma lachte. 'Ik ben er met mijn gedachten niet helemaal bij, geloof ik.'

Samen met politiearts Heutink wachtten ze zwijgend tot de rest van het circus arriveerde, compleet met tent, die overbodig leek omdat de huizen onbewoond waren, maar die kieser was en bovendien beschutting bood.

De fotograaf maakte zijn foto's, die er later merkwaardig idyllisch uit zouden zien, als goedbedoelde kerstkaarten, bedorven door deze dode kerstman.

Eenmaal in de tent keek Vegter toe hoe het forensisch team de al smeltende sneeuw van de kledingstukken schepte en in afzonderlijke potten deed. De schoenen werden verwijderd, de sokken, het jasje. De kwetsbaarheid van het lichaam leek toe te nemen naarmate het verder werd ontkleed. Bleke buik en benen, het geslacht klein en weerloos, ongespierde billen met littekens van puistjes.

Vegter voelde hoe zijn voeten verkilden en in zijn zakken zijn vingers langzaam verstijfden. Er werd efficiënt gewerkt, maar toch duurde het altijd eindeloos.

Ten slotte knielde Heutink. 'Bijna geen rigor meer. En onomkeerbare lijkvlekken. Zie je?'

Vegter knikte.

'Omgevingstemperatuur,' zei Heutink, 'Hij ligt hier al een tijdje.'

'Hoe lang?'

'Ergens tussen de vierentwintig en tweeënzeventig uur,' zei Heutink opgewekt. 'Eén steek maar. En verdomd nauwkeurig geplaatst. Recht in het hart. Misschien per ongeluk, misschien met kennis van zaken. Ik zou zeggen dat hij vrijwel onmiddellijk dood moet zijn geweest. Betrekkelijk weinig bloed. Misschien een harttamponade.'

Vegter liet zijn wenkbrauwen klimmen.

'Als het bloed weglekt in het hartzakje, heeft het hart geen vrijheid meer om te kloppen,' doceerde Heutink. 'Maar er stroomt in dat geval relatief weinig bloed naar buiten.' Hij bekeek het gezicht nauwlettender en verviel in gemompel.

Vegter wachtte geduldig.

Heutink werd zich weer bewust van zijn omgeving. 'De striemen begrijp ik niet.'

'Striemen?'

'Ze vervagen al enigszins.' Heutink wees. 'Kijk naar de polsen. De enkels ook, maar minder. Misschien omdat daar sokken omheen zaten. Bij de polsen lopen ze rondom, bij de enkels vooral aan de zijkant.'

'Wilt u zeggen dat hij geboeid is geweest?'

'Zou kunnen.'

'Als tijdens een seksueel spel?'

'Ik heb geen andere sporen van geweld geconstateerd,' zei Heutink.

'Versleept?' Vegter dacht aan het overhemd, dat half uit de broek had gehangen.

'Zou kunnen.'

Vegter liep naar buiten, mat met zijn ogen de afstand tot het huis, dat onder het besneeuwde pannendak verscholen lag. Was het Verkallens huis? In diens broekzak was een sleutelbos aangetroffen, maar ze zouden moeten wachten tot die nader was onderzocht. Dat hoefde geen probleem te zijn, want als het huis Verkallens eigendom was, zou zijn vrouw ongetwijfeld ook een set sleutels ervan hebben.

Was Verkallen van binnen naar buiten versleept? Of was het juist de bedoeling geweest hem van buiten naar binnen te brengen? Stel dat hij aan zijn polsen was voortgetrokken, waarom dan de enkels gebonden? Of had hij op dat moment nog geleefd en zich verzet?

Hij corrigeerde zichzelf. Ervan uitgaan dat de striemen duidden op verslepen, was een te gemakkelijke aanname. Wat logisch leek, hoefde niet logisch te zijn. Misschien had Verkallen zich in een bordeel met sadomasochistische spelletjes als specialiteit laten verwennen, en was hij daarna hiernaartoe gegaan. Alles kon.

Lichten kwamen naderbij en een lijkwagen stopte langs de kant van de weg. Vegter ging weer naar binnen, waar Heutink bezig was zijn koffertje in te pakken. 'Wat mij betreft kan hij worden vervoerd.'

Zoals altijd trof Vegter het respect waarmee een lichaam in een laken werd gewikkeld en in een lijkzak verpakt. Er was geen stretcher maar een box, wat gezien de weersomstandigheden de beste keus leek. Het vrolijke oranje van de box stak schril af tegen de sneeuw.

Heutink keek nog een keer om zich heen voor hij op weg ging naar zijn auto. 'Verdomd lastig werken met dit weer.'

Vegter knikte. Hij had honger, maar van eten zou voorlopig geen sprake zijn.

■

Naar bed gaan had geen zin, want slapen kon ze niet. Zou ze ooit weer slapen? Als ze maar niet zo moe was. Te moe om iets anders te doen dan op de bank liggen, knieën opgetrokken, een kussen onder haar hoofd, de televisie murmelend op de achtergrond.

Keja sliep. Ze was naar boven gegaan, had aan zijn deur geluisterd naar zijn diepe, regelmatige ademhaling. Keja kon altijd slapen. Hij rolde zich op, deed zijn ogen dicht en sliep. Als een dier. Ze kon hem erom benijden, zelfs kon ze hem op dit moment benijden dat hij niet hoefde te wachten op het geluid van de telefoon. Of de bel. Voor het eerst vroeg ze zich af of zijn zwijgende wereld hem soms ook rust zou schenken. Of was dat alleen mogelijk voor wie het verschil kende?

Ze pakte de afstandsbediening en zette de televisie uit. Kreeg het vervolgens benauwd in de bijna tastbare stilte. Richards vader had gebeld. Was niet gekomen, maar had gebeld; een gesprekje van drie minuten. Had zij iets gehoord? Nee. Had ze nog geprobeerd Richard te bellen? Nee. Hadden ze ruzie gehad, was Richard met een kwaaie kop vertrokken? Nee. Zonder verder commentaar had hij opgehangen. Daarna kwam er een man om Richards computer op te halen, die moest worden onderzocht. Meer menselijk contact was er niet geweest, op Keja na, die zich alleen had laten zien op de momenten dat hij honger had. Als dit nog een dag langer duurde, werd ze gek. En misschien was dat de beste oplossing.

Ze stond op, trok het gordijn opzij en keek naar buiten. De buxushaagjes droegen een bescheiden sneeuwkroon, vlokken wervelden in het licht van de straatlantaarn verderop. Een auto reed langzaam voorbij, het bandenspoor bedierf het ongerepte wit. Hier en daar waren de huizen al donker, maar in de meeste brandde nog licht.

Richard had hier willen wonen; een rustige wijk voor welgestelde mensen. Zij had vanaf het begin heimwee gehad naar hun vorige huis, naar de levendige straat, de winkels, de cafés met de kleine terrassen. Een straat waar iedereen je groette, omdat je elkaar dagelijks zag bij de bakker, de groenteman, de slager. Ze had die vluchtige contacten nodig gehad, een kleine compensatie voor het gemis van thuis. In deze wijk kende ze niemand, nog steeds niet, en ze was er niet zeker van of dat te maken had met het feit dat ze de enige kleurling was. De mannen vertrokken 's ochtends al vroeg naar hun werk, de vrouwen brachten de kinderen naar school. Daarna gebeurde er niets meer. Ze had zich afgevraagd wat de vrouwen deden. Werkten ze? Misschien dwaalden ze, net als zijzelf, rond in hun huis – gevangenen, wachtend tot de dag voorbij was. Waarna eenzelfde dag volgde. Een eindeloze rij dagen die niet van elkaar verschilden en geen vooruitzicht op verandering boden. De eerste jaren was er Keja, die voortdurend haar aandacht opeiste, haar tot wanhoop dreef met zijn redeloze driftbuien, zijn woordloos geschreeuw. Het kind op wie ze zich zo had verheugd, van wie ze had gehoopt dat het een brug zou slaan tussen haar en haar schoonfamilie, bleek een kleine tiran. Na zijn geboorte huilde hij zes maanden lang, zonder tranen. De tranen had zij voor hem gehuild, geluidloos, al wekten ze toch Richards ergernis. Thuis waren tranen toegestaan geweest, geaccepteerd. Er was altijd wel een reden om te huilen, en er was altijd troost geweest, waarna het leven verderging. Het was een code waaraan iedereen zich hield. Medeleven was nuttig en noodzakelijk, want je wist dat jij het ook ooit nodig zou hebben. In dit koude land bestelde je medeleven en betaalde ervoor.

Ze trok het gordijn weer dicht, sloot de grimmige tuin buiten. Een bad. Een bad om zich, al was het maar voor even, behaaglijk te voelen, door en door warm.

Ze liep naar boven, haar mobiel in de zak van haar spijkerbroek, draaide de kraan open en goot een scheut olie in het bad. Het had lang geduurd voor ze een olie had gevonden die enigszins vertrouwd rook.

Opnieuw luisterde ze aan Keja's deur, bleef minutenlang staan, wenste hem wakker. Het gebeurde niet. Natuurlijk niet. Ze was alleen.

Ze controleerde de temperatuur van het water, kleedde zich uit en legde haar mobiel en de vaste telefoon op de vloer, binnen handbereik. In bad legde ze haar armen op de rand, omdat de jongste sneden nog niet waren geheeld, de randen nog niet naar elkaar toe gegroeid. De ervaring had geleerd dat warm water beet in verse wonden. Die armen zouden nooit meer toonbaar zijn.

Het warme water ontspande haar spieren, maakte niet haar geest maar haar lichaam slaperig. Ze bekeek het, dat lichaam waarvan ze zich amper bewust was geweest, totdat ze Richard had ontmoet. De borsten hadden weinig geleden onder zwangerschap en voeden. Klein waren ze, maar nog stevig, en haar buik was plat en strak.

Was het mooi? Vroeger had ze zich dat nooit afgevraagd, omdat ze nauwelijks ijdel was. Je lichaam was dat wat je voortdroeg. Je sierde het op als je daar plezier in had, en of het dik of dun was, mooi of lelijk, was niet van groot belang. Hier had ze geleerd dat er andere criteria golden, dat je dat lichaam kon gebruiken als handelswaar. Ze had het gebruikt. Had ontdekt dat Richard erdoor werd gefascineerd, dat voor hem een zwarte huid opwindend was. Huid en lichaam waren voor hem een feest geweest. Nu niet meer, niet sinds ze zo mager was, met uitstekende heupbeenderen en zichtbare ribben.

Het water koelde af, en ze tapte bij, zo heet als ze kon verdragen, legde een handdoek in haar nek en liet zich terugglijden. Toen ging de bel.

De wijk was uitgestorven. Overal de gordijnen afwerend gesloten, de auto's slapend onder de sneeuw, nergens een man die zijn hond uitliet. Niets.

Terwijl Talsma zijn vinger op de bel legde, vroeg Vegter zich af hoe prettig het kon zijn om hier te wonen, waar je je best moest doen om contact te maken, waar iedereen bezig was met zijn eigen besognes.

Hoewel er licht brandde in de zitkamer, duurde het lang

voordat de deur openging. Asli Verkallen droeg een dikke donkerblauwe badjas die tot haar blote voeten reikte. Ze keek hen aan, en het kleine gezicht werd grauw. Ze wist het al. Maar de regels dienden gevolgd te worden.

'Wij hebben nieuws omtrent uw man.'

Ze zei niets. Deed een stap achteruit de helder verlichte hal in. Ze volgden haar naar binnen, en Vegter noteerde dat de moddersporen nog altijd niet waren opgedweild. In de hal hing een zware, muskusachtige geur, een mengeling van componenten die hij niet kon thuisbrengen. Een kaars?

Maar in de zitkamer brandden alleen schemerlampen, en de kerstboom stond onverlicht in zijn hoek. Asli Verkallen bleef staan, een nietig figuurtje in die grote ruimte.

'Misschien kunt u beter gaan zitten,' zei Vegter. Hij ritste zijn jack open om aan te geven dat ze de tijd zouden nemen, maar bleef staan tot ze op de bank was gaan zitten, in de verste hoek, de badjas als een deken om haar heen.

Onderweg had hij gedacht aan haar toekomst, en die van de jongen. Ook Talsma bleek daarmee bezig te zijn, getuige zijn opmerking: 'Als ze afhankelijk wordt van die familie, zie ik het somber voor haar in.'

Vegter durfde er iets om te verwedden dat Richard Verkallen op huwelijkse voorwaarden met haar was getrouwd, waarschijnlijk op instigatie van zijn vader. Ze zou geen inkomsten meer hebben, zou moeten verhuizen. En wat moest er van de jongen terechtkomen?

'Wij hebben het lichaam gevonden van een man van wie we geloven dat het uw echtgenoot is,' zei hij. Het lichaam moest nog geïdentificeerd worden, en er was geen portefeuille op aangetroffen, noch een rijbewijs, maar intussen was gebleken dat de auto waarbij het lag op Verkallens naam stond. In de binnenzak van het colbert hadden ze een agenda gevonden, die nog moest worden nageplozen.

Ze reageerde niet. De enorme ogen bleven wijd opengesperd.

'Ik moet u bovendien vertellen dat hij door geweld om het leven is gekomen, en dat wij redenen hebben om aan te nemen dat dit al op de avond van zijn verdwijning is gebeurd.'

Ze pakte een van de uiteinden van haar ceintuur en rolde het op en weer af, op en weer af. De rechtermouw van de badjas schoof iets omhoog en Vegter zag dat dwars over haar pols dunne littekens liepen. Somalië... Was ze mishandeld, of zelfs gemarteld?

'Hoe?' vroeg ze zachtjes.

'Een messteek.'

Ze liet de ceintuur los en legde haar handen in haar schoot, de palmen, roze en zacht, naar boven, als in overgave. Vegter werd getroffen door het gebaar. Waarom voelde hij juist in dit geval zoveel deernis? Was het een vorm van positieve discriminatie? God verhoede. Was het haar houding, waaruit berusting sprak, misschien zelfs onderdanigheid? Ze zou de huishoudster kunnen zijn, een slecht en zwart betaalde werkneemster die zonder vragen deed wat haar werd opgedragen. Misschien was het niet meer dan de wereld die tussen hen lag.

Hij ploegde voort. 'We vonden hem in wat De Tuinen wordt genoemd, op het pad bij een van de huizen die daar nog staan.'

'Bij het huisje.' Ze toonde geen verbazing, kneep alleen haar handen krampachtig samen.

'Het huisje?'

'We noemen het zo. Het is van Richards ouders, maar zij komen er niet meer. Wij gebruiken het soms in de vakanties.'

'Hebt u de sleutels?'

Ze knikte.

Ga in godsnaam huilen, dacht hij. Ga schreeuwen, word hysterisch. Alles was beter dan deze krampachtige zelfbeheersing.

Ze deed geen van drieën. In plaats daarvan stond ze op, liep de kamer uit en kwam even later terug met drie sleutels aan een metalen ringetje. 'Dit zijn de sleutels van de voordeur, de achterdeur en de garage.'

Ze gaf ze hem. Haar hand beefde zo hevig dat de sleutels rammelden.

'Draagt uw man de zijne aan zijn sleutelbos?'

Ze knikte weer.

Vegter stak de sleutels in zijn zak. 'Mevrouw Verkallen, hoewel wij er zo goed als zeker van zijn dat het lichaam dat van uw man is, moet het volgens de wet worden geïdentificeerd. Bent u daartoe bereid?'

'Nee!' Paniek en afschuw in haar stem. 'Ik… Dat kan ik niet. Ik kan niet… Ik wil hem niet zien!' Ze ging zitten, stak haar handen onder haar oksels en legde haar hoofd op haar knieën.

Vegter was bijna opgelucht. 'U hoeft dat niet te doen. We zullen het zijn broer vragen. Is er iemand die wij voor u kunnen bellen?'

Ze keek niet op, schudde alleen haar hoofd.

'Uw zwager?' probeerde hij. 'Uw schoonouders?'

Ze schudde nee.

'Vrienden?'

Ze schudde nee.

Vegter keek naar Talsma, die bijna onmerkbaar zijn schouders ophaalde. 'Uw huisarts misschien?'

Ze hief haar hoofd. 'Nee. Kunt u, wilt u weggaan? Alstublieft? Of kan dat niet?'

'Het kan,' zei Vegter. 'Maar ik zou liever zien dat er iemand bij u was.'

'Het hoeft niet. Ik kan alles alleen.'

'Maar uw zoon,' zei hij.

'Nee. Nee, nee!'

Ze stonden op. Ze konden niets anders doen.

Vegter trok de voordeur bijna geruisloos achter zich dicht, hoewel het geluid haar niet zou opvallen, en de jongen het niet hoorde.

■

Hij was dood. Officieel dood, de politie zei het, en dus was het waar.

Ze sloeg haar armen om haar knieën en legde haar wang op de zachte badstof. Jarenlang had ze zichzelf verboden te huilen. Nu kon het, eindelijk mocht ze treuren, ze had er een goede reden voor. Maar er was niemand aan wie ze kon uitleggen dat ze niet treurde om zijn dood, maar om zijn leven.

II

Toen ze opnieuw bij het zomerhuis aankwamen, stond bij het rood-witte lint waarmee het pad was afgezet een kleumende, knorrige agent.

'Iemand gezien?' vroeg Vegter.

'Geen hond.'

Portieren gingen open, en Vegter had begrip voor 's mans slechte humeur; terwijl hij een verlaten omgeving stond te bewaken, hadden de anderen zich verschanst in warme auto's.

Ze liepen met zijn allen het pad op. De tent was al verdwenen, Verkallens auto weggesleept.

In het huis was de sfeer bijna gemoedelijk, een effect dat werd versterkt door de schemerlampen, die een zacht licht verspreidden.

'Geen slecht onderkomen,' zei Talsma.

De zitkamer was verrassend ruim, comfortabel ingericht met meubels die hun beste tijd hadden gehad. Een driezitsbank bekleed met geruite wollen stof, een bijbehorende fauteuil, een eenvoudige eethoek met zes stoelen, een ouderwets teakhouten wandmeubel met daarin een kleurentelevisie. Praktische, foeilelijke roodbruine tegels. Openslaande deuren naar de tuin.

Drie slaapkamers, de grootste te klein voor het tweepersoonsbed en de dubbele klerenkast, de andere twee elk met een eenpersoonsbed. De bedden waren niet opgemaakt – dekbedden netjes opgevouwen op het voeteneind, de hoezen gestreken in de kast, naast stapeltjes handdoeken en linnengoed. De matrassen waren schoon en leken bijna nieuw.

Een rommelkamertje, propvol met huishoudelijke attributen. In de keuken waren koelkast en vriezer leeg, maar aangesloten op het elektriciteitsnet en in werking. Daar zat een logica in; de stroomkosten wogen niet op tegen het ongemak van uren moeten wachten tot een apparaat bruikbaar was. Het fornuis was smetteloos, de oven schoon. Geen etenswaren in de kastjes, pedaalemmer leeg, een blinkende tegelvloer van witte en donkergrijze tegels.

De badkamer was niet meer dan een doucheruimte, met pal naast de wastafel de wasmachine. De vloer was droog, de wastafel idem, de kranen drupten niet.

De wc was geurloos, de klep naar beneden. De pot vertoonde geen kalkaanslag, aan de houder hing een half opgebruikte rol toiletpapier, op de vloer stond een chromen houder met twee andere rollen. Vegter haalde zijn vinger over de klep en daarna over de spoelbak. De vinger bleef schoon. 'Nergens stof.'

'Zijn vrouw zei dat ze het huis in de vakanties gebruiken,' bracht Talsma hem in herinnering.

'Ja. Maar de laatste vakantie was in oktober. Dat is ruim twee maanden geleden. Als ze er daarna niet meer zijn geweest, had er stof moeten liggen.'

'Het huis zit potdicht.'

Vegter slikte het grapje in dat Talsma kennelijk geen ervaring had met huishoudelijk werk. Over niet al te lange tijd zou hij die ervaring noodgedwongen opdoen. 'Er is recent schoongemaakt. Ik vraag me af of Verkallen het huis gebruikte als rendezvous.'

'Met Gemma van Son?'

'Kan.'

'Zij heeft een flat,' zei Talsma. 'Waarom al die moeite doen als er daar ook een bed staat?'

Vegter haalde zijn schouders op. 'Dit huis ligt afgelegen. Minder kans op ontdekking. Romantischer. Misschien reed hij minder rally's dan zijn vrouw denkt, en was dit de gebruikelijke plaats waarover hij sprak in die e-mail.'

'U gelooft dus in een echte relatie?'

'Eigenlijk wel. Al moet dat nog blijken. Als het goed is, ligt er straks een rapport.'

Ze bekeken de garage, die niet als garage maar als opslagruimte diende, volgestouwd met tuingereedschap, een set tuinstoelen en ingeklapte tafel, een parasol, twee kinderfietsjes, een trapauto, een barbecue, plastic vuilniszakken vol met speelgoed.

Vegter veegde over de bescheiden werkbank die onder het raam stond en toonde Talsma zijn vuile wijsvinger. 'Zie je?'

'Dat zegt niks. Wie maakt nou zijn garage schoon?'

Ze liepen terug naar het huis en overhandigden de sleutel aan een van de mensen van het forensisch team.

Na de briefing in de bedompte recherchekamer liep Vegter met Talsma naar zijn eigen kamer. Inmiddels was het na drieën, en hij was moe. Hij had zich gevoeld als een leraar tegenover een stel ongeïnteresseerde leerlingen. Iedereen wilde naar huis en naar bed, iedereen was in het stadium waarin het er niet toe leek te doen waarom Richard Verkallen zo stom was geweest zich te laten neersteken op een koude avond vlak voor Kerstmis. Begraaf Richard Verkallen op een besneeuwd kerkhof, en laten we doorgaan met leven.

Onderweg overdacht hij het rapport dat verslag deed van veelvuldig telefoonverkeer tussen Verkallen en Gemma van Son, en dat de pathetische e-mails bevatte van een steeds wanhopiger wordende Gemma en de antwoorden van een steeds terughoudender Richard. Talsma had een punt: ze had haar eigen flat, dus waarom dan dat zomerhuis? Als dat inderdaad was wat in de e-mails werd aangeduid als de 'gebruikelijke plaats', zou daarmee de afwezigheid van stof in het huis zijn verklaard. Het zou ook niets kunnen betekenen, en eigenlijk vond hij het op dit moment niet belangrijk. Gemma van Son kon tot morgen wachten. Nu gingen ze eerst Bernard Wilderman opnieuw verhoren, omdat hij het lichaam had gevonden, of misschien gewoon omdat hij er was.

Hij hoorde Talsma's maag rommelen toen hij de deur opendeed. 'Wil je niet liever naar huis, Sjoerd?'

'Nee.'

Het antwoord klonk beslist, en Vegter had niet de energie om te vragen of het voortkwam uit Talsma's plichtsbesef, of misschien uit het feit dat hij tegenwoordig liever niet thuis was dan wel.

'Ik kan dit ook met Brink doen.'

Talsma liep naar het raam en zette het alvast op een kier. 'Ik hou van cabaret.'

Bernard Wilderman was intussen geheel ontnuchterd, wat hem niet goed bekwam. De alcohol had hem iets joyeus gegeven, een vals zelfvertrouwen waarop hij gewoon was te drijven. Nu was hij niet meer dan een oude man die het allemaal niet meer kon bijbenen.

'Ik wil van u de precieze omstandigheden horen waaronder u het lichaam aantrof,' zei Vegter. 'Laten we beginnen met het tijdstip.'

''s Avonds.'

'Hoe laat?'

Bernard haalde zijn schouders op. Ondanks de droge warmte op het bureau droeg hij nog steeds de jopper, tot bovenaan gesloten, en ook zijn twee mutsen. De alcoholwalm was verdwenen, wat overbleef was de zurige lucht van een ongewassen lichaam. Hij hield zijn tas op schoot, als wachtte hij op een trein die elk moment kon arriveren. 'Het was donker.'

'Dat is het al vanaf vijf uur,' zei Vegter.

'Dan was het na vijf uur en vóór halftwaalf,' zei Bernard opgelucht.

'Waarom vóór halftwaalf?'

'Omdat ik mij scherp herinner dat de torenklok sloeg toen ik bij De Buffer naar binnen ging. Met mijn geheugen is niets mis.'

'Niemand die daaraan twijfelt,' zei Vegter. 'Op welke avond?'

Bernard zweeg.

'Herinnert u het zich niet?'

'Het was niet gisteravond.'

Vegter keek demonstratief op zijn horloge. 'Het is nu bijna halfvier in de ochtend. Gisteravond was u al hier.'

Bernard keek in de verte. 'Een eerdere avond. Zonder sneeuw.'

Vegter zag Talsma's pretogen. 'Wat trof u aan?'

'Een auto,' zei Bernard. 'Met ernaast een man.'

'Een levende of een dode man?'

'Ik vrees het laatste.'

'Hoe wist u dat hij dood was?'

'Omdat hij op zijn rug lag.' Bernard toonde enig enthousiasme nu bleek dat de vragen minder bedreigend waren dan hij kennelijk had gevreesd. 'Hij lag op zijn rug en bewoog niet. En er was een vlek. Op zijn overhemd.'

'Waar vond u zijn telefoon?'

'In een van de zakken.'

'U hebt ook zijn portefeuille gerold.'

'Zeker niet,' zei Bernard verontwaardigd. 'Er was geen portefeuille.'

'Jawel,' zei Vegter geduldig. 'Die zat ook in een van zijn zakken. U hebt hem meegenomen, het geld eruit gehaald en de portefeuille weggegooid. Waar?'

Bernard schudde zo heftig zijn hoofd dat een van zijn mutsen afviel. 'Geen portefeuille.'

Vegter was geneigd hem te geloven. Het had weinig zin de diefstal van een portefeuille te ontkennen nadat je die van een telefoon had toegegeven. En Wilderman was minder gestoord dan hij voorgaf te zijn.

'Kunt u beschrijven wat u nog meer zag, behalve de dode man?' Geen moment geloofde hij dat deze bevende alcoholist Verkallen had gedood – hij had amper de kracht een literfles drank te tillen.

'Weinig.' Wilderman ging iets gemakkelijker zitten nu het heikele punt van de diefstal was gepasseerd. 'Het was avond, het was donker.'

'Dat weten we. Maar u liep daar niet voor niets. U was dat hele eind vanuit de stad gekomen met het plan om in te breken.'

'Inbreken? Nee, nee.' Bernard keek geschokt. Hij haalde zijn bal uit zijn tas en koesterde hem tussen beide handen. 'Geenszins.'

'Waarom niet?'

'Er brandde immers licht,' zei Wilderman met ongeduldige logica. 'En er stond nóg een auto.'

Uit humane overwegingen werd Wilderman teruggebracht naar de arrestantencel in plaats van dat hij in het holst van de nacht in de vrieskou op straat werd gezet, iets waarvoor hij zeer erkentelijk was. En zijn slotclaus mocht er zijn. 'Dank voor uw menselijkheid, heren. Mijn gezondheid laat te wensen over, en zoals Shakespeare zei: "*When beggars die, there are no comets seen.*"'

'Godverdomme,' zei Talsma. 'Wat zou het fijn zijn geweest als hij een gek was met verstand van auto's.'

'Ja.' Een kleine auto, dacht Vegter. Geen kleur, geen merk,

geen kenteken, want Wilderman beschikte over bar weinig gezichtsvermogen, en bovendien had hij gemaakt dat hij wegkwam. Over het algemeen reden vrouwen in kleine auto's, al zou Renée hem onmiddellijk hebben verweten dat dit een al te gemakkelijke veronderstelling was. Gemma van Son, het was intussen gecheckt, reed in een kleine auto. Hij keek naar Talsma, die daar rustig zat, zijn handen op zijn knieën, de rimpels rond zijn ogen verdiept door wat nog net geen glimlach was.

'We kunnen haar nu ophalen,' zei Talsma, zijn gedachten radend. 'We kunnen ook een paar uur gaan slapen.'

Vegter reed de weg die hij langzamerhand kon dromen. Langzaam reed hij, omdat het nog lichtjes sneeuwde en er op de kanaalweg nog niet was gestrooid. In het water lagen roerloos de schepen, en hij kwam niemand tegen. De wereld sliep.

Toen hij ten slotte het pad naar zijn huis op reed, hoorde hij achterin de doos verschuiven. Hij had getwijfeld of hij de vaas als kerstcadeau moest geven. Nu betwijfelde hij of hij dat op tijd zou kunnen doen.

Binnen was het kil, omdat hij 's ochtends had vergeten de verwarming hoger te zetten. Hij keek naar de kachel. Waanzin om die nu nog aan te maken. Hij moest iets eten en naar bed.

Hij sloeg een jenever achterover die beet in zijn slokdarm, maar vanuit zijn maag warmte en een sprankje energie verspreidde, genoeg om vier eieren te breken en boven op de nog niet helemaal gesmolten klont boter te gieten. Eieren had hij tegenwoordig weer per twintig stuks op voorraad. Gezond, en snel klaar. Wolf fleemde rond zijn benen, en hij vulde het bakje met royale hand. Het was een godswonder dat de kat hem trouw bleef, onregelmatig verzorgd als hij werd. Al had hij voorheen zelf in zijn levensonderhoud moeten voorzien, dus waarschijnlijk vond hij dat hij erop vooruitgegaan was.

Terwijl de eieren stolden dacht hij aan Brinks verslag van de identificatie van Verkallen. Broer Peter was zonder commentaar meegegaan nadat hij uit bed was gebeld, had naar het lichaam gestaard en geknikt. Hij had nauwelijks verrassing getoond, maar wel verdriet. Op de gang was hij onverwacht in snikken uitgebarsten en pas bedaard toen hij mee naar buiten was genomen, de kou in. Daarna had hij zijn neus gesnoten en was zakelijk geweest, had verzocht zelf zijn ouders te mogen inlichten en was in zijn auto gestapt.

'Een kouwe kikker,' zei Brink ongevraagd, daarmee Vegter verbazend.

'Hoe bedoel je?'

Maar deze karakteranalyse was al meer dan waar Brink doorgaans mee kwam. 'Gewoon. Een harde jongen.'

'Het soort dat de verkeerde muziek uitkiest voor de begrafenis,' zei Talsma.

'Exact.' Brink had onaangedaan de cellofaanverpakking van zijn derde gevulde koek opengetrokken.

Had het nut om er straks naartoe te gaan, overwoog Vegter terwijl hij de eieren over twee boterhammen drapeerde. Misschien alleen om de moeizame familieverhoudingen nogmaals bevestigd te zien, en daaraan had hij weinig behoefte.

Hij at de eieren, weerstond de verleiding van een tweede borrel en ging naar bed. Wolf lag, tot croissant getransformeerd, al op het voeteneind.

Talsma sloot de voordeur geruisloos en trok in de hal zijn schoenen uit. Op sokken ging hij de woonkamer binnen, deed een schemerlamp aan en liep door naar de keuken. Staande aan het aanrecht dronk hij een Beerenburg en schonk het glas opnieuw vol. Hij nam het mee de kamer in, zette de televisie aan, reduceerde het geluid tot bijna onhoorbaar en zapte langs de kanalen. Erotische webshops, oude films, en idioten die met een te

schone bouwvakkershelm op om onduidelijke redenen rond-
kropen in een tunnelbuis. Maar wat had hij dan verwacht? Uit
pure balorigheid ging hij terug naar een erotische zender, staarde naar een blondine die met vals enthousiasme haar borsten
kneedde, en voelde zich leeg. Hol en zonder gedachten. Om
hem heen stond alles wat vertrouwd was, voorwerpen waaraan
hij gehecht was, maar nu zonder enige betekenis. Het was of hij
van bovenaf naar zichzelf keek; daar zat een man van middelbare leeftijd met een bijna vergeten verleden, geschrapte verwachtingen en een toekomst die lijnrecht naar het einde wees. Je leverde alleen maar in, de boel brokkelde onder je handen af. Hij
sloeg de Beerenburg achterover, bleef zitten, te moe om op te
staan.

De deur kierde open en Akke kwam binnen, in ochtendjas,
het pluizige haar verward. 'Zit jij hier nou nog, Sjoerd?'

'Ja.'

Ze keek naar de blondine, en haar gezicht rimpelde in een
glimlach. 'Dat is schrale kost, jongen.'

Ze pakte hem zijn glas af en zette de televisie uit. 'Kom, je
moet naar bed.'

Gehoorzaam ging hij mee, kleedde zich in het donker uit.
Liet zich troosten door de warmte van het kleine lichaam naast
hem.

12

De wekkerradio versprong naar 06:00 uur, en ze besloot op te staan. Geslapen had ze niet, en nu het eindelijk ochtend werd, kon ze zich aankleden, proberen iets te eten. De dag strekte zich voor haar uit als een mijnenveld. Het liefst zou ze de gordijnen dicht laten, de deuren op slot, de telefoons uitzetten.

Ze ging naar de badkamer en poetste haar tanden, keek in de spiegel naar haar grijzige huid, het ontembare haar. Pakte de borstel en borstelde het tot het als een uitbundige massa uitstond rond haar smalle gezicht, en keek weer.

Het was lang geleden dat ze aandachtig naar zichzelf had gekeken, en het was alsof ze nieuw was. De brede platte neus met de wijde neusgaten, de zware onderlip, het blinkend witte gebit, de boventanden iets te groot; dit was zij. Niet langer zou ze vergeefse pogingen doen haar uiterlijk te veranderen om de mensen in dit land te verzoenen met haar herkomst. Een negerin was ze. Asli, dochter van Samatar, hij die het goede doet. Er was niets om zich voor te schamen.

Ze pakte de steiltang, nam hem mee naar de keuken en gooide hem in de pedaalemmer.

Ze perste sinaasappels uit, zette voor Keja een glas sap in de koelkast, slaagde erin een boterham te eten, traag kauwend, zodat haar maag aan het voedsel kon wennen. Merkwaardig dat nu er altijd voldoende te eten was, ze het dikwijls niet kon verdragen. De brievenbus klepperde, en ze haastte zich naar de hal en raapte de krant op. Keja kon geen kranten lezen, maar ze moest voorkomen dat hij een foto zag van zijn dode vader.

De voorpagina meldde aanrijdingen als gevolg van de sneeuwval en toonde een grote foto van een kettingbotsing op een snelweg. Ook de binnenpagina's bevatten geen nieuws over de dood van Richard Cornelis Verkallen.

Ze liet de krant in een slordige hoop op het aanrecht liggen, ruimde haar bord niet op, noch het glas, veegde de broodkruimels niet weg, gooide de sinaasappelschillen niet in de pedaalemmer. Elke nagelaten handeling maakte het gevoel van bevrijding groter. Nooit zou ze meer voor iets worden gestraft. En nu wist ze wat ze moest doen.

Ze haalde de fotoalbums uit de lade van het meubel in de zitkamer en ging aan de tafel zitten, stapelde de albums op volgorde en sloeg het oudste open. Dit zou haar eigen wake worden, een wake zonder dode, zonder rouwenden, zonder muziek. En ze zou er de tijd voor nemen. Per slot van rekening was er niets anders meer dat ze voor hem kon doen. Ze zou de herinnering toelaten tot zover ze die kon verdragen, en daarmee zou Richard tevreden moeten zijn.

De huwelijksdag was geslaagd te noemen, mits je niet wist van wat zich eerder had afgespeeld. Het taaie verzet van papa Verkallen, die ze tot haar trouwdag 'meneer' had genoemd. De onhandige, halfslachtige toenaderingspogingen van mama Verkallen, die haar had meegenomen naar haar eigen kapper. 'Daar kunnen ze alles, kind, zelfs met jouw haar.'

Daar stond ze, in de simpele witte jurk die ze had gekozen nadat ze de triomfantelijke wolk tule had gezien op de foto's van Peters huwelijk. Richard naast haar in het grijze pak dat ze samen hadden gekocht, zijn gezicht strak van nervositeit. De nacht tevoren had zij een beetje gehuild, en hij had haar verzekerd dat alles goed zou komen. Daar geloofde hij toen nog in, met een onverzettelijkheid die haar had moeten waarschuwen, maar haar in plaats daarvan vertrouwen had geschonken. Hij zou zich niet klein laten krijgen, niet door papa, niet door Peter. Dit huwelijk was zijn ultieme verzetsdaad.

Ze bladerde verder. De huwelijksvoltrekking, met een gehaaste ambtenaar die haar namen verkeerd uitsprak. Op de achtergrond papa Verkallen, de armen over elkaar geslagen, de lippen dun. Mama Verkallen met een vage glimlach die alles kon betekenen, maar uiteindelijk niets had betekend.

De ringen. Breed, zelfs naar de mode van die tijd. Richard had ze zo breed gewild. De ringen waren een van zijn statements. Het bruidsboeket met brutaal rode rozen, te groot voor haar.

Peter, haar kussend met een gretigheid die meer verried dan hij zelf wist. Zijn vrouw begreep het, zoals je kon zien aan de waakzame ogen in het vlezige gezicht, de hand die de bovenarm van een van hun kinderen te stevig omklemd hield. Peter had als huwelijkscadeau een envelop overhandigd. 'Een bijdrage voor de kleine.' Hij wist het. Wist dat ze niet zwanger was, schepte er genoegen in haar dat op deze manier te laten weten.

Ze had het allemaal begrepen, de subtiele beledigingen opgeslagen in haar geheugen, zoals Richard dat ook had gedaan. Ze had het gezien aan de verbeten mond waarmee hij de koele felicitatie van zijn vader in ontvangst had genomen, aan de manier waarop hij zijn moeder zachtjes van zich af had geduwd toen ze sentimenteel dreigde te worden, de blik waarmee hij naar Peter keek toen die – al flink aangeschoten – tijdens het diner quasi-geestige opmerkingen had gemaakt over het 'voorschot' dat ze hadden genomen op de huwelijksnacht. Maar ze hadden er nooit over gesproken.

Het diner. De receptie. Familieleden met een Nederlandse afstandelijkheid die hen er niet van weerhield grove grappen te maken, terwijl ze intussen het ene glas na het andere achteroversloegen. Vrienden van Richard, timide, zich zichtbaar niet thuisvoelend in dit gezelschap, maar gekomen uit trouw, gelukwensend met meer dan verplichte hartelijkheid. Op die vrienden had ze ingezet. Zij waren oprecht geïnteresseerd, vrij van vooroordelen, en zelfs als ze dat niet waren, wisten ze het goed te verbergen. Maar ze had misgegokt. Naarmate Richard zich meer liet opslokken door het bedrijf, waren de vrienden een voor een uit beeld verdwenen. Zelf had ze nog een tijd geprobeerd de vriendschap te onderhouden, maar nadat Keja was geboren had ze haar pogingen opgegeven. De vrienden hadden steeds minder tijd, zoals in Nederland niemand ooit tijd leek te hebben. Alles moest gepland, niets kon spontaan. Al was Keja de belangrijkste reden geweest. Je kon niet op bezoek gaan met een kind dat onophoudelijk huilde.

De laatste foto wilde ze niet zien, maar ze bekeek hem toch. Zijzelf stralend. Ze hield van Richard, of in elk geval was ze van plan dat te gaan doen, en ze geloofde in een gelukkige toekomst, niet alleen voor haar, maar voor haar hele familie. En zij was degene die dat had bewerkstelligd, bijna helemaal op eigen kracht. Al die mensen die geld in haar reis hadden geïnvesteerd, hadden dat niet voor niets gedaan, en ze zou hun vertrouwen niet beschamen. Wat was ze naïef geweest, wat had ze nog weinig begrepen van de halsstarrige vooroordelen van papa Verkallen en van mensen die ze daarna had ontmoet, en die haar met dezelfde argwaan tegemoet waren getreden.

Richard keek star in de lens, inmiddels bevrijd van zijn nervositeit, maar niet van de onzekerheid. Geen blijdschap had hij getoond. Op geen enkele foto.

Ze deed het album dicht. Dit was de laatste maal dat ze het had opengeslagen. Het was genoeg. Maar ze was nog niet klaar. Ze had zich voorgenomen afscheid van hem te nemen op een manier die hem recht zou doen. Er was een vage verwondering over het feit dat ze dit kon. Het moest zijn omdat ze zich niet langer bedreigd voelde. Hij was ver weg nu. Ze was onbereikbaar voor hem, al was dat moeilijk te bevatten – alles was nog doortrokken van zijn aanwezigheid. Dit was zíjn huis, gebouwd volgens zijn ideeën, ingericht naar zijn smaak.

Ze opende het tweede album.

Geen zwangerschapsfoto's. Geen foto's van een barende Asli, hoewel daar genoeg gelegenheid voor was geweest; de bevalling was moeizaam en langdurig. Geen Asli met gebalde vuisten, zweet op haar voorhoofd, haar bovenlip weggetrokken van haar tanden.

Wel foto's van een volmaakte baby in een wieg, het donkere hoofdje scherp afstekend tegen de witte lakentjes. Wel foto's van een ongemakkelijk kijkende papa Verkallen, het kind in zijn armen, het van zich af houdend als was het iets wat hem was opgedrongen. Wat in zekere zin ook zo was. Mama Verkallen, met moederlijke tederheid, zich haar eigen baby's herinnerend. Richard, het schedeltje tegen zijn schouder. Zijzelf, voedend, haar borsten gezwollen tot tweemaal de normale grootte, een handje ontspannen op een ervan. Keja huilde alleen niet als hij werd gevoed.

Een maand na de geboorte had Richard haar voor de eerste maal geslagen. Eén klap maar. Ze waren beiden uitgeput na weken praktisch zonder slaap. En Richard had onmiddellijk spijt betoond. Gehuild. Haar bezworen dat hij niet wist wat hem bezielde. Dat wist hij ook niet, nog altijd geloofde ze dat. Hij was niet slecht. Hij was alleen maar niet tegen het leven opgewassen.

Ze bladerde verder. Een wandeling in het park. Zijzelf dik ingepakt achter de kinderwagen. Er lag sneeuw en de bomen op de achtergrond reikten met hun kale takken als om hulp smekend naar de blauwe hemel, elke tak bedekt met een glinsterende laag.

Het was pas de derde keer geweest dat ze sneeuw zag, en de ongelooflijke zuiverheid ervan had haar opnieuw verrukt. Alles had zo schoon geleken, zo nieuw. Zelfs Keja had niet gehuild tijdens die wandeling, maar was in slaap gevallen, alsof de frisse, koude lucht ook hem had gekalmeerd. Dit was wat ze moest onthouden, ze moest vergeten hoe het was geweest toen ze thuis waren gekomen. Ze waren moe omdat ze verder hadden gewandeld dan ze van plan waren geweest, en Richard had besloten dat ze niet hoefde te koken – hij zou een maaltijd kopen in de avondwinkel. Op weg ernaartoe had hij een aanrijding gekregen omdat in de straten de sneeuw intussen was veranderd in een glibberige laag, en hij kwam woedend en zonder eten terug met een forse deuk in het linkervoorportier. Ze had een grapje gemaakt: dat hij niet moest zeuren, omdat de schade immers in zijn eigen bedrijf kosteloos kon worden hersteld. Ze stond in de keuken, het mes waarmee ze Keja's groentehapje fijnsneed in haar hand. Hij had het mes uit haar hand getrokken en het dwars over haar pols gehaald. Een kartelmes, het had een rafelige wond veroorzaakt die maar langzaam heelde. Dat moest ze allemaal vergeten, en ook dat hij had gezegd: 'Dit gebeurt er voortaan als je me tegenspreekt.'

Vegter stond na een paar uur slaap op met een helder hoofd. Hij zette koffie en overdacht hoe merkwaardig het was dat de geest soms doorwerkte terwijl het lichaam sliep. Zo meteen zou hij Talsma bellen en hem zijn idee voorleggen. De kans was groot dat Talsma in eerste instantie afwijzend zou reageren, maar door hem thuis te bellen gaf hij hem de gelegenheid er onderweg over na te denken, en het zou niet de eerste maal zijn dat hij zijn mening herzag.

Hij hoefde niet te overleggen; flegmatiek als altijd zou Talsma zijn orders uitvoeren, al stelde hij het op prijs als hij werd geconsulteerd. Waarschijnlijk had hij allang begrepen dat hij fungeerde als toetssteen, en dat het grootste voordeel van die werkwijze niet aan zijn kant lag.

Hij douchte, liet Wolf buiten, ontdooide een paar boterhammen en pakte zijn telefoon.

Talsma nam op na het tweede belsignaal.

'Was je al op?' Terwijl hij het vroeg realiseerde Vegter zich dat hij die vraag stelde omdat er tussen Talsma en hem een vertrouwelijkheid bestond die hij met weinig andere mensen deelde. Ze waren als een lang gehuwd echtpaar met een afstandelijk soort intimiteit.

'In elk geval wakker.'

'Ik zou het iets anders willen aanpakken dan we van plan waren.'

'Aha,' zei Talsma laconiek.

'Ik wilde je voorstellen eerst een gesprek te hebben met Peter Verkallen.'

'Waarom?'

'Ik wil meer weten van die familie. Er wringt daar iets. Ik wil bovendien allereerst weten of de familie op de hoogte is van de relatie tussen Verkallen en Van Son, en vooral hoe ze daartegenover staan.'

'Waarom?'

'Omdat me dwarszit dat Verkallen misschien jarenlang een relatie heeft gehad met een personeelslid terwijl zijn vrouw daar niets van wist, dat hij zijn best heeft gedaan haar bij het bedrijf weg te houden, en dat ik me niet kan voorstellen dat in elk geval zijn broer niets in de gaten zou hebben gehad. Temeer omdat het personeel op de hoogte leek te zijn, of dat er minstens praatjes de ronde deden.'

'Ik zie niet wat de familiebetrekkingen met deze moord van doen hebben.'

'Ik ook nog niet,' zei Vegter. 'Maar hij is gevonden bij het familiehuis, als je dat zo kunt noemen. Hij was op weg ernaartoe, of hij kwam er net vandaan.'

'Misschien had hij er een afspraak met een dealer of een handelaar in blanke slavinnen.'

'Geloof je dat zelf?'

'Misschien deed hij behalve aan schade herstellen ook aan schade toebrengen,' zei Talsma onverwacht poëtisch. 'Je kunt het niet uitsluiten. Het lijkt me te krap om alleen op de familie te focussen.'

'Op dit moment worden al zijn contacten al nagegaan,' bracht Vegter hem in herinnering. 'De mensen die jij hebt gebeld, worden allemaal bezocht, alle afspraken die hij in zijn agenda had genoteerd, worden nagetrokken.'

Talsma wist dat net zo goed als hij, en hij vroeg zich af of hij het te berde bracht uit onzekerheid. Dikwijls liet hij zich leiden door zijn intuïtie, en nu dreigde dat opnieuw te gebeuren, maar ditmaal zou hij het zichzelf niet toestaan.

'Betekent dit dat u een alibi van de broer wilt hebben?' In Talsma's stem klonk scepsis door.

'Het gaat me niet zozeer om een alibi. Ik wil beter inzicht in de verhoudingen.'

Talsma mompelde iets.

'Wat zeg je?'

'Soap,' zei Talsma.

'Soap?'

'Ja. Jaloerse zoon brengt andere zoon om, omdat hij enig erfgenaam wil zijn.'

'Dat klinkt eerder Bijbels dan als een soap,' zei Vegter opgewekt. Talsma verzette zich minder dan hij had verwacht. 'En we hebben de Griekse drama's nog.'

'Whatever,' zei Talsma modern. 'Wat doen we intussen met Van Son? Als die aan haar stutten trekt, hebt u een probleem.'

'Daar zet ik Brink op. Vanaf nu.'

Het bleef een ogenblik stil. 'Ik gok erop dat ze al een nieuwe mobiel heeft aangeschaft,' zei Talsma toen. 'En direct met de broer heeft gebeld.'

'Wat wil zeggen dat je mijn gedachtegang begrijpt.'

Talsma zuchtte. 'De gedachtegang wel, de aanpak niet. Zie ik u dus straks bij Peter Verkallen voor de deur?'

'Over een uur.'

Peter Verkallens huis was groter en luxueuzer dan dat van zijn broer. Misschien, dacht Vegter, omdat hij al langer in het bedrijf zat en dus al langer goed verdiende.

Het huis stond in een van de iets bescheidener straten in Zuid, maar Verkallen had zijn best gedaan het te laten wedijveren met de villa's in de omgeving. De voortuin was riant, de garage dubbel, en het huis zelf werd uitmuntend onderhouden. Op de besneeuwde oprit liepen twee stel bandensporen tot de garage, waarvoor een BMW stond geparkeerd.

'Maar twee,' zei Talsma. 'Hij is denk ik vanaf het mortuarium naar zijn ouders gereden en daarna naar huis gegaan.'

Achter de gesloten gordijnen van de erker brandde licht, en Vegter keek op zijn horloge. Bijna halfnegen. Verkallen zou niet of nauwelijks meer hebben geslapen.

Hij drukte op de bel.

Verkallen zelf deed open, in kamerjas en ongeschoren. Van onder de kamerjas staken de broekspijpen van een pak, in de halsopening was een roze overhemd zichtbaar. Hij keek naar hen alsof ze de laatsten waren die hij had verwacht.

'Wat komt u doen?' Zijn stem klonk gruizig en hij articuleerde slordig.

Vegter herkende dronkenschap wanneer hij die hoorde. 'We willen graag even met u praten.'

'Jezus,' zei Verkallen. 'Moet dat nu?'

'Ik ben bang van wel.'

Verkallen deed een stap achteruit en zwaaide de deur zo ver open dat die tegen de muur ketste. 'Kom vooral binnen.'

Ze stampten op de kokosmat de sneeuw van hun schoenen,

en Verkallen opende de ouderwetse tochtdeur, voorzien van glas-in-lood, naar de gang en vervolgens een deur die naar de zitkamer leidde. Hij vroeg niet of ze hun jas wilden uittrekken, en eenmaal in de kamer bood hij geen stoel aan. 'Zeg het maar.'

'Om te beginnen zou ik u willen condoleren met het verlies van uw broer,' zei Vegter in een poging Verkallens agressie te temperen.

Iets van zijn bedoeling scheen door te dringen, want Verkallen accepteerde zijn uitgestoken hand en die van Talsma. 'Ik ben kapot.'

'Dat begrijpen we. En het spijt ons dat we u nu al moeten lastigvallen. Maar we hopen dat u op uw beurt begrip hebt voor het feit dat wij haast hebben.' Vegter zweeg even. 'Net zoals u willen wij niets liever dan deze zaak oplossen, en dan is de factor tijd van groot belang.'

Het lag er bijna te dik bovenop, maar hij gokte dat Verkallens gevoel voor nuance was afgezwakt door de alcohol, en hij gokte goed, want Verkallen liet zich zwaar neer in een enorme fauteuil en gebaarde naar een bank. 'Jullie doen ook maar je werk.'

'Zo is het maar net,' zei Talsma, die niet opzag tegen een platitude als dat de voortgang bespoedigde.

'U hebt niet meer geslapen?' Vegter keek naar de bijna lege fles cognac op tafel.

Verkallen volgde zijn blik. 'Het is niet mijn gewoonte. Maar godverdomme, hij was mijn enige broer. Mijn broertje. En die klootzak laat zich neersteken.' Hij wreef hard over zijn gezicht.

'Slaapt uw vrouw nog?'

'Die heb ik met een slaappil terug naar bed gestuurd.'

'En uw kinderen?'

'Die wonen niet meer thuis. Ik heb ze nog niet gebeld, ik had even genoeg aan mezelf.'

'U hebt intussen wel uw ouders op de hoogte gesteld?'

'Waarom denk je dat ik hier dronken zit te wezen?' vroeg Verkallen met onverwacht helder inzicht. 'Kapot zijn ze. Net als ik.'

'Op dit moment bent u degene die ons het beste beeld kan geven van het leven van uw broer. We hebben de indruk dat u beiden heel close was.'

Verkallen haalde een zakdoek uit de zak van zijn kamerjas, en even was Vegter bang te veel op zijn gemoed te hebben gewerkt, maar Verkallen beperkte zich tot het snuiten van zijn neus. 'Waren we ook. Ondanks alles.'

'Ondanks alles?'

Peter Verkallen keek naar de fles cognac, weifelde en schonk een forse bodem in zijn glas. 'Van werken komt vandaag toch niks. God, ik ben kapot.'

De herhaling maakte het er niet beter op, dacht Vegter. Om van de woordkeus maar te zwijgen. Maar wie was hij om iemands verdriet te beoordelen op basis van diens taalarmoede?

'Gesloopt,' zei Verkallen. 'Geen oog dichtgedaan. Wat vroeg u?'

'U zei dat u heel close was, ondanks alles.'

'Ach ja.' Verkallen pakte zijn glas en dronk. 'Richard nam de verkeerde beslissingen. Niet één keer, maar meestal. Kijk, wij zijn opgevoed met het idee dat er niks mis is met geld verdienen. Maar hij dacht daar anders over. Hij vond het een beetje smerig. Daar is hij op teruggekomen, maar dat duurde verrekte lang. Hij ging het op zijn eigen manier doen. Hij had zijn vader niet nodig, en het bedrijf ook niet. Hij had een pesthekel aan de garage, hij vond auto's dingen die de boel alleen maar vervuilen. Ach god, hij ging in zijn eentje de wereld redden.' Hij sloeg de rest van de cognac achterover. 'Waar was ik?'

'Dat u beiden heel close was,' zei Vegter geduldig.

'Dat zei ik, ja.' Verkallen pakte opnieuw de fles.

Talsma bewoog, en Vegter besloot dat hij het inderdaad directer moest aanpakken, wilden ze nog zinnige antwoorden krijgen. 'U zag elkaar dus ook veel buiten het werk? Met beide gezinnen, bedoel ik?'

In Verkallens blik lag iets van behoedzaamheid. 'Misschien wat minder met de gezinnen.' Hij dronk en zette zijn glas te hard neer.

'Gezamenlijke vakanties?' opperde Vegter.

'Jezus nee.' De laatste slok cognac slechtte de laatste barricade. 'Dat is niet te doen. Je kunt je met dat joch nergens vertonen. Een etentje is al een heidens karwei.'

Vegter zweeg uitnodigend.

'Spoort niet.' Verkallen keek hen beurtelings aan. 'Sorry, maar het is niet anders. In het begin dachten we nog dat het meeviel. Je weet hoe het is, tegenwoordig. Een kind gedraagt zich niet volgens het boekje, en hoppekee, er mankeert wat aan. Etiketje erop, en hij wordt in de watten gelegd. Je hebt ook niet meer het recht om ze een beetje stevig aan te pakken.' Hij was nu heel erg dronken. 'Maar met hem is echt een hoop mis. Zwaar...' Hij tuitte zijn lippen een paar maal en waagde toen de sprong. 'Autistisch.'

'Dat was de diagnose?'

'Ja. En nog doof ook, dus fatsoenlijk praten is er niet bij. Ik kan er niks mee, ik zeg het maar eerlijk.'

'En de rest van de familie?'

'Och.'

'Uw vader?'

'Hij ook niet. Mijn moeder probeert het wel, geloof ik. Vrouwen zijn daar anders in. Maar ze houdt hem ook bij ons weg.'

'Uw schoonzuster, bedoelt u.' Ze waren ver afgedwaald van de verbondenheid tussen de broers, maar nu de rem eraf was, wilde Vegter die er niet opnieuw op zetten.

'Wie anders? Nou ja, aan de andere kant, het scheelt een hoop gelazer. Ik heb er nooit mee overweg gekund, met gehandicapten. Heb er geen geduld voor. We hebben ze ook niet, in de familie.'

'En uw broer?'

Verkallen liep rood aan. 'Wou u zeggen dat hij ook…?'

'Nee. Ik bedoel: hoe ging uw broer om met zijn zoon? Het zal voor hem toch moeilijk zijn geweest.'

'Ja. Ja, natuurlijk.'

'Hoe ging hij ermee om?'

'Tja.' Verkallen viel stil.

Vegter leunde wat meer achterover.

'De eerste paar jaar,' begon Verkallen, en raakte de draad kwijt.

'De eerste paar jaar…?'

'Toen dacht hij ook nog dat het wel meeviel. Er waren wat complicaties. Bij de geboorte, bedoel ik. En hij dacht dat het mettertijd wel goed zou komen. Jezus, ik lijk wel een wijf. Maar, nou ja, je hebt eens een gesprekje. Broers onder elkaar.'

'Complicaties?'

'Dat zeg ik,' zei Verkallen geïrriteerd. 'Zij komt uit een moeilijk land. Besnijdenissen en dat soort ellende. Richard werd er niet blij van. Al geloof ik dat de schade bij haar nog meevalt.' Hij zweeg even. 'Heel precies weet ik het niet. Wil ik ook niet weten. Maar hij had zich wel wat op de hals gehaald. Arme sodemieter.'

'Maar na die eerste paar jaar?'

'Toen kwam hij in een stadium dat hij zich er niet bij neer wilde leggen.'

'En daarna?'

Zo dronken als hij was, besefte Verkallen dat hier de crux lag. 'Hij kreeg het druk,' zei hij afwijzend. 'We breidden uit. En zij was er.'

'U bedoelt dat uw schoonzus alle zorg op zich nam.'

'Ze had toch niks anders te doen?'

'Hebt u weleens de indruk gekregen dat hun huwelijk door dit alles onder spanning stond?'

'Godsamme. Ben ik een sociaal werker? Ik heb genoeg aan mijn eigen sores. Hij is met haar getrouwd. Deal ermee, zou ik zeggen.'

Vegter was geneigd het op te geven. Dit leidde nergens toe.

Talsma bracht uitkomst op zijn eigen directe manier. 'Uw broer nam een vriendin.'

'Vind je het gek?' zei Verkallen. 'Hij moest toch ergens wat gezelligheid vandaan halen.'

'En zijn vriendin is Gemma van Son.'

'Die lieve Gemma,' zei Verkallen. 'Te stom om voor de duvel te dansen. Maar ze wou zo graag. En Richard wou ook. Die had het helemaal gehad.'

'Waarmee?'

'Met alles. Met de dokters, met de onderzoeken, met het hele gezeik. Hij heeft het niet makkelijk gehad, die jongen.' Verkallen besloot de fles tot op de bodem te ledigen. Er zat iets koppigs in de wijze waarop hij het laatste beetje cognac in zijn glas goot. 'Helemaal niet makkelijk.'

Niet makkelijk met zijn familie, of niet makkelijk met zijn vrouw? Vooralsnog leek het op het eerste.

'Dus uw broer had jarenlang een relatie.'

'Weet je wat het is,' zei Verkallen. 'Je wilt weleens wat. Toch? Als man. Je wilt een normale vrouw. En ze was er, Gemma. Ik zou zelf...' Hij had nog net voldoende besef om de zin niet af te maken. 'Maar ik ben gelukkig getrouwd.' Hij probeerde zijn zwervende blik op Vegter te richten, maar slaagde er niet helemaal in. 'Heel gelukkig. Twee gezonde kinderen. Wat wil je nog meer?'

Vegter liet die levensvraag even voor wat hij was. 'Heeft die relatie tot problemen geleid?'

'Weet ik veel.'

'Wist zijn vrouw ervan?'

'Weet ik veel.'

'U was vertrouwelijk met uw broer,' zei Vegter effen. 'Maar uw ouders, wisten die ervan?'

'Geen idee. Ik heb ze er nooit over gehoord.' Verkallen goot

de cognac naar binnen. 'Wat zou u ervan zeggen als u eens op-
donderde? Hè? Gewoon moven.' Hij gebaarde naar Talsma. 'En
neem die doodgraver mee.' Hij hield zijn glas tussen beide handen. 'We visten samen, vroeger, wist je dat? In het kanaal. En
dan durfde hij de vis niet van de haak te halen.' Zijn ogen werden rood. 'De lul.'

Vegter stond op. 'Wij zullen nog eens met u moeten praten.'

'*Any time*,' zei Verkallen. '*Any time*. Jullie komen er wel uit.'

13

Elke foto vroeg zijn tijd. Hoe kon ze Keja's eerste verjaardag
overslaan? Daar was de taart, met het ene flakkerende kaarsje
erop. Keja niet-begrijpend erachter, een angstige blik in zijn
ogen. De familie eromheen, te veel personen voor een klein jongetje dat al blijk had gegeven niet op gezelschap gesteld te zijn.
Tevergeefs had ze geprobeerd Richard uit te leggen dat Keja
overstuur zou raken van zoveel gezichten. Zijn zoon werd één
jaar, en dat moest worden gevierd, precies zoals de verjaardagen
van de kinderen van Peter. Overdadig, met grote cadeaus. Zelf
was ze destijds nog altijd niet gewend geweest aan het feit dat
geld geen rol scheen te spelen. Richard had een driewieler gekocht. Terwijl Keja nog niet eens liep.

Daar was hij, achter zijn bange zoon. Een glas bier in zijn
hand, zijn gezicht vertrokken in een grimas waarin ze wanhoop
zag. Waarom had ze die toen niet herkend? Misschien omdat ze
het te druk had gehad met alles te regelen zoals van haar werd verwacht. Een kinderpartijtje dat geen kinderpartijtje was, maar
een feestje voor volwassenen. Hapjes en drank, een etentje, een
smetteloos huis. Een zoon die zich niet smetteloos gedroeg, zich
niet aan de ongeschreven regels hield, in plaats daarvan zijn
handjes voor zijn ogen had geslagen en was gaan schreeuwen.
Het verschrikkelijke, redeloze schreeuwen dat ze had geleerd te
vrezen. En waarvoor ze Richard had gewaarschuwd.

Ze keek weg van de foto waarop hij zijn krijsende zoon op de driewieler had gezet, hem vasthoudend omdat hij anders vallen zou. De grote handen die met witte knokkels het lijfje omvat hielden. Papa Verkallen op de achtergrond, een onleesbare uitdrukking op zijn gezicht, felgekleurde slingers boven zijn hoofd.

Ze haalde haar handen door haar haar, dat eindelijk weer aanvoelde als haar eigen haar, zacht en stug tegelijk. Ze moest dit kunnen. Er was geen andere manier om afscheid van hem te nemen, en Richard had het verdiend. Had hij het verdiend? Er was geen antwoord op die vraag. Ze schoof haar stoel achteruit. Zwarte koffie, met veel suiker.

In de keuken luisterde ze naar de stilte, terwijl ze wachtte tot het apparaat was uitgeborreld. Het was niet dezelfde stilte van voorheen, die altijd tijdelijk was geweest; de voorbode van Richards thuiskomst. Zijn stem die in de loop der jaren harder was geworden, zoals hij steeds harder de voordeur achter zich had dichtgegooid. De deur was een waarschuwing: ik ben er.

Ze schepte suiker in de beker en roerde.

Op weg terug naar de kamer zag ze twee schaduwen zich aftekenen achter het matglas van de voordeur, en nog voor de bel ging, wist ze wie daar waren.

■

Brink vroeg zich af waarom hij altijd de rottigste klusjes leek te krijgen. Halftien, en al krap twee uur zat hij in zijn auto tegenover de ingang van het flatgebouw waar Gemma van Son woonde. Eerst was hij naar de zesde etage gegaan om het aantal voordeuren tot die van Van Son te tellen, zodat hij wist welke de hare was, om vervolgens tot de ontdekking te komen dat ze vanuit de auto niet zichtbaar waren. Nu had hij het koud, en zijn humeur hield gelijke tred met de dalende temperatuur in de auto. Hij moest ook nog pissen, maar je zou zien dat madam kwam opdagen terwijl hij om de hoek stond te wildplassen.

Het was stil op de parkeerplaats, de meeste auto's waren al rond achten vertrokken, maar nu verscheen er in de hal van het flatgebouw een bejaarde man, trekkend aan een riem waaraan een onwillig hondje vastzat. Het hondje zette een pootje in de sneeuw, schudde het uit en vluchtte weer naar binnen. De man tilde hem naar buiten en zette hem tamelijk hardhandig neer. Hij keek naar Brink en nam hem op zijn gemak op.

Brink keek terug.

De man stak de parkeerplaats over en tikte op het portierraampje. Brink liet het twee centimeter zakken.

'Zoekt u iemand?'

'Nee.'

'U zit hier al een hele poos.'

Brink begreep waarom de hond protesteerde; hij wás al eens uit geweest. Nu was hij een wandelend excuus. 'Klopt.'

'Wacht u op iemand?'

'Nee.'

'Mag ik dan vragen wat u hier doet?' De ogen onder grijze wenkbrauwen waaruit lange haren staken, stonden argwanend.

'Nee,' zei Brink. Van dichtbij bleek ook de hond bejaard, met dezelfde wenkbrauwen als zijn baas, en een platte snuit die de indruk wekte dat de fokker hem direct na zijn geboorte met kracht had trachten terug te duwen, overtuigd dat hij te lelijk was voor de verkoop.

'Pardon?'

Brinks blaas prikte, en hij had trek in de koffie die hij bij zijn ontbijt had moeten overslaan omdat Vegter hem op een onchristelijk uur alweer uit bed had gebeld. 'Luister,' zei hij, 'Ik vraag u ook niet waarom u die hond de kou in jaagt terwijl hij niet wil.'

'Ik woon hier.'

'Dat spijt me voor u.' Brink sloot het raampje.

De oude man weifelde even, gaf toen een ruk aan de riem en verdween weer naar binnen. Brink verstelde tevreden zijn stoel en geeuwde.

Tien minuten later stopte er een politiewagen naast hem. Twee agenten stapten uit, de bestuurder klopte op zijn raampje. Zuchtend liet hij het zakken. 'Zeg het maar, jongens.'

'Melding van een bewoner die niet begrijpt wat u hier doet, meneer.'

'Ik ook niet.' Brink had onbedaarlijke zin om dwars te blijven, maar besloot verstandig te zijn. Hij wapperde met zijn legitimatiebewijs. 'Ga ergens anders spelen. Jullie vallen te veel op.'

'Brink, hè?' zei de oudste. 'Wees blij dat we je niet meenemen, joh.'

Fok. Dit waren de knullen van bureau West die hem een keer hadden opgepakt nadat hij in een kroeg wat moeilijkheden had gekregen. Niet reageren was oncollegiaal, wel reageren was pijnlijk. 'Sorry, mannen.'

'Oké.'

Brink probeerde zijn gerieflijke houding terug te vinden. Het lukte niet best, maar hij bofte. De deur ging open en Gemma van Son kwam naar buiten. Hooggehakte laarzen onder een grijze, iets te degelijke winterjas. Haren geföhnd, oorlogskleuren. Ze stapte in haar auto en reed weg.

Ze was een beroerde chauffeur, waarmee ze Brinks vooroordeel ten aanzien van vrouwen achter het stuur een flinke impuls gaf, en ze bracht hem regelrecht naar het huis van Peter Verkallen. Parkeerde scheef in en belde aan. Brink wachtte tot de deur openging en pakte zijn telefoon.

'Bij Verkallen?' zei Vegter. 'Zo. Waarschuw als ze weer thuis is.' Hij keek naar Talsma, die nog verdiept was in het pathologisch rapport, en ging voor het raam staan, vergeefs pogend de rusteloze stemming te verdrijven die het gevolg was van zijn besluiteloosheid.

Hij zou het niet moeten doen, hij had er geen tijd voor, nog afgezien van het feit dat je niet midden in een moordonderzoek je privézaken ging regelen. Maar als hij het nu niet deed, wanneer dan wel?

'Ik ben een uurtje weg,' zei hij abrupt.

Hij had gevreesd dat Renée niet thuis zou zijn, maar haar auto stond er, en terwijl hij de loodzware doos uit de kofferruimte tilde, vroeg hij zich af hoe verstandig of onverstandig hij was, en of het ertoe deed. Over de tot pap gereden sneeuw glibberde hij naar de ingang.

Ze stond hem een ogenblik zwijgend aan te kijken, en hij voelde zich als een berouwvol personage uit een Amerikaanse kerstfilm.

'Ik kom dit alleen maar afgeven,' zei hij. 'En als je geen zin hebt om me binnen te laten, dan begrijp ik dat. Al hoort er wel een uitleg bij.'

Ze begon te lachen. Helder. Bemoedigend vrolijk. 'Kom binnen.'

In de kleine zitkamer zette hij de doos op de eettafel. 'Het is wat marketeers een impulsaankoop noemen.'

'En dat is het juiste woord?' Ze droeg een dikke donkerblauwe trui en een spijkerbroek, haar haren glansden en ze was minder mager.

'Ja, want daarna zat ik ermee in mijn maag. Niet uit spijt, maar omdat ik twijfelde of je hem zou willen accepteren.'

'Hem?'

'Of het. Of haar. Ik weet het niet.'

Ze ging naar de keuken om een schaar te halen, en hij keek om zich heen. Niets herinnerde meer aan de ravage die hij had aangetroffen na de aanslag, die ze ternauwernood had overleefd. De kamer was opgeruimd en schoon. In de hoek bij het raam was de enorme varen vervangen door een nieuwe. Vanuit het hart kwam frisgroen jong blad, nog half tot vraagteken opgerold. En er lag nieuw tapijt, zilverig grijs. Zelfs professionele reiniging had het bloed op het oude niet helemaal kunnen verwijderen; er bleef een bruinig spoor, eindigend in een grote vlek bij de deur, als een schaduw van wat zich had afgespeeld. Al die maanden daarna had hij er niet naar willen kijken, omdat het hem te veel herinnerde aan zijn ontreddering nadat hij haar had gevonden. En als dat voor hem al zo was, wat moest het dan voor haar hebben betekend?

Renée kwam binnen met de schaar en ging het brede plakband te lijf waarmee hij de deksel weer op de doos had vastgezet. Ze haalde de lagen vloeipapier weg en staarde naar het stralende, uitdagende blauw.

'Ik vond dat hij hier hoorde,' zei hij.

Ze keek van de vaas naar de hoek waar de andere had gestaan, fraaier nog, en feitelijk onvervangbaar, Vegter wist het.

'Als je maar niet denkt dat ik ga huilen.'

'Dat hoeft ook niet,' zei hij. 'Liever niet zelfs.'

Ze begon te huilen.

Hij deed een stap naar haar toe en bleef staan. 'Vind je het goed als ik je troost?' vroeg hij vormelijk.

'Ach, idioot.'

Hij sloeg zijn armen om haar heen, streek het haar uit haar gezicht, herinnerde zich op tijd de kale plek te vermijden, waarvan hij wist dat ze niet wilde dat hij die zag.

Ten slotte hief ze haar hoofd, de afdruk van de rits van zijn jack rood op haar wang. 'Hij is prachtig.'

'Dat vind ik ook,' zei hij. 'Maar wil je hem hebben?'

'O ja.'

Hij tilde de vaas uit de doos en zette hem op de juiste plaats. Het blauw kleurde schitterend bij het zilvergrijs van het tapijt, en de kristallen bodem ving het grauwe daglicht en gaf het helderder terug.

'Wil je koffie?' vroeg ze. 'Als een soort van dank? Al slaat dat nergens op.'

Hij keek op zijn horloge.

'Je hoort hier niet te zijn,' zei ze.

'Nee. Maar een kop koffie moet kunnen.'

Hij liep achter haar aan naar de keuken, leunde tegen het aanrecht terwijl ze koffiezette, liep mee terug naar de kamer, ritste eindelijk zijn jack open, roerde zijn koffie.

'Paul,' zei ze. 'Het lijkt bijna telepathie, want als jij nu niet was gekomen, had ik je gebeld. Ik wil graag weer aan het werk.'

'Weet je zeker...'

'Ja.'

'Hoe gaat het met je?'

'Goed. We hebben nu geen tijd om te praten, maar ik heb een hoop geleerd. Vooral over mezelf.' Ze pakte zijn beker en dronk eruit. 'Dit klinkt als therapeutentaal, en dat wil ik helemaal niet. Maar het is wel waar. Drie maanden is lang, en ik heb er schoon genoeg van.' Ze gebaarde om zich heen. 'Zestig vierkante meter is een kleine wereld.'

'En je hand?'

'Die zit nu op negentig procent, en beter wordt het niet, volgens de artsen. Ik kan er alles mee doen, alleen niet zo snel.'

'Wat heb je gedaan?'

'Behalve nagedacht ook gelezen.' Ze wees naar een stapel boeken naast de salontafel. 'Een aantal van de titels die ik in jouw kast zag staan, en waar ik niet aan durfde te beginnen.' Ze begon te lachen. 'En verder heb ik mijn moeder verteld dat ik me niet langer verantwoordelijk voel voor haar leven, en het contact met mijn broer hersteld.'

Vegter was de broer totaal vergeten. Af en toe had ze hem gememoreerd als 'mijn broertje'.

'Hoe gaat het met hem?'

'Dat kan jou geen klap schelen,' zei ze. 'Maar het gaat goed met hem. Hij denkt over een hoop dingen hetzelfde als ik, dat was wel een verrassing.'

'Inclusief je moeder?'

'Inclusief mijn moeder.' Ze dronk de rest van zijn koffie op. 'God, ik lijk wel zo'n blije bekeerling. Maar de opluchting is zo groot, Paul. Ik heb het gevoel dat ik weer bijna normaal ben.'

'Wat is normaal?' zei hij. 'Ik zou het niet weten. Bedoel je dat je weer kunt functioneren zoals je zou willen?'

Ze knikte. 'Ik ben niet meer bang. Of liever, ik ben het nog wel, dat gaat niet meer over, maar het is nu een soort verhoogde alertheid, misschien ben ik nu gezond bang. In elk geval kan ik het hanteren. Ongeveer zoals vroeger. Statistisch gezien overkomt me zoiets niet nog een keer, al is mijn beroep een risicoverhogende factor. Maar daar heb ik voor gekozen, daar ben ik zelf verantwoordelijk voor.'

'Heb je dat allemaal zelf bedacht?'

'Nee. Het is me uitgelegd in sessies van een uur, tweemaal per week.'

'Dat klinkt cynisch.'

'Dat is het ook wel een beetje. Uiteindelijk is het betaalde troost.' Ze zweeg even. 'Dat heb ik eerder gezegd. En toen wilde ik het niet. Ik vond het surrogaathulp, ik dacht dat ik het allemaal alleen moest kunnen. Troost kun je het trouwens niet echt noemen, want medelijden kreeg ik niet.'

'Wat kreeg je wel?'

'Begrip.'

'Is dat niet hetzelfde?' vroeg hij.

'Misschien wel.' Ze lachte. 'Het zijn een hoop misschiens. En troost bestaat niet, denk ik. Het blijft jouw leed, je kunt het niet delen. Het verschil is dat dit een soort zakelijk begrip was, niet vertroebeld. Precies wat ik nodig had. Waarom begreep jij dat wel, en ik niet?'

Hij zou kunnen antwoorden dat het een verschil in leeftijd was, maar dat was te goedkoop, omdat ze dat argument niet kon pareren en het haar meteen weer op achterstand zou zetten. Ze had gelijk gehad met haar verwijt dat hij haar daarom zag als zijn mindere; het was een vorm van arrogantie iemand zijn gebrek aan levenservaring aan te rekenen. Hij zou ook kunnen antwoorden dat hij eenzelfde soort proces had doorgemaakt, al was het om een andere reden. Ze had gerouwd, maar wist ze dat? Gerouwd omdat ze, net als hij, had kennisgemaakt met de existentiële angst die hoort bij verlies. In haar geval het verlies van haar leven, in zijn geval het verlies van Stef. Het eerste halfjaar na Stefs dood had hij Ingrid regelmatig gebeld, alleen om haar stem te horen, bevestigd te weten dat alles in orde was. Nog wist hij niet of Ingrid dat had begrepen, en nu vroeg hij zich plotseling af of na de geboorte van zijn kleinzoon die angst opnieuw de kop op zou steken. Nog altijd kon hij zich geen duidelijke voorstelling maken van het kind van zijn dochter, die nog maar zo kort geleden zelf een kind was, al had hij de foto's gezien die Ingrid en Thom hem trots hadden getoond van het aandoenlijke wezen – duim in de mond, de tere, schelpachtige oogleden gesloten – dat vreedzaam ronddreef in zijn beschutte paradijs.

Maar daarover kon hij met Renée niet praten, in elk geval niet op dit moment. Niet haar blijdschap en nieuw verworven zelfvertrouwen verstoren. Niet zoals ze daar zat, haar ogen op hem gericht. Er lag schuchterheid in, maar ook een verwachting die hij nu pas begreep.

Hij stond op en boog zich naar haar toe, en voor het eerst sloeg ze zonder restrictie haar armen om zijn hals.

'Ik moet weg,' zei hij vijf of tien of vijftien minuten later.

'Ja.' Ze liep met hem mee naar de voordeur. 'Ik las in de krant over die Verkallen…'

'Dood,' zei hij. 'Een messteek. We zitten ermiddenin.'

Ze knikte. 'Ik dacht al zoiets. Hoe is het met Sjoerd?'

'Matig.'

'Ik mis zelfs Brink,' zei ze. 'Wanneer kan ik terugkomen?'

'Gauw. Ik bel je.'

14

Zelden was ze zo bang geweest, terwijl ze toch vanaf haar vroege jeugd zoveel angst had gekend. Een diepgewortelde angst voor geweld, waarvan ze had gedacht verlost te zijn nadat ze in dit land was terechtgekomen. Dat was een vergissing gebleken, maar geweld was wat ze kende, en de angst ervoor was dus vertrouwd.

Deze soort was nieuw, want voor het eerst zou ze moeten bewijzen bestand te zijn tegen openlijke haat en minachting die niet zouden blijken uit mishandeling, maar uit woorden. Ze was zo in paniek dat ze er zelfs niet aan dacht de albums op te bergen voor ze de voordeur opendeed.

Papa Verkallen leek te zijn gegroeid, zo kaarsrecht was zijn houding. Mama Verkallen bestond alleen uit tranen. Ze liepen zonder een woord langs haar heen, dik ingepakt in hun dure winterjassen, mama met haar bontmuts op, en ze lieten nieuwe natte sporen achter in de hal.

Ze kon niet anders doen dan hen volgen, de kamer in. 'Papa...'

Hij draaide zich naar haar toe. 'Ik verbied je mij nog ooit zo te noemen.'

'Cor!' zei mama geschokt.

'Hou je mond.' Hij steunde met een hand op de tafel, de andere wees met gestrekte wijsvinger recht naar haar borst. Een

oude hand, met bruine levervlekken en dunne, geribbelde nagels. 'Nu mijn zoon dood is, verbied ik je mij nog ooit zo te noemen.'

Mijn zoon, dacht Asli. Niet onze zoon. Er was misschien toch
niet zo heel veel verschil tussen Afrika en Europa.

'Ik weet niet hoe je het hebt gedaan,' zei papa Verkallen.
'Maar dat mijn zoon dood is, is jouw schuld. Ik wist het. Vanaf
het moment dat hij met je thuiskwam, wist ik dat het fout zou
aflopen. Ik heb het hem gezegd, hem ervoor gewaarschuwd dat
je alleen op zijn geld uit was. Mijn geld. En die stommeling luisterde niet. Wat heb je met hem gedaan?'

Mama sloeg een hand voor haar mond. 'Cor!'

Hij negeerde haar. 'Nou?'

Asli stond nog steeds bij de deur, niet in staat zich te verroe-
ren. Het drong tot haar door dat het geen retorische vraag was,
dat hij werkelijk een antwoord verwachtte. 'Niets.'

Hij trok een stoel achteruit en ging zitten alsof zijn benen
hem niet langer wilden dragen. Mama Verkallen vatte het op als
een teken dat ze haar muts mocht afzetten, haar jas losknopen
en ook gaan zitten. 'Cor, we gingen hiernaartoe omdat we dingen moeten bespreken.'

'Daar ben ik mee bezig.'

'Nee,' zei zijn vrouw. 'Dat ben je niet.'

Asli waagde het dichterbij te komen. Van jongs af had ze geleerd zich onzichtbaar te maken; er niet zijn was dikwijls beter. Nu gleed ze geruisloos door de kamer, trok voorzichtig een
stoel achteruit, glipte erop, vouwde haar handen in haar schoot.
'Mama…'

'Ik weet het, kind.' Mama Verkallens tranen stroomden onophoudelijk, maar desondanks zag ze kans te praten. 'Heb je het
Keja al verteld?'

Asli schudde haar hoofd.

'Wil je… Misschien reageert hij beter als wij het hem vertellen.'

'Dat kunt u niet.'

Het was de waarheid. Geen van allen hadden ze de moeite genomen zich eigen te maken wat zij voor zichzelf Keja's taal noemde. Ze hadden het aan haar overgelaten met hem te communiceren, stilzwijgend geëist dat zij zich doorlopend met hem bezighield, zijn wensen vertaalde, zijn gedrag verklaarde en corrigeerde, vooral dat. Ze tolereerden hem, maar ze wilden geen last van hem hebben. Ze keek naar mama's verkreukelde gezicht en begreep dat dit niet het moment was om wrok te tonen.

'Misschien, als wij erbij zijn, gaat het beter,' zei mama onbeholpen.

'Nee.'

'Ik zei het je,' zei Verkallen. 'Waar wil je je mee bemoeien? Hou ermee op. Zij is de enige die hem begrijpt.'

'Hij is er niet,' zei ze. 'Hij is bij een vriendje.' Al jaren was dat het excuus als Keja zich niet wilde vertonen.

Hij was in zijn kamer, zoals gewoonlijk. Zijn kamer was zijn vesting. Misschien sliep hij weer, hij scheen weinig anders te doen, de laatste dagen. Hij at of hij sliep. Vanochtend had hij een enorm ontbijt weggewerkt. De ene boterham na de andere belegd en naar binnen gepropt, weggespoeld met een liter melk. Daarna was hij opgestaan, had in het voorbijgaan haar arm aangeraakt. Geen streling was het, verre van dat, maar het gebaar had haar blij gemaakt omdat het zo zeldzaam was. Ze had de douche horen stromen, lang, want Keja hield van water, kon uren in bad liggen. Ze had zich weleens afgevraagd of de behaaglijkheid van warm water een substituut was voor de intimiteit die hij zichzelf niet kon toestaan.

'We willen Richard zien,' zei mama Verkallen. 'We hebben gebeld, en we mogen… We kunnen… Ze vinden het goed als we nu komen. Daarom zijn we hier, want ik vond dat jij, dat we met ons drieën…'

'Nee!' Ze schreeuwde bijna. 'Ik wil niet, ik kan dat niet.'

'We horen toch bij elkaar,' zei mama zachtjes.

'Vindt u?'

Het was meer dan ze ooit had durven zeggen. Misschien had de oude vrouw het niet verdiend; ze had pogingen gedaan te bemiddelen, getracht te bezweren wat niet te bezweren viel, maar het was altijd zichtbaar geweest dat ze er zelf niet in geloofde, dat haar goede bedoelingen voortkwamen uit haar gevoel voor decorum. Tegenover de buitenwereld moest de familie een eenheid zijn, een voorbeeld van harmonie en gezinsgeluk. Mama plooide en streek. Streek alles glad wat rimpelingen zou kunnen veroorzaken, het beeld verstoren. Met niet-aflatende energie organiseerde ze familiebijeenkomsten, sinterklaasfeestjes en kerstdiners. Het vulde haar dagen, die blijkbaar niet op een andere manier konden worden gevuld. Iedereen wist het, maar iedereen onderwierp zich eraan. Mama wilde het, dus het gebeurde. Zachtaardig als ze leek, had ze een borende hardnekkigheid waartegen niemand opgewassen was.

Het had lang geduurd voor zij, Asli, had begrepen dat dit mama's carrière was. Haar man verdiende het geld, en daarmee aanzien, maar ook haar status was daardoor gestegen. Haar opleiding was uitermate gebrekkig en ze had gewerkt in de buurtwinkel van haar ouders tot ze met Cor Verkallen was getrouwd, monteur met ambities. Nu was ze oud, haar invloed op haar gezin was tanende, maar krampachtig hield ze vast aan de tradities, want wat bleef er over als ze dat niet zou doen? Het was haar reden van bestaan.

'We begrijpen het niet,' zei mama. 'Wie zou hem kwaad willen doen? Richard had geen vijanden. Het moet per ongeluk zijn gebeurd. Maar wat deed hij bij het huisje? Waarom was hij daar?'

'Ik weet het niet.'

'De politie zal erachter komen,' zei mama hoopvol. 'Er was een inspecteur bij ons. En nog iemand. Ze leken bekwaam. Oudere mannen, niet van die jonge knullen die alleen maar haast hebben. En tegenwoordig, met al die moderne middelen…' Haar stem stierf weg. 'Niet dat het verschil maakt.' Haar blik viel op de albums, en ze probeerde haar schrik te verbergen, maar faalde. 'Hoe kun je daarnaar kijken?' En toen Asli niet antwoordde: 'Is dit jouw manier?'

Asli knikte.

'Er moeten ook…' Mama redde het opnieuw niet. 'Er moeten ook dingen, voor de begrafenis…'

De begrafenis. Zover was ze niet gekomen, had ze niet willen denken. Richard moest begraven worden. Hij was dood, hij moest worden begraven. In een kist gelegd die was bekleed met wit satijn, zijn handen gevouwen op zijn borst. Een vredige dode. Een dode die het bijna met zijn eigen dood eens leek te zijn, die daardoor wie naar hem keek niet te zeer zou afschrikken. Weliswaar ademde hij niet meer, maar afgezien daarvan zou hij de indruk wekken alsof dood zijn niet zo erg kon wezen, alsof het een omkeerbare situatie was.

Zij wist beter. Niets was onherroepelijker. Niets was genadelozer. Al na korte tijd leek een dode niet langer op een levende, zonder geest was hij niet meer dan een snel rottende schil.

Schuld daalde neer, leunde loodzwaar op haar schouders. Niet verder dan zijn dood had ze gedacht, maar nu dit de situatie was, had ze moeten beseffen dat er mensen waren die verdriet hadden, zouden rouwen om zijn dood. Ze was egoïstisch geweest. Haar vader, Samatar, zou niet trots op haar zijn. Maar misschien zou hij begrijpen dat mededogen te veel verlangd was na zeventien jaar van vernederingen. Nooit had ze zich verzet, en nu had ze toch gewonnen. Een overwinning zonder triomf, want tegenover haar zaten twee oude mensen die hun zoon hadden verloren en niet begrepen waarom. Zodra ze waren vertrokken zou ze haar requiem hervatten, niet meer alleen voor Richard, maar ook voor hen.

'Regelt u maar alles,' zei ze. 'Zoals u het graag wilt.'

'Er moet meer worden geregeld,' zei Verkallen zwaar.

'Wat bedoelt u?'

'Het huis, het geld.' Hij ging rechtop zitten, iets van de gebruikelijke energie teruggekeerd in zijn blik. 'Je weet dat je nergens recht op hebt.'

Ze wist het niet. Had het zich niet gerealiseerd. De afgelopen dagen had ze in een vacuüm geleefd, volkomen passief, wachtend op wat anderen zouden beslissen. Al zevenendertig jaar beslisten andere mensen over haar. Ze staarde hem aan. Geld, huis, waar had hij het over? Kon papa haar alles afnemen, was hij daartoe in staat? En Keja dan? Voor haar was het niet van belang, zij zou zich altijd redden, ze was vaardig in het overleven. Maar Keja?

Hij keek terug, de staalblauwe ogen onverzoenlijk, en ze besefte dat het hem ernst was. Hij zou zich zelfs niet ontzien de toekomst van zijn kleinzoon te ruïneren als hij daarmee haar zou kunnen treffen.

'Hoe kun je daar nu aan denken?' zei mama. 'Ik heb je nog nooit iets verboden, Cor, maar nu verbied ik je om dit te zeggen. Draait dan alles om geld?' Ze stond op en plantte haar muts op haar hoofd. 'Dit leidt nergens toe. We gaan.'

Hij leek te willen protesteren, maar ze trok hem overeind, duwde hem naar de deur. 'Niet nu.'

In de hal draaide ze zich om. 'We moeten hier samen doorheen, kind.' De droge lippen raakten vluchtig Asli's wang.

Asli hield de deur voor hen open. 'Dag mama.'

Mama stapte met kleine, schuifelende passen door de sneeuw – een oude vrouw die bang was te vallen.

Papa bleef staan. Er lag iets hulpeloos in de manier waarop hij zijn vrouw nakeek, die voor één keer niet op hem had gewacht. 'Jij was het,' zei hij zachtjes.

Ze doorstond zijn blik zonder knipperen. 'Dag meneer Ver-kallen.'

Zijn gezicht vertrok in machteloos verdriet. Al zijn woede en haat balden zich samen in één woord. 'Negerin!'

15

Terug in zijn kamer vond Vegter een nieuw rapport. Hij las het terwijl hij het broodje wegkauwde dat diende als lunch. Daarna belde hij Talsma.

'Er is in de keuken van dat zomerhuisje een bloeddruppel van Verkallen gevonden.'

'Dat is mooi,' zei Talsma. 'Of het zou mooi kunnen zijn. Uiteindelijk.'

'Het sluit uit dat hij van elders naar het huis is gebracht. Het sluit ook uit dat hij buiten is neergestoken, en het houdt dus in dat hij van binnen naar buiten is vervoerd.'

'Ja. Maar waar brengt ons dat?'

'Vooralsnog nergens,' zei Vegter. 'Maar ik zou een testje willen doen. We hebben die striemen rond polsen en enkels. Ik zou willen weten of het mogelijk is iemand vanuit de keuken tot bij die auto te slepen. Omdat er intussen een pak sneeuw ligt, komen we daar niet achter, daarvoor verschillen de omstandigheden nu te veel, maar ik wil in elk geval proberen of je hem tot de buitendeur kunt brengen.'

Talsma zweeg een ogenblik. Vegter kon hem bijna horen denken. 'Hoe wilt u dat doen? En met wie? Of wordt het een reconstructie met alle toeters en bellen die erbij horen?'

'Nee. Hoeveel weeg jij?'

'Ongeveer tachtig kilo.' Talsma lachte. 'Misschien iets minder, intussen.'

'Goed. Jij bent Verkallen.'

'En u sleept?' In Talsma's stem klonk ongeloof.

'Renée sleept.'

Het bleef even stil.

'Best,' zei Talsma toen. 'Hoe was het met haar?'

Er waren momenten dat Vegter zich afvroeg of hij in zijn afscheidsspeech ter gelegenheid van Talsma's pensioen hem zou moeten betitelen als een kruising tussen een wandelend geweten en een helderziende. Dit was zo'n moment. 'Uitstekend. Ze wil weer aan het werk.'

'Dan is dit een leuke start,' zei Talsma nuchter. 'Wanneer?'

'Nu.'

Toen ze aankwamen bij het zomerhuis stond Renées blauwe Peugeot er al. Op het dak ervan lag nog een verwaaide sneeuwhoed, zijzelf zat in de auto, het linkerraampje op een kier.

'Ze rookt nog,' zei Talsma verheugd.

Vegter lachte. 'Jullie zijn de laatsten der Mohikanen.'

'Niks mis mee zolang het een vredespijp is.'

Renée stapte uit en Talsma liep op haar toe en sloeg heel kort zijn armen om haar heen. Vegter had het hem nooit eerder zien doen, en toen hij zag hoe ze de begroeting beantwoordde, haar handen op Talsma's schouders, flakkerde een ogenblik de jaloezie op. Waarom moest hij altijd alles beredeneren, waarom beschikte hij niet over de spontane collegialiteit die zelfs – of juist – Talsma leek te bezitten?

In het kleinste huis, aan het eind van het rijtje, rookte de schoorsteen, en ook een auto op de oprit verried de aanwezigheid van bewoners. Voor het overige was het terrein nog steeds ongerept, de sneeuw op de paden en in de tuinen clichématig maagdelijk, waar hij op het pad van huis nummer vijf was verworden tot een bruinige platgereden brij.

'Wat gaan we doen?' vroeg Renée gretig.

'Jij bent de moordenares,' zei Vegter. En met nog een restje rancune: 'Je versleept Sjoerd van binnen tot ongeveer hier.'

'Oké.'

'Zegt u het maar.' Talsma stond met opgetrokken schouders in de keuken.

Geen van drieën zouden ze het hebben toegegeven, maar de kilte in het huis was van een andere orde dan de tintelende vrieskou buiten. Deze kou had te maken met het geweld dat hier had plaatsgevonden, dacht Vegter. Of misschien was het alleen zijn verbeelding, gestimuleerd door de wetenschap dat zich hier iets onherroepelijks had voltrokken.

'Hij moet hier gelegen hebben,' zei hij bruusk. 'En het enige wat ik wil weten, is of hij vanaf hier naar buiten kan zijn gesleept.'

'Door een vrouw,' stipuleerde Talsma.

'Door een vrouw. Dus ga maar liggen en hou je dood.'

Talsma strekte zich uit op de vloer, handen op zijn maag.

Vegter deed een stap achteruit en gebaarde naar Renée. 'Ga je gang.'

'Lag hij met zijn hoofd naar de buitendeur?' vroeg ze praktisch.

'Dat weten we niet. Er is één bloeddruppel gevonden, of eigenlijk meer een veegje, aan de onderkant van een van de kastjes.'

Ze bukte zich, greep Talsma's polsen en trok. Trok opnieuw. Talsma verschoof niet.

'Shit.' Renée liet los, ging recht achter zijn hoofd staan.

Talsma stak bereidwillig zijn armen omhoog.

'Niet doen,' zei ze. 'Je bent dood.'

'O ja.' Hij legde zijn handen op zijn buik.

Opnieuw pakte ze zijn polsen, zette zich schrap, trok tot haar halsspieren zwollen. Talsma verschoof nauwelijks. Ze liet abrupt zijn armen los en kwam hijgend overeind. 'Ik ben niet in conditie. Of jij liegt over je gewicht, Sjoerd.'

'Nee,' zei Vegter. 'Dit bevestigt wat ik al dacht. Sjoerd is een dood gewicht van vijfenzeventig kilo. Dat versleep je niet in je eentje. Of als vrouw.'

'En als jij het probeert?' In Renées ogen blonk plezier.

Vegter bukte zich, greep Talsma's polsen en trok.

Hij had het vermoed, maar toch verbaasde hem de onbeweeglijke zwaarte van een dood lichaam. Talsma werkte totaal niet mee, gedroeg zich als een voorbeeldig lijk, had ten bewijze daarvan zelfs zijn ogen gesloten. Vegter kreeg hem niet meer dan een meter van zijn plaats. En dit was een gladde vloer. Het zou dus buiten op stroeve klinkers helemaal onmogelijk zijn.

'Mag ik opstaan?' vroeg Talsma beleefd.

'Doe maar.' Vegter probeerde zijn ademhaling onder controle te krijgen. Misschien moest hij een fiets kopen. Fietsen was gezond, massa's mensen deden het. Maar waar zou hij naartoe moeten fietsen? En hij zou lijken op de mannen van zekere leeftijd, die hoopvol hun bulk op een fiets hesen, zich in het zweet trapten en na afloop de verbruikte calorieën aanvulden met bier. Nooit zag je slanke vijftigers op een fiets. Die hoefden niet. Benauwende gedachten aan een fietsbroek en -helm bekropen hem, en hij schudde ze van zich af.

Hij ging uit van Gemma van Son, die na een uit de hand gelopen ruzie Verkallen had doodgestoken en vervolgens om onduidelijke redenen had besloten hem buiten neer te leggen. Van Son was een gezonde jonge vrouw, in bouw ongeveer vergelijkbaar met Renée. Talsma's gewicht kwam overeen met dat van Verkallen. Wat was zijn denkfout?

Talsma en Renée leunden tegen het aanrecht, in afwachting van zijn conclusie.

'Het moet anders zijn gegaan,' zei hij.

'Paul,' zei Renée. 'Ik ken de details nog niet, maar je gaat uit van een vrouw.'

Hij knikte.

'We hebben net bewezen dat ze hem niet zomaar naar buiten kan hebben gesleept.'

Hij knikte opnieuw.

'Dus,' zei ze geduldig, 'moet ze hulp hebben gehad.'

'Van iemand?'

'Of van iets.' Talsma ritste zijn jack gedeeltelijk open en pakte zijn shag uit de borstzak van zijn overhemd. 'Renée gaat uit van meerdere personen. Dat kan, maar het hoeft niet.'

'Wat dan wel?'

'Waarmee vervoer je iets?' Renées ogen glinsterden, en Vegter overwoog dat deze praktijkoefening misschien meer bijdroeg aan haar herstel dan een praatsessie van een uur.

Talsma keek waarderend. 'Een kruiwagen. Een kar.'

'Wat voor kar?'

'Weet ik veel.' Talsma wreef over zijn kin, die raspte, en Vegter zag dat ook hij zich deze ochtend niet had geschoren. 'Het kan van alles zijn. Voor mijn part heeft ze hem rolschaatsen ondergebonden. Al snap ik nog steeds niet waarom ze hem dan bij zijn auto liet liggen.'

'Ik wel,' zei Renée kalm. 'Als je hem niet eens kunt verslepen, hoe zou je hem dan in zijn auto kunnen tillen? Tillen is vele malen zwaarder dan slepen.'

'Halleluja.' Talsma koerste naar de buitendeur. 'Hebt u de sleutel van de garage, Vegter?'

In de garage keken ze in zwijgende eensgezindheid naar de bok, half verscholen achter een grasmaaier.

Talsma streek met zijn wijsvinger over een van de wielen. 'Niet goed vast te stellen of dit oud vuil is of niet.'

'Nee.' Vegter haalde zijn vinger over de duwstang van de grasmaaier en toonde het stof op zijn vingertop. Daarna streek hij over het draagvlak van de bok. Zijn vinger bleef schoon, ook toen hij hem langs een van de handgrepen haalde. 'Jij was van mening dat niemand de spullen in zijn garage afstoft, Sjoerd.'

Talsma knikte. 'Hij of zij heeft hem op dit ding gelegd.'

'En kwam pas bij de auto tot de ontdekking dat er een nieuw probleem was,' zei Renée.

'Hij of zij,' zei Vegter. 'Betekent dat dat je van mening bent veranderd?'

'Niet per se. Maar als een sterke vent als u mij niet kan verslepen, zou ik een mannelijke dader, of zelfs meerdere daders, niet willen uitsluiten.' Talsma's gezicht bleef ernstig.

Vegter gaf hem een bijna frivole duw tegen zijn schouder. Van een wonderlijke lichtheid voelde hij zich nu Renée hier naast hem stond, handen in de zakken van haar jack, lachend om Talsma, en met een fris enthousiasme dat sprak uit haar hele houding. Alle drie genoten ze van dit knullige onderzoekje, waarvan ze wisten dat het gerubriceerd moest worden als een van zijn intuïtieve ingevingen, die soms wel maar vaker niet goed uitpakten. Nu had hij sterk het gevoel dat deze ingeving aan de creditzijde kon worden bijgeschreven.

Talsma was sneller dan hij. 'Ik las vanochtend, toen u een uurtje weg moest, het pathologisch rapport.'

'Ja?' Vegter vertrok geen spier.

'Waarin sprake is van striemen op polsen en enkels, zoals u zei.' Talsma wees naar de bol touw die aan een spijker boven de bok hing. 'Het is maar een wilde gedachte. En het duurt nog dagen voor we een forensisch rapport krijgen, zelfs al zet u er druk op.'

'Ik kan je niet volgen,' zei Renée. 'Eerst beweer je dat hij op die kar moet zijn vervoerd, nu ga je terug naar de versleeptheorie.'

'Jij weet niet wat wij weten,' zei Talsma duister. 'We hebben het over een vent van een meter tachtig of daaromtrent.'

'Die past niet op die kar.'

'Nee. Armen, benen, alles bungelt ernaast. Dus moet je hem passend maken.'

Vegter tuitte zijn lippen. 'Nu ben je wel heel wild, Sjoerd.'

'Valt mee.' Met totale onverschilligheid ten aanzien van zijn kleren ging Talsma op de vuile vloer liggen, strekte zijn benen loodrecht omhoog en bracht zijn handen naar zijn enkels. 'Voilà.'

Renée lachte helder. 'Je ziet eruit als een yogaleraar.'

'Geef me een week en ik doe aan levitatie.' Talsma kwam overeind en klopte zijn kleren af. 'Maar ik heb wel gelijk.'

'Dat betwijfel ik,' zei Vegter. 'Je verklaart nu wel hoe Verkallen is vervoerd, maar niet hoe hij op die bok is gehesen. Want hem binden zal daarbij niet hebben geholpen.'

'Nee.' Talsma keek naar de bok. 'Maar ik geef u op een briefje dat Renée me erop zou krijgen.'

'Ik wil het wel proberen,' zei Renée.

'Kan niet,' zei Talsma spijtig. 'We moeten eraf blijven. Het ding barst van de sporen.'

'Daarvan ben je overtuigd?' vroeg Vegter.

'Absoluut.' Talsma zweeg even. 'Eigenlijk knap.'

'Hoe bedoel je?'

'Als je dóórdenkt,' zei Talsma, daarmee implicerend dat Vegter dat niet deed. 'Nu we weten dat Verkallen binnen is neergestoken, en hoe het daarna is gegaan, geef ik geen cent meer voor moord met voorbedachten rade. Hier is iemand aan het werk geweest die in paniek een oplossing moest verzinnen.'

'Brengt ons dat dan niet terug bij een vrouwelijke dader?' vroeg Vegter zachtzinnig.

Renée lachte, wat hem een goed teken leek. Voorheen zou ze onmiddellijk hebben geprotesteerd dat paniekerig gedrag niet alleen aan vrouwen was voorbehouden.

Talsma haalde goedgehumeurd zijn schouders op en lachte met haar mee. 'Jij bent partijdig.'

'Wat doen we?' vroeg Talsma.

Renée had zich langs hun auto gewrongen terwijl Vegter belde om de bok te laten ophalen, stak haar hand op en reed weg. Ze had niets gezegd, maar Vegter wist bijna zeker dat ze er zou zijn als hij thuiskwam. Hij besloot dat dat niet al te laat zou zijn en gebaarde naar het huisje verderop. 'We gaan daar een praatje maken.'

Ze liepen het strak betegelde tuinpad op en belden aan. De deur ging zo snel open dat Vegter de man die in de deuropening stond ervan verdacht al in het halletje te hebben gewacht.

'Heren?' Een stevige vent van begin dertig met blozende wangen. Helblond, kortgeknipt haar. Uit de kamer achter hem klonk babygehuil.

'Recherche.' Vegter tastte in zijn binnenzak, en de man bekeek zijn kaart nauwlettend voor hij zijn hand uitstak. 'Hans Dillen.'

In een vriendelijke kleine kamer was een jonge vrouw bezig op de eettafel een baby te verschonen. Vegter keek met meer interesse naar de maaiende armpjes en beentjes dan hij een jaar geleden zou hebben gedaan. In verbaasde herinnering constateerde hij hoe klein het lichaampje was, hoe miniem de vingers en teentjes.

'Ik geef u zo meteen een hand,' zei de vrouw. Ze was weinig meer dan een meisje, en even blond als haar man. Haar gezicht was rood van inspanning terwijl ze worstelde met de luier.

'We hebben geen haast,' zei Vegter vriendelijk.

'Maand of twee?' vroeg Talsma geroutineerd.

'Negen weken.' Hans Dillen gebaarde naar de zithoek. 'Neemt u plaats.'

Er brandde een vuur in de open haard, de fauteuils waren oud maar comfortabel, en ze pasten niet bij elkaar. Ook deze vloer was betegeld, maar onder de salontafel lag een dik wollen kleed. In een hoek stond naast een uitgeklapt campingbedje een geopende koffer vol met babyspullen.

'We zijn hier pas een paar uur,' zei de vader verontschuldigend.

'U komt hier regelmatig?'

'Een paar keer per jaar. Het huis is van mijn ouders, maar zij maken er niet vaak gebruik meer van. Wij vinden het prettig om hier met kerst en oud en nieuw te zijn. Zeker nu.' Hij knikte naar de tafel, waar de baby inmiddels was voorzien van een mini-joggingbroek. 'Nu zij er is, leek het ons een goed idee om het oudejaarsvuurwerk te ontlopen.'

'Kent u uw buren?'

'Natuurlijk. Zij het niet heel goed. Behalve dan de mensen direct naast ons. Wat is er aan de hand?'

De jonge vrouw kwam bij hen zitten terwijl Vegter het uitlegde. Met een volstrekt natuurlijk gebaar ritste ze haar fleece vest open en legde de baby aan, die onmiddellijk het klaaglijk gemekker staakte en gulzig begon te drinken.

'Richard vermoord?' Hans Dillen verschoot van kleur. 'Godallemachtig. Richard. Wie… Ja, dat weet u natuurlijk nog niet, anders was u hier niet. Wat absurd. Toch, Mirjam?'

'Ja, natuurlijk. Wat een afschuwelijk idee. Wie zou nu…' Ze haalde diep adem. 'Ik weet niet wat ik moet zeggen. Het is hier altijd zo heerlijk. En nu opeens voelt het alsof…' Ze legde in een reflex haar hand beschermend op het hoofdje.

'Wat wij van u willen weten is welke personen u het huis hebt zien bewonen,' zei Vegter. 'En dan over een langere periode, zeg een jaar of vier, vijf.'

'We kennen de Verkallens natuurlijk,' zei de man. 'Ik kom hier al vanaf mijn jeugd. De oude Verkallen en zijn vrouw heb ik al een paar jaar niet meer gezien. Mijn ouders hebben weleens een borrel bij hen gedronken. U weet hoe dat gaat. Hun zoons waren voor mij te oud om mee op te trekken, en de zoon van Peter was te jong. Ik denk dat hij begin twintig is. Richard heb ik hier gezien met zijn vrouw, en een paar maal met hun zoon. Daarna zag ik hem een keer met een blonde vrouw. Dat moet jij ook nog weten,' zei hij tegen zijn vrouw. 'We hebben het er nog over gehad, of hij misschien gescheiden was en een nieuwe vriendin had. Er was iets met het kind. Jij kunt dit beter uitleggen, Mirjam.'

Ze knikte. 'Vorig jaar was Richard hier met een andere vrouw. Ik geloof in de meivakantie. Wij zitten allebei in het onderwijs,' zei ze ter verklaring. 'Hoe dan ook, Richard was hier met die blonde dame, maar ze bleven maar een paar dagen, en ze kwamen nauwelijks buiten. Ik heb me afgevraagd...' Ze dacht even na. 'Misschien moet ik het anders zeggen. Hans en ik kennen elkaar al vanaf de middelbare school, dus ik ben hier ook dikwijls geweest. In het begin als logee bij zijn ouders. In die tijd was het zoontje van Richard nog een baby, maar je kon zien dat er iets niet in orde was.'

'En horen,' zei haar man.

'En horen.' Ze lachte. 'Hij huilde veel. En hard. En eigenlijk voortdurend. Mijn schoonvader heeft weleens overwogen er iets van te zeggen, maar hij zag ook wel in dat dat eigenlijk niet kon. Later hoorden we wat er allemaal mis was. Een merkwaardige combinatie, doofheid en autisme. Zover ik weet komt dat maar zelden voor. Richards vrouw... Ik ben haar naam vergeten.'

'Asli,' zei Vegter.

'O ja. Ze had de gewoonte hem in de tuin op een deken te leggen, en later speelde hij daarop. Of eigenlijk speelde hij niet. Hij huilde alleen maar. Of hij schreeuwde.'

'En zij zat ernaast,' zei haar man.

'Ja. Maar Richard nooit.' Ze keek omlaag naar haar dochter.

'Hij liep rondjes. Weet je dat niet meer?'

'Verdomd.' Dillen keek ook naar de baby, die volmaakt tevreden dronk. 'Ik kon me daar wel iets bij voorstellen. Hij zal er gek van geworden zijn. Wij werden dat ook.'

'Jawel, maar het was ook zíjn kind,' repliceerde ze.

Vegter herkende het ongeduld in haar stem. Hetzelfde ongeduld dat Stef had getoond wanneer hij zich niet consequent van zijn verschonings- en voedingstaken had gekweten, omdat hij moe was of er domweg geen zin in had. Het was ongeduld met een zweem van teleurstelling.

'Ik had bewondering voor haar.' De jonge vrouw legde het kind zo snel aan de andere borst dat het geen tijd kreeg om te protesteren. 'Ze was zo rustig en stil, altijd op de achtergrond.'

'Mijn vader heeft eens een gesprek met hem gehad,' zei Dillen nadenkend. 'Hij mocht Richard graag, meer dan Peter.'

'Wat zei hij?'

'Dat probeer ik me te herinneren. Het kwam erop neer dat hij zich er niet bij neer kon leggen dat juist hem zoiets moest overkomen. Terwijl hij zich ook schuldig voelde dat hij de jongen zo slecht verdroeg. Hij kon nauwelijks contact met hem maken.'

'Dat klinkt als een vertrouwelijk gesprek.'

'Ja, maar zover ik weet bleef het bij die ene keer. Mijn vader maakte 's avonds nog graag een ommetje voor het naar bed gaan, en Richard stond in hun tuin met een borrel.' Dillen ging rechtop zitten, levendig nu. 'Mijn vader zei dat hij behoorlijk met zichzelf in de knoop leek te zitten. Ik weet nog dat we er later die avond over hebben zitten filosoferen. Ik was toen al bezig met mijn lerarenopleiding, en een kind met een dergelijke afwijking intrigeerde me.'

'Wanneer hebt u hen als gezin voor het laatst hier gezien?'

Het bleef een tijdje stil.

'Ik geloof wel vier of vijf jaar geleden,' zei de jonge vrouw ten slotte aarzelend. 'Wat denk jij, Hans?'

'Zoiets.'

'Hoe oud was hun zoon toen?' vroeg Talsma.

'Een jaar of acht, negen,' zei Dillen. 'Richard voetbalde met hem in de tuin. Nou ja, voetballen, ze schopten de bal heen en weer. Het had iets pijnlijks als je ernaar keek. Je wilt het niet zien, maar je ziet het toch.' Hij wendde zich tot zijn vrouw. 'Het was die zomer dat jij ziek werd. Weet je nog?'

Ze knikte. 'Ik heb een week in bed gelegen met een ernstige voedselvergiftiging. Bedorven ijs. En toen ik weer beter was, waren zij al weg.'

'Wat was uw indruk van de familie als geheel?'

'Ik heb ze niet meer met zijn allen gezien sinds misschien wel vijftien jaar geleden,' zei Hans Dillen. 'Daarvóór vroegen wij ons soms af waar iedereen sliep. De oude Verkallens, Peter met zijn gezin, en Richard met zijn vrouw. Ik herinner me dat we grapjes maakten over stapelbedden.'

'Weet u iets van hun relatie met de andere buren?'

Dillen haalde zijn schouders op. 'Zover ik weet is iedereen met elkaar on speaking terms. Meer kan ik er eigenlijk niet over zeggen. Je zag elkaar, of je zag elkaar niet. Het eerste huis is jarenlang bijna permanent bewoond geweest, maar sinds de oude mevrouw is gestorven, wordt het volgens mij niet meer gebruikt. Het hele rijtje is een beetje in verval. Te dicht bij de stad, al hebben we natuurlijk nog wel de ruimte. Maar de gemeente zal uiteindelijk besluiten te onteigenen. Er zijn andere plannen, heb ik begrepen. Mijn ouders hebben geprobeerd dit huisje te verkopen omdat ze geen zin meer hebben in het onderhoud. Maar niemand trapte erin, want permanente bewoning is niet toegestaan. De huizen zijn intussen een beetje relikwieën van een voorbije tijd. En als recreatiegebied is het niet geliefd. En eigenlijk ook te klein.' Hij zuchtte. 'Ooit zal het wel een bedrijventerrein worden. De toegangsweg ligt er.'

Vegter legde zijn kaartje op tafel en stond op. 'Mocht u iets opvallen gedurende uw verblijf, laat u het ons dan alstublieft weten.'

'Zijn we hier nou iets mee opgeschoten?' vroeg Talsma.

'Nauwelijks,' zei Vegter. 'Maar dat konden we tevoren niet weten. We verlossen Brink en pakken Van Son op. Ze is intussen weer thuis.' Het was wat hij onmiddellijk had moeten doen. Wat had hem bezield het uit te stellen? Waar was hij naar op zoek? Niet dikwijls deed zich een zaak voor waarin de lijnen één kant op wezen. Hij zou er blij mee moeten zijn. Met een beetje geluk waren ze nog vóór Kerstmis rond, en misschien lag er daarna zelfs een korte vakantie voor hem in het verschiet. Mits niet een of andere idioot het nodig vond om op oudejaarsavond met zijn dronken kop zijn gram te halen op een buurman of rivaal.

'Ze zag er goed uit,' zei Talsma tevreden.

Vegter was gewend aan Talsma's gedachtesprongen en hij begreep dat diens tevredenheid niet Gemma van Son maar Renée betrof. Hij knikte instemmend. 'Het gaat goed. Ze is er morgen weer, ik ga het straks regelen.'

'Willen we haar niet alvast bij het verhoor van Van Son?' vroeg Talsma sluw.

Vegter dacht na. 'Nee. Ze zou de softe factor zijn. Nog even niet.'

Talsma zette zijn raampje op een kier en rolde met één hand een shagje. 'Dit moet u me even gunnen, Vegter.'

'Hoe gaat het nu, thuis?'

'Z'n gangetje. Af en toe denk ik: ik trek de stekker eruit. Bij ons allebei. Spaart een hoop gedonder. Maar Akke zegt dat we dan voordringen, in de hemel.'

'Ik dacht dat jullie daar niet in geloofden.'

'Doen we ook niet. Maar ik snap de redenering. Bovendien zijn er de dochters. En zo'n uurtje als dit.' Talsma liet het stuur los om met beide handen zijn zakken te kunnen afkloppen op zoek naar zijn aansteker. In de papperige sneeuw maakte de auto een schuiver, en hij corrigeerde net op tijd. Ongeschokt hield hij de aansteker bij zijn sigaret. 'Het zal het waarom zijn waardoor dit vak blijft boeien. En de collega's.'

Vegter accepteerde het compliment zonder commentaar, wetend dat dat niet op prijs zou worden gesteld.

Brink zat hen humeurig op te wachten, maar klaarde op na de mededeling dat hij weg mocht. 'Ze is anderhalf uur bij Verkallen binnen geweest. Dikke omhelzing op de stoep.'

Bij het wegrijden ontweek hij op het nippertje een jonge vrouw die moeizaam een buggy door de sneeuw duwde. In de buggy zat een kind dat zo dik was ingepakt dat Vegter zich afvroeg of men een kersttripje naar de Zuidpool had gepland en nu alvast de outfit testte.

Talsma hield de deur open voor moeder en kind en werd daarvoor beloond met een verbaasde blik. In tegenstelling tot de peuter was de moeder luchtig gekleed; een jackje met nepbontkraag, ultrakort spijkerrokje en zwarte legging. Ze was niet ouder dan twintig, en in de legging tekenden zich schitterende benen af, wat Vegter herinnerde aan Ingrid, die in haar tienerjaren naar disco's ging in wat hij eens had betiteld als badkleding. Dat had hem tranen van Ingrid en een schrobbering van Stef opgeleverd. 'Het gaat over, Paul. Heb een beetje geduld. Je moet haar haar vergissingen gunnen.'

Het was geen kwestie van gunnen geweest, dacht hij nadat de benen de lift hadden verlaten op de vierde etage. Het was primitieve jaloezie. Wildvreemde puisterige knullen werd de kans gegeven zich een in zijn ogen fout oordeel over zijn dochter aan te matigen en daarnaar te handelen, al had hij gebeden dat zoiets niet zou gebeuren. Het was ook amper gebeurd, al koesterde hij nog altijd wraakgevoelens ten opzichte van de knaap die Ingrid een avond lang in volle wapenuitrusting had laten wachten en ten slotte, toen ze alle hoop al had laten varen, had aangebeld met de nonchalante vraag of ze toevallig zin had mee te gaan naar een strandfeest. Voor de deur stond een auto met draaiende motor, raampjes open opdat de dreunende beat de hele straat kon bestrijken.

Stef had gezwegen, hem met haar blik gewaarschuwd hetzelfde te doen. Nog steeds was hij ervan overtuigd dat Ingrids weigering een keerpunt was geweest. Ze kwam terug uit de hal, keek naar hun zorgvuldig neutrale gezichten, liet zich op de bank vallen, pakte de afstandsbediening en zei: 'Wat een lul.'

Waarschijnlijk moest hij blij zijn met Thom, dacht hij terwijl de lift stopte op de zesde etage. Sterker nog, hij *was* blij met Thom.

16

Ze moest naar buiten, ze hield het binnen niet langer uit. De kou in, waaraan ze een hekel had, maar alles was beter dan tussen vier witte muren zitten die als op een scherm steeds dezelfde gedachte leken te projecteren: wat kon papa Verkallen Keja en haar aandoen?

Bluffen en dreigen waren de bouwstenen van zijn kleine imperium. Ze had geen idee hoe ver zijn invloed nog reikte, ze kende zijn netwerk niet, had zijn verhalen daarover niet serieus willen nemen, wat te maken had met haar antipathie. Vanaf het begin had ze hem instinctief gewantrouwd, niet alleen omdat de antipathie wederzijds was, maar omdat ze voelde dat hij haar kwaad zou doen als hij de kans kreeg. Ze realiseerde zich hoe krankzinnig het was bang te zijn voor je schoonvader, een oude man ook nog, maar het had geen zin daarover na te denken. Het was zoals het was.

Naar buiten. Weg uit dit huis. Maar waarnaartoe? Keja moest mee. En hij moest de bestemming weten, omdat hij anders niet zou willen – hij haatte verrassingen. Elke inbreuk op het vaste stramien moest worden aangekondigd, zodat hij eraan kon wennen.

Boodschappen. Het brood was bijna op, het fruit was bijna op. Maar Keja hield niet van de supermarkt, en ze kon nu niet het geduld opbrengen hem te overreden. Van winkelen hield hij ook niet; de grote warenhuizen waren te onrustig. Te veel mensen, kleuren, beweging. Sinds lang kocht ze zijn kleren met hem in kleine speciaalzaken met geduldig personeel.

De bioscoop dan? De middagvoorstelling zou vast niet druk zijn, en misschien draaide er ergens een kinderfilm, een tekenfilm desnoods. Keja zou het verhaal maar gedeeltelijk begrijpen, maar hij hield van het donker, en hij hield vooral van het binnenkomen in de zaal, van de ordelijke rijen lege stoelen. Ze zouden lopend gaan, het was een wandeling van minstens een halfuur. Ze zou het koud krijgen, maar in de bioscoop weer warm worden. Misschien zou ze zelfs even kunnen slapen; vroeger viel ze altijd in slaap in de bioscoop.

Bij haar binnenkomst sloeg Keja zijn schetsblok dicht en legde het in een lade van zijn bureau. Op zijn computerscherm zag ze zijn lievelingsspel. Tetris. Hij beheerste het sinds hij vijf was, en nog altijd boeide het hem mateloos. Binnen de kortste keren bereikte hij het hoogste level en begon opnieuw. Moeiteloos speelde hij het uren achtereen, en in de tijd dat Richard en zij nog gesprekken hadden gevoerd over hun zoon, hadden ze getracht te doorgronden waarom juist dit spel zoveel aantrekkingskracht op hem had. Was het de monotonie? De onverbiddelijkheid waarmee de steentjes vielen? De geruststellende logica?

Ze ging naast hem staan en wachtte tot hij in haar richting keek.

Ga je mee uit?

Hij schudde nee.

Ze pakte de doos met kaartjes, hield hem het plaatje voor dat een scherm toonde met twee mensfiguurtjes, en daarna dat met de hamburger. Eerst naar de film, dan naar McDonald's. Hij weifelde even, maar knikte toen, en verlicht liep ze naar beneden terwijl hij zijn computer afsloot.

De plaatjes waren een godsgeschenk. Ze gebruikten ze al negen jaar, en in die tijd was het aantal gestaag gegroeid. Richard was op het idee gekomen nadat Keja eens in een prentenboek een appel had aangewezen, natuurgetrouw getekend, en daarna naar de fruitschaal was gelopen en een soortgelijke appel had gepakt. Avonden lang hadden ze gediscussieerd over de juiste aanpak. Hoe een systeem op te bouwen? Kon een vraag worden verbeeld, een antwoord, een gebod of een verbod? Uiteindelijk waren ze gewoon begonnen, met als leidraad de problemen die zich dagelijks voordeden. Richard had schetsen gemaakt en die uitgewerkt in kleur. Waarheidsgetrouwe afbeeldingen wanneer dat kon, pictogrammen wanneer dat nodig was, allemaal op stevige witte correspondentiekaarten die hij geduldig stuk voor stuk had geplastificeerd. Dat had hij wél voor zijn zoon gedaan, al had hij eens bitter opgemerkt dat hun contact niet groter was dan wat paste in een schoenendoos. Nu was die doos zijn nalatenschap.

Pas toen Keja naar school ging, hadden ze begrepen dat ze het wiel opnieuw hadden uitgevonden – ook de school maakte gebruik van een pictogrammensysteem, veel uitgebreider dan wat zijzelf hanteerden. Toch waren ze hun eigen systeem altijd blijven gebruiken, omdat Keja nu eenmaal nauwelijks aan veranderingen kon wennen, en tussen thuis en school bestond een scheidslijn die hij niet wenste te overbruggen. Bovendien had het goed gefunctioneerd, en dat deed het nog steeds. Opeens besefte ze dat het niet meer zou worden uitgebreid. Kon ze Keja maar duidelijk maken wat de bedoeling was. In sommige gevallen zou hij zelf een afbeelding kunnen maken. In zijn kast lag een stapel schetsboeken, elke tekening een bewijs van zijn fabelachtige geheugen. Voor het eerst had hij daarvan blijk gegeven na een bezoek aan een kasteel tijdens een vakantie in Frankrijk. Ze hadden gehoopt hem een plezier te doen, en het had goed uitgepakt. Zo goed dat hij een woedeaanval had gekregen toen ze hem duidelijk maakten dat het tijd was om terug naar hun hotel te gaan.

Een week later vond ze op zijn bureautje een potloodtekening van het kasteel, en hoewel het perspectief gebrekkig was, klopte de tekening tot in detail. Ze hadden die vergeleken met de foto's die Richard had gemaakt. Geen toren, geen venster, geen kanteel was Keja vergeten. Haar had dit talent hoop gegeven, maar Richard had gelachen. 'Maak je geen illusies, met natekenen kom je er niet.'

In de hal trok Keja zijn jack aan en wachtte tot zij een sjaal had gevonden, een muts opgezet, handschoenen aangetrokken, haar laarzen dichtgeritst. Altijd had hij een sjaal geweigerd, een muts driftig van zijn hoofd getrokken. Hij scheen het nooit koud te hebben, wat dat betreft was hij als elke andere jongen. Hij wees naar haar autosleutel, maar ze schudde haar hoofd. Lopen.

Hij haalde zijn schouders op, en opgelucht vanwege zijn meegaandheid opende ze de voordeur. Langs het trottoir stonden twee auto's geparkeerd. Van beide ging een portier open toen ze achter Keja het tuinpad afliep, en uit de ene auto stapte een man die een camera op hen richtte, uit de andere een jonge vrouw die glimlachend op hen af kwam.

Asli bleef staan. Wat betekende dit? Wat wilden deze mensen?

'Mevrouw Verkallen?' De jonge vrouw droeg een gewatteerde jas en een strakke spijkerbroek die ze in kniehoge laarzen had gestopt. 'Ik zou u graag een paar vragen stellen naar aanleiding van het artikel in onze krant over de vermissing van uw man.'

O god, dit waren journalisten. Ze keek naar de fotograaf, die onverstoorbaar zijn werk deed. Een lange magere man in een zwartleren jack. Dunne plukjes haar kleefden als donsveertjes aan zijn bleke schedel.

'Nee!' Waarom had ze hier niet aan gedacht? Waarom had ze niet uit het raam gekeken voor ze besloot naar buiten te gaan? 'Wat doet u hier? Ga weg!'

'Wij begrijpen dat dit moeilijk voor u is,' zei de jonge vrouw geruststellend. 'Uw schoonvader gaf aan dat u zelf misschien liever geen publiciteit wilde, maar…'

'Nee!' Asli pakte Keja bij zijn arm. Hij rukte zich onmiddellijk los en begon achteruit te lopen, weg van de mensen die zijn moeder klaarblijkelijk angst inboezemden.

'Gaat u alstublieft weg!' Ze draaide zich om, pakte Keja's hand, sleurde hem mee.

De jonge vrouw volgde hen op de hielen. 'Mevrouw Verkallen, inmiddels is uw man gevonden, en wij begrijpen wat een verschrikkelijke ervaring dit voor u moet zijn, maar juist daarom denken we dat wij u zouden kunnen helpen.'

Keja had zich opnieuw losgetrokken en rende het pad af, struikelend in de rulle sneeuw, de armen wijd gespreid. Hij wierp zich tegen de voordeur, en Asli schoof hem opzij, liet haar sleutels vallen, grabbelde ze van de rubberen mat, probeerde de voordeursleutel in het slot te steken.

'Mevrouw Verkallen…'

De deur ging open en Keja wrong zich langs haar heen en schoot naar binnen. Zijn voeten roffelden op de trap. Hij zou de rest van de dag ineengedoken op zijn bed zitten, met fladderende handen. Hij zou weigeren te eten. Hij zou pas morgen weer zijn gekalmeerd, al betekende dat niet dat hij aanspreekbaar zou zijn.

'Mevrouw Verkallen…'

In blinde drift draaide ze zich om. 'Ik wil niet met u praten! Ga weg of ik bel de politie.'

De zwaar opgemaakte ogen verkilden. 'Dat lijkt me niet verstandig.'

Asli gooide de deur dicht, leunde ertegenaan, buiten adem. De sjaal benauwde haar, ze trok hem van haar hals en luisterde. Nauwelijks waarneembaar klonk het geluid van knisperende voetstappen. Een portier sloeg dicht, een motor werd gestart.

Ze bleef luisteren. Twee auto's trokken op, traag vanwege de sneeuw. Daarna werd het stil.

Ze ritste haar jack open, trok het uit, hing het terug in de kast, vouwde haar sjaal op, trok de muts van haar hoofd, zette haar laarzen op de mat.

Was dit de macht van papa Verkallen? Maar toen hij zijn journalistenvrienden inschakelde had hij nog niet geweten dat Richard dood was. Ze overdreef, ze liet zich leiden door haar paniek, en nu had ze door haar reactie Keja van streek gemaakt.

Tegen beter weten in ging ze naar boven.

Keja zat op zijn bed met zijn jack nog aan, zijn vingers speelden toonladders in de lucht. Ze hurkte voor hem, maakte kalmerende gebaren, maar zijn ogen schoten van links naar rechts om haar blik te vermijden.

Ze raakte hem niet aan, probeerde alleen hem zijn jack te laten uittrekken, maar hij wilde haar niet begrijpen, en ten slotte liep ze naar beneden, maakte twee bekers thee, bracht hem de zijne, zette die op de vloer binnen zijn gezichtsveld. De beker zou hij leegdrinken zodra ze weg was, zoals een zwerfkat pas op het hem aangeboden eten aanvalt als hij zich veilig weet.

In de keuken ging ze voor het raam staan, de hete beker in de kom van haar handen. Traag dronk ze de thee, met kleine slokjes. In de stille, witte tuin hing een koolmees ondersteboven aan het snoer pinda's dat ze aan een tak van de magnolia had bevestigd. De magnolia die barstensvol met knoppen zat, veilig verscholen in hun fluwelen, zilverige omhulsel. De magnolia vertrouwde erop dat het ooit weer lente werd, en tot zolang wachtte hij geduldig, terwijl hij zichzelf beschermde.

Dat zou zij ook moeten doen; in haar eigen beschutte cocon blijven tot de storm was geluwd. Maar hoe lang zou dat duren? Morgen zouden er foto's in de krant staan, begeleid door een hijgerig artikel. De lezers zouden ervan smullen, het zou andere journalisten aanmoedigen haar ook lastig te vallen. En dit huis was geen veilige plaats, integendeel, al jaren was het een gevangenis. Dat zou het blijven, ook al was er geen cipier meer om haar het ontsnappen te beletten.

Ze legde haar voorhoofd tegen het koude glas, en de koolmees vloog op, gealarmeerd door haar beweging. De perswolven zouden blijven rondsluipen, hongerig naar brokjes nieuws.

Misschien kon ze toch weg. Een ticket kopen, twee tickets. Het was minder dan zevenduizend kilometer, binnen een etmaal kon ze thuis zijn. 's Nachts vertrekken, als er geen fotografen en blonde journalistes op wacht zouden staan. De Verkallens zouden Richard kunnen begraven zoals zij dat wensten, omringd door hun familieleden, die hun wantrouwen van destijds bevestigd zouden zien als papa Verkallen hun van zijn verdenkingen had verteld. Zij wilde er niet bij zijn. Ze wilde alles achter zich laten. Nooit meer Peter hoeven zien, niet zijn handen voelen die langs haar rug naar beneden gleden tot op haar billen wanneer hij haar quasi hartelijk begroette, terwijl hij haar zodanig draaide dat zijn vrouw die handen niet zag. Nooit meer Marjo hoeven zien, die de handen wel degelijk zag, en het háár kwalijk nam. Geen mama Verkallen meer met haar slecht getimede moederlijkheid. 'Heeft Keja wel genoeg vriendjes, kind? Misschien moet je die eens uitnodigen. Een jongen heeft vriendjes nodig.' Ze had ze uitgenodigd, de klasgenootjes met wie Keja geen vriendjes werd omdat hij niet begreep hoe dat moest. En ze waren gekomen, elk afgeleverd door zijn nerveuze moeder, die een lawine van bezorgde instructies over haar uitstortte, omdat iedere jongen zijn eigen gebruiksaanwijzing had. Waarna Keja niet met, maar naast de vriendjes speelde.

Nooit meer papa Verkallen. Nooit meer papa Verkallen! Geen smalende lachjes aan tafel, wanneer ze haar best had gedaan op het eten. Een stevige soep, aardappelen, groente, een mooi stuk vlees. In het begin had ze zich vergist, gedacht een brug te slaan door te koken zoals dat in haar eigen land gebruikelijk was – zo overvloedig mogelijk, om de gasten duidelijk te maken hoe welkom ze waren. Dus ging ze op zoek naar sorghum, stroopte de markt af om de juiste kruiden te vinden, ze maakte *malawa* en *sambusa's*, kocht geen gepelde rijst maar de rijke, geurige soorten die een hoofdbestanddeel van de maaltijd vormden, in plaats van een smaakloze ondergrond. Maar papa had laten blijken meer waardering te hebben voor het Chinese restaurant bij hen in de buurt, waar alle sauzen naar maizena smaakten.

Ze zette de beker op het aanrecht. De gootsteen was vuil, in het roostertje hadden zich de resten van de soep verzameld. En nog steeds had ze de vaatwasser niet uitgeruimd. De afwas stapelde zich op nu Richard er niet meer was om haar te straffen wanneer de keuken niet smetteloos was.

Ze wilde naar huis. Al die jaren was er het heimwee geweest, maar nooit zo ziekmakend sterk als nu. Ze wilde naar huis, waar niets veranderd zou zijn; de armoede niet, de honger niet, de onveiligheid niet. Het deed er niet toe, ze zou alles voor lief nemen. Het was thuis.

Ze steunde haar armen op het aanrecht, legde haar hoofd erop. Wat maakte ze zichzelf wijs? Het was onmogelijk, omdat het op een vlucht zou lijken. Ze zou verdenking op zich laden, en ook in Somalië, zelfs in Somalië, zou de politie haar weten te vinden. Maar bovenal kon het niet omdat ze thuis zou komen zoals ze was weggegaan; berooid.

17

Uit alles bleek dat Gemma van Son al had gehoord van Verkallens dood – haar papierwitte gezicht, de ijzeren zelfbeheersing toen Vegter haar op de hoogte stelde. Ze protesteerde niet tegen zijn zorgvuldig geformuleerde verzoek tot een 'nader gesprek'. Hij had rekening gehouden met een emotionele uitbarsting, maar ze luisterde zwijgend, pakte haar sleutels, trok haar jas aan en deed de deur achter zich op slot. In feite kon er maar één reden voor zijn: ze had hun bezoek verwacht en zich daarop voorbereid. Ze moest hebben begrepen dat ze boven aan de lijst stond. Het spel kon beginnen, alle partijen hadden zich aangegord.

Ze liepen de galerij af, Talsma voorop. Gemma's hakken tikten fel op het beton, bij de lift raakte haar schouder de zijne toen Vegter opzij stapte om haar voor te laten gaan, en hij bedacht dat het een vorm van beroepsdeformatie was dat ze haar tussen hen in hielden; er was geen enkele aanleiding toe. Op weg naar beneden staarde ze naar de bekraste wand, de handen in de zakken van haar grijze jas. In tegenstelling tot de vorige keer had ze haar ogen zorgvuldig opgemaakt – een ingewikkeld spel van lijnen en schaduwen. De zwarte mascara stak te nadrukkelijk af tegen het witte gezicht, maar de make-up leek haar het zelfvertrouwen te geven waaraan het haar had ontbroken. De naïeve blik was verdwenen. Wat bleef was de weifelende mond, die hem de hoop gaf dat het allemaal niet te lang zou duren.

De hele rit naar het bureau volhardde ze in haar zwijgen, het hoofd van hem afgewend, en hij besloot tot een verhoorkamer. Het verschil met zijn eigen kale kamer was niet heel groot, maar de verhoorkamers lagen in het hart van het gebouw; geen raam met uitzicht op de buitenwereld.

Op weg naar binnen gleed ze uit op de platgetrapte sneeuw, en Vegter greep haar arm om haar voor vallen te behoeden. Ze rukte zich onmiddellijk los en probeerde de afstand tussen hen te vergroten.

Hoewel de lucht in de kamer onaangenaam warm en droog was, weigerde ze haar jas uit te trekken, en toen ze eenmaal zat, had ze nog altijd haar sleutels in haar hand, omklemde ze met zoveel kracht dat haar knokkels wit waren.

Die sleutels betekenden thuis, dacht Vegter, terwijl hij rustig wachtte tot Talsma het opnameapparaat had ingeschakeld en de formaliteiten afgehandeld.

'Mevrouw Van Son,' zei hij. 'Ik zou willen beginnen met uw verklaring dat u een relatie had met Richard Verkallen. Tijdens ons eerste gesprek bij u thuis ontkende u dat daarvan sprake was, maar inmiddels is anders gebleken.'

Ze knikte nauwelijks merkbaar.

'Geeft u antwoord.'

'Ja.'

'Wanneer is die begonnen?'

Ze hoefde niet na te denken. 'Bijna vier jaar geleden.'

'Wat was de aanleiding?'

'Wat bedoelt u?'

'Vroeg Verkallen u mee uit? Maakte hij avances?'

'Het was een personeelsfeestje. Ik had wat te veel gedronken, en hij ook.'

'En toen?'

Ze bewoog een schouder. 'Opeens stonden we te zoenen. En hij bracht me thuis.'

'Zijn vrouw was niet op dat feest aanwezig?' vroeg Vegter.

'Nee.'

'Kent u zijn vrouw?'

'Nee.'

'U werkt al vijf jaar bij Verkallen, maar u hebt zijn vrouw nog nooit ontmoet?'

'Nee. Ze gaat nooit ergens naartoe.'

'Waarom niet?'

'Dat weet ik niet.'

'Ik vind dat moeilijk te geloven,' zei Vegter. 'U zult met Richard Verkallen over zijn vrouw hebben gesproken.'

'Nee.'

'Niet? Nooit?'

Ze antwoordde niet.

Vegter liet de stilte voortduren. Het hoefde niet lang; haar blik, die ze op de tafel gevestigd had gehouden, zwierf nu door de kamer, langs de vaalgroene muren, de tikkende radiator, de archiefkast in de hoek.

'Waarom wilt u dat weten? Wat doet het ertoe?'

'U had vier jaar een relatie met een getrouwde man,' zei Vegter. 'U hoopte dat hij zou scheiden.'

Ze reageerde niet.

'Was u niet meer dan een prettig tijdverdrijf?'

Ze zweeg.

'Een speeltje voor de losse uurtjes,' constateerde Talsma.

'Nee!' zei ze fel.

'Het lijkt er anders wel op,' zei Talsma. 'Altijd thuis zitten wachten tot hij een keertje tijd voor u had. Wat is dat voor leven voor een jonge meid?'

'Zo was het niet!'

'Hoe was het dan wel?' vroeg Vegter.

'Anders.' Het was amper verstaanbaar.

'Hoe anders?'

'We deden alles samen. Alles!' Er lag iets fanatieks in haar ogen toen ze hen eindelijk aankeek. 'We hadden korte vakanties, en ik ging mee met de rally's, ik kom bij Peter thuis. Peter en Marjo hebben me volkomen geaccepteerd. Ik hoor bij de familie. *Ik* was Richards vrouw, niet die…'

'Niet die?'

Ze liet haar sleutels vallen. Met opzet, zag hij. Ze boog zich voorover om ze op te rapen, en daarna had ze zich voldoende hersteld om te beseffen dat ze beter kon zwijgen.

'U hoort bij de familie, zegt u,' zei Vegter. 'Vinden Richards ouders dat ook?'

Ze schudde haar hoofd.

'Geeft u antwoord.'

'Nee.'

'Zij wisten niets van uw verhouding?'

'Nee.'

'Waarom niet?'

'Ze zijn daar ouderwets in.'

'Zei Richard dat?'

'Ja.'

'Ze houden kennelijk van hun schoondochter,' zei Vegter effen.

Gemma van Son begon te lachen. Schril, te hoog. Het geluid echode in de lege kamer – een resonans van de opvattingen van de familie Verkallen.

Vegter deed wat hij zelden deed tijdens een verhoor; hij liet zich leiden door zijn opvlammende antipathie. 'Uit de contacten tussen u en Richard is gebleken dat hij de relatie wilde beëindigen. Met andere woorden: hij wilde van u af.'

De lach stopte abrupt. 'Dat is niet waar!'

Talsma pikte Vegters stemming feilloos op. Hij pakte het bovenste vel van het stapeltje papier dat op tafel lag. 'E-mail van 15 februari van dit jaar, in antwoord op zijn mail dat hij er definitief een punt achter wilde zetten. Ik citeer. "Je kunt dit niet menen, Richard." E-mail van 16 februari van dit jaar, in antwoord op zijn mail dat hij het wel degelijk meende. "Ik zal dit nooit accepteren. Wij horen bij elkaar, dat weet jij even goed als ik."'

Zijn nasale accent met de scherpe medeklinkers gaf de woorden een ridicule lading. Vegter besefte de wreedheid ervan toen hij zag hoe Gemma's gezicht verkruimelde. Lijnen ontstonden naast haar neusvleugels toen haar mond krampachtig vertrok in een poging het huilen te onderdrukken.

'Het zijn maar wat losse voorbeelden, nou?' zei Talsma onverstoorbaar. Hij bladerde even. 'E-mail van 6 juni. "Ik heb alles voor je gedaan. Hoe kun je zeggen dat wij samen geen toekomst hebben? Je bent alleen maar laf. Je durft niet. Terwijl je weet dat je van me houdt." E-mail van 8 september. "Ik zal je nooit opgeven. Nooit!" 12 november. "Peter wil ook niet dat ik ontslag neem. Je kunt me niet dwingen. Jij bent van mij en ik ben van jou. Vergeet dat nooit."'

Gemma's tranen trokken zwarte mascarasporen over haar wangen. Haar neus liep, en ze wreef haar mouw erlangs, zich amper bewust van wat ze deed.

Vegter hief zijn hand, maar Talsma maakte een kappend gebaar. '15 december. Drie mails achter elkaar met dezelfde tekst. "*Love you. Wish you were here.*" Daarop volgde geen reactie van Richard. 16 december. "Drie jaar heb je beloofd te gaan scheiden. Klootzak! Lul! Je kunt me niet negeren. Ik ga naar je ouders. Of anders verzin ik wel iets."' Hij legde de papieren neer en leunde comfortabel naar achteren. 'Wat hebt u verzonnen? Was dat toevallig een moord?'

Ze huilde nu ongecontroleerd, met gierende uithalen.

'U had een afspraak met Richard op de avond waarop hij is omgebracht,' zei Vegter.

Ze schudde woordloos haar hoofd.

'Zeker wel,' zei Talsma. 'Hij heeft niet afgezegd. Niet gebeld, geen sms'je, geen e-mail.' Hij stond op en liep naar haar toe, boog zich naar haar over. 'Geef het nou maar toe, kind. Dan ben je ervanaf, hè? Dan is het voorbij.'

Ze schudde nee.

'Jawel,' zei Talsma overredend. 'Jullie spraken af in het zomerhuis. Jullie vaste stek. En daar liep het uit de klauw.' Hij hurkte naast haar.

Vegter zat onbeweeglijk. Talsma kon dit, hij niet. Talsma was een acteur zonder podium. Ondanks zijn ogenschijnlijke onhandigheid gleed hij moeiteloos in de rol waarvan hij geloofde dat die succes zou opleveren.

'Hij gaf niet toe,' zei Talsma, 'en jij wist het niet meer. Je zag er geen gat meer in. Een mooie jonge meid als jij, die haar beste jaren geeft aan een getrouwde vent. Je voelde je in de steek gelaten. Belazerd. Hij koos voor een negerin, en voor die zoon van hem. Een zoon met wie hij niks kon. Dat wou je hem laten inzien.'

Ze maakte een geluidje, klaaglijk als een jonge kat.

Talsma negeerde het. 'Maar hij luisterde niet,' zei hij zachtjes. 'Die lul luisterde niet. En jij begreep het niet meer. Je kreeg stank voor dank. Je wilde erbij horen, opgenomen worden in de familie. En wat kreeg je? De kruimels. Alsof je niet méér waard was. Vier jaar lang hield hij je aan het lijntje. Altijd op de achtergrond, altijd in het geniep afspreken. Vluggertjes op de achterbank. Halve nachten bij jou thuis. Een paar dagen in een hotel, een nachtje in dat zomerhuis. En daar altijd de boel netjes achterlaten, alles wegpoetsen. Eigenlijk mocht je niet bestaan. Is het niet zo?'

Ze schudde nee van achter de handen die ze voor haar gezicht had geslagen.

'Nou?' Talsma raakte haar niet aan, zat alleen zo dichtbij als mogelijk was. 'Ik begrijp het wel. Als jij hem niet kon hebben, dan die vrouw van hem ook niet. Fuck die vrouw. Peter heeft ook een hekel aan haar. Zo'n gelukzoekster die zijn broertje inpalmde. Peter houdt van een lekkere, ongecompliceerde Hollandse meid, Peter is al jaren een beetje verkikkerd op je, dat weet je.'

Nee, schudde ze. Nee.

'Jawel,' zei Talsma. 'En gelijk heeft hij. Maar jij viel niet op Peter, je viel op Richard. En je bent niet een of andere halve hoer die uit is op geld. Richard was jouw man, zo zag jij het. Die laatste avond hoopte je hem alsnog te kunnen overtuigen. Hij zou begrijpen dat hij je niet zomaar kon afdanken. En in het zomerhuis konden jullie rustig praten. Samen iets drinken, je zou voor hem koken, alles zou net zo zijn als altijd. Je wist al bijna zeker dat het in orde kwam. Maar hij bleef weigeren, de stommeling, en jij werd kwaad, natuurlijk werd je kwaad, en toen werd het mot, en voor je het wist had je een mes in je hand.'

Haar haren hingen voor haar gezicht, de donkere uitgroei bij de scheiding stak scherp af tegen het blond, strogeel in het vale lamplicht.

'Eigenlijk was het per ongeluk.' Talsma fluisterde nu. 'Je had nooit gedacht dat je het zou kunnen. Maar het gebeurde. Je wou het niet, maar opeens lag hij daar, en hij bloedde, en hij bewoog niet meer, en jij begreep het niet. Je kon het niet gedaan hebben, hoe zou jij dat nou gedaan kunnen hebben? Maar toch was het zo.'

Ze vloog zo plotseling overeind dat hij bijna achteroverviel. Haar stoel kantelde. De papieren dwarrelden als mislukte vouwvliegtuigjes door de kamer toen ze ze van tafel veegde. 'Niet waar! Het is niet waar! Nietwaarnietwaarnietwaar!'

Nog juist kon Talsma de scherpe hak ontwijken toen ze naar hem schopte. Vegter sprong op, sloeg zijn armen om haar heen terwijl Talsma zijn evenwicht trachtte te hervinden. Ze trapte naar achteren, vocht om los te komen, probeerde hem te bijten, en haar massa maakte dat het hem moeite kostte haar in bedwang te houden. Het waren geen spieren die hij voelde, het was zacht vrouwenvlees, ongestuurde kracht. Haar hoofd sloeg tegen het zijne, speekseldruppeltjes raakten zijn wang. Hij draaide haar armen op haar rug, dwong haar voorover, voelde de warmte van de volle billen in zijn kruis toen ze ten slotte meegaf, haar verzet staakte. Willoos hing ze naar voren, zakte door haar knieën, en hij moest zich schrap zetten om haar gewicht te kunnen dragen. Ook het woordloos krijsen verstomde, dat klonk als de biggen die hij in zijn jeugd na afloop van de markt de veewagens in gedreven had zien worden. Schel, radeloos, in blind onbegrip.

'Het is geen partuur, Vegter,' zei Talsma nadat ze was weggeleid. 'Het kind weet niet wat haar overkomt.'

'Er kwam wat toneelspel bij.' Vegter betastte zijn bovenlip waar haar elleboog die pijnlijk had geraakt. 'Maar jij twijfelt? Ik kreeg niet die indruk.'

'Dat zeg ik ook niet. Ze is behoorlijk hysterisch, en wat betreft mannen houdt ze er merkwaardige ideeën op na.' Talsma was ogenschijnlijk onaangedaan, al viel zijn shagje dikker uit dan gewoonlijk. 'Ze is een koorddanser. Weet dat ze er elk moment vanaf kan lazeren. De vraag is: waarom houdt ze het vol?'

'Die broer.' Vegter deed de deur open en duwde Talsma voor zich uit. 'We gaan naar mijn kamer. Ik moet een beetje frisse lucht hebben.'

Talsma zuchtte. 'Die broer is een eersteklas hufter. Aait hier, masseert daar, maar in feite interesseert het hem geen flikker. Ik gok dat hij al vier jaar geniet van het drama. Hij is het type dat vanaf de zijlijn het vuurtje opstookt, zolang hij zelf maar buiten schot blijft.' Hij zweeg even. 'Een emotiehooligan.'

In zijn kamer deed Vegter het raam open nog voor Talsma erom kon vragen. Hij was moe. De dag was allang weer voorbij, de mensen met een normaal beroep zouden thuis zijn, aan tafel zitten, de kinderen naar bed brengen. De auto geparkeerd, de gordijnen dicht, de wereld buitengesloten. Beneden zat in een arrestantencel een jonge vrouw voor wie die wereld al een paar jaar was gekanteld, een baan had gevolgd waarover ze geen controle had. Ze had nog altijd haar jas aan toen ze was weggevoerd, haar huissleutels in haar hand. Ze was als het Turkse jongetje uit Ingrids kleuterklas. Tolgay, kersvers ingevlogen vanuit Turkije.

Stef had hem erover verteld, gezegd dat je hart brak bij de aanblik. Tolgay werd 's ochtends door zijn moeder naar school gebracht en gedag gekust, waarna hij verstijfd van angst op zijn stoeltje zat, de sinaasappel voor het pauzehapje in zijn hand. Hij huilde nooit, maar het had een week geduurd voor hij bereid was zijn muts af te zetten en de sinaasappel op het daarvoor bestemde tafeltje te leggen, en nog een week voor hij aarzelend had toegestaan dat zijn jasje in de gang werd gehangen.

Vannacht sliep Gemma van Son op een harde bank onder een stugge deken, morgenochtend zou ze plassen op een roestvrijstalen toilet. Ze zou het gevoel hebben dat er geen mens was die zich om haar bekommerde. Wat in haar geval nauwelijks bezijden de waarheid was.

Hij wilde naar huis, zijn eigen gordijnen dichttrekken, de kachel aansteken, iets eenvoudigs koken dat lekker zou ruiken, naar muziek luisteren die met zuivere intenties was gecomponeerd. En dat alles het liefst in gezelschap van Renée. Maar Talsma's omschrijving was de moeite waard om op voort te borduren. 'Een emotiehooligan.'

'Die Peter met zijn krokodillentranen heeft zijn broer geen dienst bewezen. En de broer liet het zich allemaal lekker aanleunen. Hing de onbegrepen kunstenaar uit. Dat schaap is er gewoon ingestonken.' Talsma duwde het raam wat verder open.

Vegter ging naast hem staan. Beneden hen flikkerden de kleurige kerstlichtjes in de wind die was opgestoken, achter de beslagen ramen van het eetcafé bewogen zich vage schaduwen. Mensen haastten zich voort door de grauwe, blubberige massa die er van de sneeuw was overgebleven. Hij keek omhoog naar de rozige neonhemel, probeerde te zien of er kans was op meer sneeuw. Opeens had hij daar behoefte aan; een verse sneeuwlaag om al het vuil te bedekken.

'Heeft zich jarenlang laten afschepen met allerlei halve beloften,' zei Talsma. 'Die geilneef van een Peter die er zelf wel zin in had. Die slappeling van een Richard die maar niet kon besluiten. Hoe komt zo'n kind ertoe zich dat allemaal te laten welgevallen? Ze had wel iets beters kunnen krijgen. Zo lelijk is ze nou ook weer niet.'

Vegter lachte. 'Nu denk je alleen in uiterlijkheden. Dat lijkt me wat al te beperkt.'

Talsma hield zijn stinkende benzineaansteker bij zijn sigaret. 'U weet hoe ik het bedoel.'

'Mij lijkt ze onzeker en afhankelijk. Labiel.'

Talsma blies een straal rook naar buiten die langzaam oploste in de koude lucht. 'Mij ook. Wat weten we eigenlijk van haar achtergrond?'

'Brink heeft wat nageplozen, maar ik heb verzuimd je dat te vertellen. Enig kind van oude ouders. De vader trouwde voor de tweede keer toen hij drieënzestig was, de moeder was zesenveertig toen Gemma geboren werd.'

'Heeft ze halfbroers of -zussen?'

'Nee. Ze heeft beide ouders verzorgd tot die stierven, de vader het laatst. Dit is haar eerste baan.'

Talsma siste. 'Dat zegt wel wat. Ik had niet gehoopt dat zulke dochters nog bestonden.'

'Misschien was het minder erg dan wij denken,' zei Vegter. 'De ouders waren niet onbemiddeld, en ze woonden in een streng gelovig dorp. Daar is een dergelijke situatie nog steeds niet ongewoon. Het ontsloeg Gemma van Son ook van het nemen van beslissingen. Een beschut, comfortabel bestaan. Ze bleef kind terwijl ze tegelijkertijd de regie voerde.'

'Maar intussen ging buiten de deur het leven gewoon verder.' Talsma's peukje beschreef een vonkende boog voor het doofde in de sneeuw. 'En toen ze eindelijk in de grote stad belandde, ging ze los. Ik had het mijn dochters niet willen aandoen. Vreemd soort egoisme.'

'Een vreemd soort liefde misschien.'

'Kan.' Talsma had weinig met grote woorden. 'Maar het verklaart in elk geval dat poppenhuis van haar. Het houdt de boze wereld buiten. Of gaan we nu te snel?'

'Jij hield van korte bochten.'

Talsma's ogen verdwenen in het netwerk van rimpeltjes. 'Nou ja, al dat psychologische geouwehoer. Vroeger noemden we dit een geëxalteerde juffrouw, omdat je toen nog gewoon kon zeggen waar het op stond.' Hij zuchtte. 'Maar ja, vroeger maaiden ze het gras met elzen en droogden het in hun broekzak.'

Vegter schudde zijn hoofd, en Talsma lachte mee. 'Wat doen we? Gaan we straks kijken of ze alweer een beetje voor rede vatbaar is?'

'Nee. Morgen wil ik van haar horen waar ze dan wél was, als ze blijft ontkennen in dat zomerhuis te zijn geweest.' Vegter sloot het raam. 'En morgen pakken we het anders aan.' Het was een verkapte waarschuwing, en Talsma zou het als zodanig opvatten. 'Nu wil ik naar huis.'

Hij was op weg naar zijn auto toen Renée belde. 'Hoe laat denk jij vanavond thuis te komen?'

'Ik ben onderweg.'

'Fijn,' zei ze. 'Want ik sta voor je deur, maar ik heb je sleutels niet bij me. Moet een freudiaanse vergissing zijn.'

18

Keja wilde niet eten. Zelfs de beker thee stond onaangeroerd op de vloer. Ze ging ernaast zitten, en omdat ze toch íéts moest doen roerde ze tot het olieachtige oppervlak weer de oorspronkelijke kleur had. Naar Keja kijken mocht niet, laat staan hem aanraken. Hij had zich opgesloten in zijn imaginaire cel, weggedoken in zijn jack, capuchon over zijn hoofd, en het enige wat bewoog waren zijn handen.

Ze zat heel stil, zo dicht naast hem als ze dacht dat hij kon verdragen. Zo vreselijk graag wilde ze hem beschermen, ook nu hij zich meer dan ooit had afgesloten en ze hem op geen enkele manier kon bereiken. Nog altijd had ze een vage hoop dat hij het op prijs zou stellen, haar bedoeling zou begrijpen, weten dat ze niets van hem eiste, zou voelen dat ze om hem gaf. Het had haar jaren gekost om zich erbij neer te leggen dat er nooit méér zou zijn dan dit – zijn zwijgende aanvaarding van haar nabijheid. Liefde mocht je het niet noemen, genegenheid was al een groot woord. Maar dat beetje hoop had ze nodig om op haar beurt hém te verdragen, hem niet door elkaar te rammelen, in zijn gezicht te schreeuwen, hem te dwingen haar aan te kijken, zodat hij kon zien hoeveel ze van hem hield. Als baby en peuter had hij gegild wanneer hij haar handen op zijn huid voelde, gekronkeld en gevochten om los te komen, en meermalen had ze de worsteling gestaakt, was ze zijn kamer uit gelopen, ontzet over haar eigen woede. Ze wilde het zich niet langer herinneren, niet terug-denken aan de keer dat ze met hem voor het open raam had ge-staan, het rood aangelopen gezichtje, besmeurd met kwijl en snot, vlak bij het hare, de dichtgeknepen ogen, de opengesperde mond waaruit het snerpende krijsen kwam. Het was een warme zomerdag en van beneden in de straat kwamen de vertrouwde stadsgeluiden – een rinkelende tram, een fietsbel, een man die iets riep, een vrouw die lachte in antwoord daarop, een volle, blije lach, de lach van iemand die in elk geval op dat moment geen zorgen had. Met Keja in haar armen had ze zich uit het ven-ster gebogen en gedacht: als ik hem nu laat vallen, wordt het ein-delijk stil. Ze had hem teruggelegd in zijn bedje, hem niet eens toegedekt, en daarna had ze radeloos op de donkere overloop ge-zeten.

's Middags was ze met hem gaan wandelen, in een belachelij-ke poging het goed te maken; hij hield van buiten zijn, en de schommeling van de kinderwagen bracht hem tot rust. Maar bovenal had ze voor even bij de normale wereld willen horen, het gevoel willen hebben dat ze ondanks alles daarvan deel uit-maakte. Op het plein in de buurt was een soort braderie georga-niseerd, er was een klein podium gebouwd, er was muziek, het was er druk. Gretig had ze zich tussen de mensen gemengd, maar voor het eerst was tot haar doorgedrongen dat een menig-te niet uit eenlingen maar uit groepjes bestaat. Het scheen of zij de enige was tegen wie niemand praatte en lachte.

Ze was naar het park gegaan, dat leeg was en stil op de eenden in de vijver na die donkere sporen roeiden in het kroos. Daar had ze zich voorgenomen voortaan sterk te zijn, het alleen te doen, Richard niet meer lastig te vallen.

Ze had zich eraan gehouden: nooit had ze werkelijk opgege-ven, en nog steeds stelde ze zich soms het wonder voor. Hoe Keja op een dag zou opkijken als ze binnenkwam, naar haar zou la-chen, warm, open, blij haar te zien.

Maar vandaag was niet de dag waarop dat zou gebeuren, vandaag was een dag die spotte met al haar hoop en vertrouwen. Ze stond op en ging naar beneden.

Zelf kon ze niets eten, al was ze zich ervan bewust dat haar energie met het uur afnam vanwege het gebrek aan brandstof. Ze zat op de bank, geen radio aan, geen televisie aan, gordijnen dicht lang voor het donker werd. Niets dan suizende stilte. Op tafel lagen nog altijd de albums. Alleen het laatste, voor niet meer dan de helft gevuld, moest ze nog doornemen. Het zou het moeilijkste zijn, omdat dit album onbarmhartig toonde dat Richard alle belangstelling voor zijn zoon verloren had.

Keja in het zwembad. Vijf was hij, een broodmager joch in een zwembroekje dat paste op twee gespreide handen. Ze had besloten hem te leren zwemmen. Elk Nederlands kind leerde zwemmen, en Keja was een Nederlands kind. Hoe Nederlandser hij was, hoe beter zijn kansen lagen. Richard wist niets van haar plannen, ze had hem niet durven zeggen dat ze naar het zwembad was gegaan, zich had laten vertellen dat de dinsdagmiddagen het rustigst waren, en dat ze – na haar uitleg – toestemming had gekregen om met Keja op die dinsdagmiddagen te komen; het seniorenuurtje. Geen opgefokte pubers die elkaar gillend en krijsend achternazaten, hun stemmen echoënd onder het hoge plafond, geen drukke, nerveuze moeders die hun kroost schril tot prestaties maanden terwijl ze zelf veilig op de kant bleven met hun drankje en de vriendinnen met wie ze nieuwtjes uitwisselden en het dagelijks leven doornamen. In plaats daarvan kalme mensen die elkaar vriendelijk groetten, hun baantjes trokken, douchten en naar huis gingen.

De eerste maal had Keja zich niet eens willen uitkleden, en natuurlijk had ze hem op geen enkele manier kunnen uitleggen wat de bedoeling was. Met grote angstogen had hij toegekeken terwijl zij in verbeten teleurstelling haar badpak aantrok en met hopeloze vastberadenheid op weg ging naar het lesbad, zichzelf vervloekend, overtuigd dat dit de zoveelste mislukte expeditie zou zijn. Maar het water lokte, bedrieglijk blauw door de kleur van de tegels en de betonnen bodem van het bad, het klotste tegen de kant, iemand stak een glimmend natte arm op, en opeens was ze thuis, was dit de zee en wist ze hoe die haar zou omsluiten als een vloeibare huid.

Keja was alleen maar achter haar aan gelopen omdat hij nog banger was om alleen te blijven dan om met haar mee te gaan. Ze had zich in het water laten zakken en was een paar slagen van hem weggezwommen, had zich daarna op haar rug gedraaid en hem gewenkt. Hij hield ervan in bad te gaan, soms was het zelfs de manier om hem te kalmeren, maar geen ogenblik had ze verwacht dat hij zou doen wat hij deed, ze had erop gerekend dat hij met zijn rug naar haar toe zou staan, niet eens naar haar zou willen kijken. Maar zonder enige aarzeling liep hij naar haar toe, negeerde het feit dat de tegels ophielden, negeerde de verhoogde rand die het bad omzoomde, liep gewoon door, alsof hij verwachtte dat het water hem zou dragen. Anderhalve stap liep hij in het niets, toen viel hij loodrecht naar beneden. In paniek crawlde ze naar hem toe, maar hij kwam boven en sloeg zijn armen uit, zijn natte T-shirtje tegen zijn borst geplakt. Huilde niet, schreeuwde niet. Kwam boven en sloeg zijn armen uit.

Het was een van de honderden malen dat ze besefte hem nooit te zullen begrijpen, maar deze keer hinderde het niet. Ze mocht hem vastpakken, hem optillen, hoog boven het water, hem weer laten zakken, voorzichtig op zijn buik draaien terwijl hij opgewonden klanken uitstootte, maaide met zijn armen en benen. Lachen deed hij ook toen al zelden, maar uit alles bleek dat hij genoot, dat hij het water begroette als een vriend.

Zelden was hij sneller van begrip geweest dan wanneer ze hem zijn zwembroek liet zien. Onmiddellijk ging hij naar de hal, trok zijn jas aan en wachtte geduldig tot zij klaar was om met hem mee te gaan. Binnen vier maanden zwom hij zelfstandig in het diepe, na een halfjaar beheerste hij borst- en rugcrawl en dook naast haar knikkers op van de bodem. Een diploma had ze hem nooit laten halen. Hij zou niet weten hoe zich te gedragen tussen vijftig rumoerige kinderen, hij zou de instructies van de badmeester niet begrijpen, hij zou naar alle waarschijnlijkheid het water niet eens in willen. Maar hij kon zwemmen als een dolfijn. In het water was er geen sprake van zijn gebruikelijke houterigheid, het water leek zijn natuurlijke habitat.

Pas toen ze er zeker van was dat dit initiatief zou slagen had ze Richard erover verteld, maar hij had geweigerd mee te gaan om het met eigen ogen te zien. Keja was inmiddels zes, en het was duidelijk dat hij nooit een gewone school zou bezoeken, nooit het leven zou leiden dat paste bij een zesjarige, en vooral was het duidelijk dat hij nooit de zoon zou zijn die zijn vader zich had gewenst.

Tientallen foto's had ze gemaakt van Keja, alleen in het grote bad, dapper ploeterend naar de overkant, zijn smalle schouders boven het water, druppels glinsterend in zijn natte haar. Het was het enige succesverhaal, en nog altijd was ze trots dat het was gelukt. Dikwijls had ze naar die foto's gekeken, al was het alleen om zichzelf te vertellen dat gelegenheden als deze zich vaker zouden voordoen, als ze maar geduld had.

Er waren meer foto's in dat laatste album, zij het niet veel. Richard fotografeerde niet meer, zelfs niet tijdens hun vakanties, die steeds korter werden, en ten slotte had ze zelf ook de moed opgegeven. Eén foto stond scherp in haar geheugen gegrift; een kajak, ergens in Frankrijk. Richard peddelend, lachend, gebruind, de zon op zijn schouders, de diepblauwe hemel boven hem, schuin achter hem een rotswand, loodrecht oprijzend aan de oever. Een vakantiekiekje zoals duizenden mensen maakten; een tastbare herinnering aan een zorgeloze dag. Ze wist nog dat ze had gedacht dat het lang geleden was sinds ze Richard zo had gezien – als de jongeman die hij nog was. Keja had zich voorbeeldig gedragen, genoten van het varen op de rivier, gezwommen met zijn vader in het ijskoude water. 's Avonds had Richard met haar de liefde bedreven zoals hij dat deed toen ze elkaar pas kenden, terwijl Keja in de kamer naast de hunne sliep. Even was er weer het woordloze begrijpen geweest, was al het andere weggevallen.

Ze zou dit album doornemen, afmaken waaraan ze begonnen was. Maar niet nu. Het was onmogelijk ernaar te kijken nu ze steeds meer besefte hoe hopeloos alles was. Ze had gedacht door Richards dood bevrijd te zijn, en in zekere zin was dat waar, maar voor de oude angsten waren nieuwe in de plaats gekomen.

Ze trok haar sokken en schoenen uit en begon heen en weer te lopen, tot het einde van de kamer en weer terug. De vloer was warm onder haar blote voeten, hard en warm. De vloerverwarming was het enige wat haar een beetje had verzoend met dit grote lege huis. Ontelbare malen had ze zo gelopen zodra Richard naar bed was gegaan, de vloer als troostende herinnering aan de rode aarde thuis. Een gemankeerde herinnering; gladde tegels in plaats van de oneffen paden vol scherpe stenen, glasscherven, rafelige resten van kapotgesneden plastic flessen. Maar de lauwe warmte was hetzelfde, en ze genoot ervan haar voetzolen te voelen, haar tenen te kunnen spreiden, haar kuitspieren aan te spannen, recht en stevig op de grond te staan.

Heen en weer. Heen en weer.

Ze was niet hier, ze was thuis. Het was ochtend, de lucht nog fris, de hemel een bleekblauwe eierschaal, en ze was onderweg naar het dorp om water te halen, de jerrycan in haar hand. Bij de waterkar ontmoette ze dagelijks haar vriendinnen, bij de waterkar werden de nieuwtjes en de roddels uitgewisseld. De waterkar was een niet-gedrukte krant.

Heen en weer. Heen en weer.

Haar voeten maakten petsende geluidjes, en het was prettig

dat de vloer zo egaal was, nu die voeten al sinds lang geen beschermende eeltlaag meer hadden, gaaf waren, de huid zacht en glad, de nagels heel en recht. Op weg terug naar huis rusten bij het postkantoor, dat was gevestigd in het huis van Abu, in een kamer speciaal voor dat doel aangebouwd. Abu bracht de wereld binnen, omdat hij de enige was in het dorp die een telefoonverbinding had, waarvoor de stroom werd geleverd door een ronkend aggregaat. Abu was een beambte, een status die werd bevestigd door zijn smetteloos witte overhemd, dat hij elke avond waste en liet uitdruipen aan de plastic kleerhanger die boven zijn zelfgetimmerde loket hing. Het natte overhemd betekende dat het postkantoor gesloten was. Behalve het postkantoor beheerde hij ook een kleine kudde geiten, en een aantal kippen waarvan hij de eieren verkocht, plus de kippen zelf zodra die een zekere leeftijd hadden bereikt. Abu leverde altijd vers vlees, omdat hij kip of geit slachtte waar de klant bij stond. Ze zou Abu nooit terugzien, want de eeuwige oorlog had ook hun dorp bereikt, zodat wie niet gedood werd, was gevlucht.

Ze liet zich op de bank vallen. Waar droomde ze van? Van een wereld die niet meer bestond. Ze was als de oude mannen die op het dorpspleintje in de schaduw van de baobab zaten en spraken over vroeger, toen alles beter was. Hou op met dromen. Wees reëel. Haar toekomst hield – naast alle andere zorgen – geldproblemen in. Er stond nog ongeveer twaalfhonderd euro op de rekening courant, genoeg om een paar weken te overbruggen. Maar nu Richard dood was, zou er geen salaris meer worden overgemaakt. Peter en papa Verkallen zouden daarvoor zorgen, daar was ze zeker van. Het was een van de manieren waarop ze haar konden treffen, en ze zouden zich er geen rekenschap van geven dat Keja ook de dupe zou zijn. Of misschien kon het hun niet schelen. Ze mocht niet rekenen op hun clementie.

Twaalfhonderd euro was niet veel. Maar er was een spaarrekening. Richard was een voorzichtig man; hoewel zijn salaris ruim toereikend was, had hij het prettig gevonden een reserve op te bouwen. Maar stel dat papa Verkallen die rekening liet blokkeren? Of kon dat niet? Waarom wist ze zo weinig van zulke dingen? Omdat Richard alles regelde. Zij legde de rekeningen op zijn bureau, en hij zorgde ervoor dat ze betaald werden. En ze durfde niet naar de bank te gaan om te informeren. Het zou een verkeerde indruk wekken. Misschien maakte ze zich zorgen om niets. Maar als dat niet zo was? Het zou verstandig kunnen zijn het geld te laten overschrijven naar de rekening courant. Richards computer was meegenomen door de politie, maar ze had haar eigen laptop, ze wist hoe je geld moest overmaken, elke maand stortte ze geld op de rekening in Somalië.

Ze beet op haar knokkels. Denk na, denk na! Ze herinnerde zich wat haar vader altijd zei: 'Hij die op het punt staat te verdrinken, pakt een riet.' Dat was wat ze zou moeten doen. Al heel lang was ze bezig te verdrinken, en al die tijd had ze verzuimd een riet te pakken. Ze gedroeg zich zoals in Afrika gewoon was; problemen bestonden niet, tot je ze maakte. Deze problemen waren levensecht en levensgroot. Ze stond op, zette de laptop op tafel en klapte hem open.

De telefoon ging.

Ze keek ernaar als naar een onbetrouwbare hond. Ze moest opnemen. Maar laat het niet papa zijn, of Peter.

Ze nam op.

'Mevrouw Verkallen, u spreekt met Patricia Geels. Wij hebben elkaar vanmiddag even gesproken, maar voor u blijkbaar op het verkeerde moment. Mijn vraag is of u bereid bent...'

Ze verbrak de verbinding, zette de telefoon terug op het laadstation. Hij ging onmiddellijk opnieuw. 'Mevrouw Verkallen, nogmaals met...'

Ze sloeg zo hard op de toets dat haar nagel brak. Bleef staren naar de display tot die doofde. Keerde terug naar de bank, trok haar voeten onder zich, sloeg haar armen om haar knieën. Haar maag borrelde, het prikte onder haar haren, haar voorhoofd werd nat. Allah, Allah, waarom lieten ze haar niet met rust? Ze moest iets eten, haar lijf schreeuwde om voedsel. Het zou haar kalmeren. Eten hielp tegen alles, wie kon dat beter weten dan zij?

Ze ging naar de keuken, keek in de lege koelkast. Alles stelde ze uit, de was, stofzuigen, dweilen. Waarom kon ze het niet, waarom deed ze het niet? Ze zette een diepvriespizza in de oven. De laatste pizza, en de verkeerde, ze zag het pas toen ze de oven al had ingesteld. Dit was Keja's pizza, met alleen ham, kaas en champignons. Morgen. Morgen zou ze nieuwe kopen. Tien, twintig. Morgen zou ze die twaalfhonderd euro opnemen en hier in huis bewaren, zodat ze er elk moment over kon beschikken. Echt geld, waar niets mee kon gebeuren. Wat had papa gezegd? 'Je weet dat je nergens recht op hebt.' Was dat waar? Kon dat zomaar? Ze was toch Richards vrouw? Ze moest in zijn papieren kijken, hij bewaarde alles in de kast in zijn kamer, keurig in ordners met labels erop. Hypotheek. Verzekeringen. Pensioen. Het waren lege woorden, omdat hij haar altijd overal buiten had gehouden, omdat ze nooit iets had mogen weten. Nu zou ze zich allerlei begrippen eigen moeten maken, telefoongesprekken voeren, mensen ontmoeten die naar haar zouden kijken zoals de meeste mensen naar haar keken, en ze zou zich voelen als de domme negerin die ze in haar zagen.

Ze was zich ervan bewust dat ze in paniek was, ergens vanbinnen restte er een zweem van rede, maar ze kon er nu niet naar luisteren. In plaats daarvan hurkte ze naast de oven, haar voeten plat op de vloer, knieën wijd uiteen, billen een paar centimeter boven de grond; de typische hurkzit die ze uren kon volhouden en waaraan Richard een hekel had gehad. 'Je lijkt wel zo'n inboorling.'

Ze wiegde zichzelf, probeerde opnieuw terug te keren naar haar dorp, maar de ban was gebroken. Ze zat in een Nederlandse keuken op een Nederlandse vloer, ze was geen kind meer maar hád een kind. Het was winter, buiten lag sneeuw, binnen overleefden mensen dankzij kunstmatige warmte. Ze woonde in een land waar dat als normaal werd beschouwd, en ze had zichzelf geleerd het ook zo te zien.

Misschien kon ze over een jaar naar huis, of zelfs al over een halfjaar. Alles zou zijn afgewikkeld, de hele zaak dood en begraven, Richard incluis. Een steen met een naam erop, meer zou er niet van hem over zijn. Maar zij zou teruggaan naar huis.

De warmte van de oven naast haar hielp om zich in te denken hoe het zou zijn. De schroeiende hitte, de geuren, het lawaai, het stof, haar eigen taal, haar eigen volk. Tot het zover was zou ze moeten overleven. En treuren. Dat kon ze, ze had er vele jaren ervaring in. Ditmaal zou ze moeten treuren op de Nederlandse manier, als de weduwe van een Nederlandse man. Papa Verkallen mocht alles regelen zoals hij dat wenste, maar ze zou zelf een overlijdensadvertentie opstellen, alleen uit naam van haar en Keja. Het hoorde zo, en ze zou alles doen zoals het hoorde.

Ze stond op, strekte haar rug en pakte het notitieblokje en de pen die op de keukentafel lagen, bedacht zich en liep naar de garage, haalde de verfrommelde krant uit de papiercontainer en streek hem glad.

In de keuken bladerde ze tot ze de pagina's met familieberichten had gevonden. De advertenties hielpen haar niet verder. Richard had niet lang en gelukkig geleefd, niet geduldig geleden, geen kortstondig noch een langdurig ziekbed gehad.

Ten slotte pakte ze opnieuw de pen en schreef haastig: 'Het lot heeft bepaald dat dit zou gebeuren.'

19

Renée sliep, maar Vegter bleef wakker, ondanks zijn vermoeidheid. Hij was nog steeds wakker toen zijn mobiel ging, het geluid gedempt door de gesloten slaapkamerdeur. Voorzichtig stapte hij uit bed, deed de deur geruisloos achter zich dicht.

De gloed van de getemperde kachel gaf net voldoende licht om zich te kunnen oriënteren, en hij vond de bank en ging zitten voor hij de gsm pakte.

Ingrid.

'Waarom bel je,' zei hij gealarmeerd. 'Is er iets mis?'

'Integendeel,' zei ze. 'Sinds anderhalf uur ben je de grootvader van een kleinzoon van 3820 gram. Ik hoop niet dat ik je wakker heb gemaakt.'

'Ja. Nee. Het geeft niet.' Hij moest diep ademhalen. 'Mijn god. Een kleinzoon.'

Ze lachte zachtjes. 'Je klinkt verbaasd.'

'Nee. Nee, natuurlijk niet. Maar je belt zelf. Hoe kun je zelf bellen? Waar ben je, waar is Thom?'

'In het ziekenhuis. Maar we gaan over tien minuten naar huis. De zuster is nu junior tot mummie aan het transformeren.'

'Hoe…' Hij kreeg nog steeds te weinig lucht. 'Is alles goed met je?'

'Ja. Behalve dat ik me voel alsof ik onder lijn tien heb gelegen.'

'Ingrid…'

'Alles is in orde. Echt. Het is alleen… Het is heel hard werken, papa.'

'Ach meisje,' zei hij.

'We zijn over een halfuur thuis.'

'Ik kom.'

'Wil je niet weten hoe hij heet?'

'Ja. Ja, natuurlijk wil ik dat.'

Hij had zich afgevraagd hoe het kind zou gaan heten, maar met niet meer dan milde nieuwsgierigheid. Vernoemen was sinds lang niet meer gebruikelijk, en zou hij meer van zijn kleinzoon houden als die Paul heette? Bovendien, als er tradities in ere gehouden moesten worden, zou Thoms vader als eerste in aanmerking komen. Al gunde hij zijn kleinzoon niet de naam Guus.

'Stefan,' zei ze. 'Hij heet Stefan.'

Hij kon niet antwoorden.

Het vrachtverkeer was al op gang gekomen toen hij weer thuiskwam. In de kamer deed hij alleen de booglamp aan, pakte de fles jenever uit de koelkast, zette hem terug en ontkurkte een fles rode wijn. De geboorte van een kleinkind diende niet gevierd met een borrel maar met een fonkelend glas. Hij ging ermee naast de kachel zitten, die nog een lauwe warmte verspreidde, en hief het glas voor hij dronk. Op Stefan. Een halve meter wonderbaarlijke perfectie, bekroond door donkere, zijdeachtige haartjes.

Langzaam dronk hij de wijn. Beelden van Stef en Ingrid smolten samen; hun blonde haar, nog vochtig bij de slapen, verward op het kussen, het minieme lijfje in de buiging van hun arm, hun gezicht gezwollen na de ultieme krachtsinspanning. De verwondering en tevredenheid in Ingrids ogen waren dezelfde als die hij bij Stef had gezien. Dertig jaar geleden. Dertig jaar. Zijn kind had een kind gekregen. Het was even onvoorstelbaar als waar. En in de kamer naast hem lag Renée, even oud als zijn dochter, even jong als zijn dochter.

Hij dacht aan het gesprek dat ze hadden gevoerd, terwijl op hun bord het eten koud werd dat zij als vanzelfsprekend had gekookt. De fles wijn tussen hen in, de kandelaar op tafel, het gevoel van geborgenheid dat hij ruim twee jaar had gemist en waar hij overheen probeerde te praten, omdat het in de weg zat nu hij haar eindelijk wilde uitleggen wat hem kwelde. Hoe het misschien niet meer zou blijken te zijn dan het verlangen naar wat was, en of het fair was die wens op haar te projecteren. Zijn twijfel of hij haar daaraan mocht blootstellen, omdat ze meer waard was dan dat, beter verdiende. Dat hij het gevoel had zich in een niemandsland te bevinden, met achter zich zijn jeugd, en voor zich de ouderdom. Dat hij inmiddels had begrepen dat de geest weigerde te aanvaarden wat het lichaam altijd had geweten. Hoe hij worstelde met de in zijn ogen onoverbrugbare leeftijdskloof, omdat hij geloofde dat haar sprong voorwaarts niet tot de overkant zou mogen reiken, en zijn sprong achterwaarts in zichzelf al ridicuul zou zijn.

Ze had hem rustig aangehoord, geknikt dat ze hem begreep, en toen hij eindelijk was uitgesproken zei ze: 'Je bent niet de enige die heeft nagedacht. Ik heb je gezegd dat ik zou moeten leren thuis niet meer bang te zijn, en ook om weer compleet te worden. Heel. Daar heb ik deze maanden voor nodig gehad. Het was goed dat je me wegstuurde, want ik moest dat alleen doen. Onafhankelijk zijn. En daarnaast werd het hoog tijd dat wij afstand van elkaar namen, we draaiden om elkaar heen als twee judoka's die het gevecht niet durven aan te gaan. Ik ben niet zo onwetend of naïef als jij denkt, Paul. Misschien vergissen we ons allebei. Ik heb ook ooit gezegd dat ik geen garanties kon geven, en toen zei jij dat je niet van garanties hield omdat ze nooit lang mee gaan en altijd beperkt zijn. Waarom accepteer je de verschillen niet? Als we ons vergissen, dan maken we beiden een fout. Jij mag de jouwe maken, maar gun mij de mijne.'

Hij had tegengeworpen dat hij zich niet zou kunnen verweren met het argument dat ze niet naar zijn waarschuwingen had willen luisteren. Daarop had ze de genadeklap uitgedeeld. 'Ik wil ons een kans geven. Maar het lijkt erop alsof jij toch die garantie wilt, plus een allriskverzekering.'

Het was niet onmogelijk dat ze daar gelijk in had. Het leek er verdomd veel op dat vrouwen in gevoelskwesties meestal gelijk hadden, misschien omdat hun brein er beter voor was toegerust. Daarover nadenken ging op dit moment niet meer. Hij moest naar bed, proberen nog een uurtje te slapen.

Hij zette het lege glas op het aanrecht, trok zijn schoenen uit en ging de slaapkamer binnen. Renée moest even wakker zijn geweest na zijn vertrek, want er brandde een bedlampje. Nog altijd sliep ze niet graag in het donker. Ze had zich deels blootgewoeld, en terwijl hij zich uitkleedde, keek hij naar de vloeiende lijn van hals naar schouder, waar de schaduw in de holte onder het sleutelbeen zich verloor in de tere welving van de borst, die op zijn beurt vergleed in de strakke lijn naar de maag.

Hij hoefde alleen maar ja te zeggen, *and damn the consequences*. Wat hij ook besloot, het zou altijd een element van egoïsme in zich dragen. Enerzijds verlangde hij naar het bestaan dat paste bij zijn leeftijd – geen al te grote schommelingen meer, het tempo vertraagd. Hij had een kleinzoon, beter bewijs van een voorbije jeugd was er niet. En nu hij hem had gezien, de warmte van het bijna gewichtloze lichaampje had gevoeld, had beseft dat hoe klein ook, dit een compleet wezen was waarin alles al lag opgeslagen wat het tot een mens maakte, verheugde hij zich op die kleinzoon, voor wie hij wel degelijk van betekenis zou zijn.

Maar ergens huisde in hem het heimwee naar de jongeman die geloofde dat de wereld openlag, alles onder handbereik, de mogelijkheden onbegrensd. Misschien werd het tijd om uit te vinden of die jongeman werkelijk nog bestond, of niet meer was dan een herinnering. Misschien was Renée moediger dan hij. In elk geval was ze guller; ze stelde geen eisen, vroeg niets van hem, behalve durf.

Hij deed het lampje uit, stapte in bed en trok het dekbed over haar heen. Ze werd half wakker, draaide zich naar hem toe en legde een arm over zijn borst. 'Is alles goed, Paul?'

'Ja,' zei hij. 'Alles is goed.'

20

De foto was niet erg geslaagd – een grove korrel en onnatuur-
lijke kleuren, maar ondanks de slechte kwaliteit herkende ze
zichzelf onmiddellijk. Zichzelf en een vluchtende Keja op het
tuinpad, hun voetstappen afgetekend in de sneeuw. Zij met ver-
wilderde blik, de handen in afweer voor zich uit gestoken, de
riem van haar tas van haar schouder gegleden, Keja achter haar,
al half met zijn rug naar de camera, de armen gespreid als nam
hij een aanloop om op te stijgen. Een vluchtende vogel.

Ze waren voorpaginanieuws, en het onderschrift luidde:
'Weduwe Asli Verkallen en haar gehandicapte zoon Keja, beiden in totale shock sinds de moord op hun echtgenoot en vader.'
Het begeleidende artikel was noodgedwongen klein, aangezien
de krant zich toch enigszins aan de waarheid had moeten houden.

Ze stond in de koude hal, de verwarming nog maar net hoger
gezet, de vloer kil onder haar blote voeten. Tegen alle verwachting in had ze geslapen. Niet lang, twee of drie uur, maar niettemin voelde ze zich beter toen ze opstond. Opstond met het
voornemen deze dag niet in lethargie te laten voorbijgaan. Vandaag zou ze alles doen wat noodzakelijk was. Niet langer zou ze
zich laten leiden door de omstandigheden, maar het heft in eigen hand nemen. Ze moest zich niet laten imponeren door papa
Verkallen. Voortaan moest ze zelfstandig zijn, en hoe eerder ze

daaraan wende, hoe beter. Ze zou de bank bellen, en niet alleen de bank, maar alle instanties die nodig waren om duidelijkheid te verkrijgen over haar positie. Het zou moeite kosten zich een weg te banen door alle bureaucratie, maar ongetwijfeld zouden er mensen zijn die bereid waren haar te helpen. Zulke mensen waren er altijd, mensen met begrip voor iemand die een dierbare had verloren, verdriet had en in de war was. Ze zou geen toneel hoeven spelen; ze hád verdriet.

Maar nu was er de krant, en alle energie waarmee ze was opgestaan werd geabsorbeerd door dat lelijke, goedkope papier, die lelijke, goedkope foto. Ze was al wakker geweest, had de bezorger gehoord, de knerpende banden van zijn fiets in de sneeuw, het geklepper van de brievenbus. Een jongen van hooguit zestien, ze had hem weleens gezien, zijn witte, onuitgeslapen gezicht deels verborgen onder zijn capuchon. Geen flauw benul had hij van de impact van het leed dat hij elke ochtend op de deurmat achterliet.

Ze las het artikel voor de tweede maal. Niet in staat tot reactie... Verdriet te overweldigend... Nog geen gelegenheid om het te verwerken.

Wat moest ze doen, behalve de krant voor Keja verbergen? Ze liep naar de garage, stopte de krant onder een stapel in de papiercontainer. Er was niets wat ze kon doen, ze was machteloos.

■

De nacht in de cel had Gemma van Son gereduceerd tot een slonzige, onaantrekkelijke vrouw. Van de perfecte oogmake-up was niets overgebleven dan zwarte strepen op haar wangen, en de geraffineerde schaduwen manifesteerden zich als vlekkerige blauwe boogjes in de plooi van haar oogleden. Nog altijd droeg ze haar grijze wollen jas, die nu in lelijke vouwen om haar heen hing. Ze bleef midden in de kamer staan en keek naar de stoel waarin ze de vorige dag had gezeten als was ze bang geëlektrocuteerd te worden.

Het was ontluisterend, dacht Vegter. Een nacht in een cel die alleen voorzag in de basisbehoeften. Het psychologisch effect was enorm: schuldig of niet, mensen werden geconfronteerd met een ongekende eenzaamheid, met volstrekte isolatie, en ze realiseerden zich dat dit hun voorland zou kunnen zijn. De cel maakte klein, appelleerde aan oerangsten, de cel was primitief en barbaars. Maar er was geen alternatief.

'Gaat u zitten.'

Talsma rommelde met het opnameapparaat en knikte dat het in orde was. Vegter nam de tijd, wachtte tot ze klaar was met het schikken van haar jas, tot ze het ene been over het andere had geslagen. Hij wist dat ze zich zou bedenken, wachtte ook daarop geduldig; het besef dat over elkaar geslagen benen te frivool waren, kwetsbaar maakten omdat er een stuk dij zichtbaar werd.

Ze zette haar voeten naast elkaar en staarde naar haar handen, ineengeklemd in haar schoot.

'Gisteren spraken wij over uw relatie met Richard Verkallen,' zei hij. 'Tijdens dat gesprek hebben we geconcludeerd dat die relatie in feite was beëindigd, althans vanuit het standpunt van Verkallen gezien. U dacht daar anders over. Nu wil ik van u weten waar u was op de avond van zijn dood.'

Ze keek niet op. 'Thuis.'

'Is er iemand die dat kan bevestigen?'

'Nee.'

'Waarom niet?'

'Ik woon alleen,' zei ze vijandig. 'Ik was ziek, ik lag in bed.'

'U hebt de afspraak niet afgezegd,' zei Vegter. 'En Richard ook niet. Daaruit volgt dat u elkaar hebt ontmoet.'

'Nee.'

'U hebt elkaar volgens afspraak na zessen 's avonds ontmoet in het zomerhuis. Hebt u een sleutel van dat huis?'

'Nee.'

'U liegt,' zei Vegter kalm. 'Aan uw sleutelbos zit een sleutel van de voordeur.'

Brink was niet blij geweest toen hij er opnieuw op uit was gestuurd. Bij zijn terugkeer was hij chagrijnig vanwege de nieuwe kringen die de sneeuw op zijn suède schoenen had achtergelaten. Talsma had hem rubberlaarzen aangeraden.

'Waarom liegt u over iets wat zo gemakkelijk te verifiëren is?' vroeg hij. 'U schijnt niet te beseffen dat u in grote moeilijkheden verkeert.'

Ze gaf geen antwoord.

'Hoe laat was u bij het zomerhuis?'

'Ik ben er niet geweest.'

'Uw auto is daar gezien.'

'Dat kan niet. Ik...' Ze zweeg.

'U was daar zelfs nog ruim na zeven uur,' zei Vegter. 'Dat kon ook niet anders, want u had die tijd nodig om alle sporen van uw aanwezigheid te verwijderen nadat u Richard naar buiten had gebracht.' Hij wachtte even. 'U liet hem achter naast zijn auto en u bent weer naar binnen gegaan.'

Hij had al spijt terwijl hij de woorden uitsprak; hij gaf daderinformatie die hij niet geacht werd te geven, ook niet in het geval hij ervan overtuigd was de dader tegenover zich te hebben.

'Niet waar! Ik was thuis, ik lag in bed!' Haar knokkels waren wit.

'Mevrouw Van Son,' zei Vegter. 'U had een afspraak. U was blij met die afspraak, want die betekende dat Richard in elk geval nog bereid was naar u te luisteren. U hoopte en geloofde dat u Richard zou kunnen overtuigen, dat hij zou inzien dat hij en u bij elkaar hoorden, zoals u hem bij herhaling hebt verteld. U was misschien niet fit, u was verkouden, maar die afspraak was belangrijker dan een simpele verkoudheid.'

'Niet waar!'

'Vertelt u mij dan wat u wél deed, die avond.' Soms voelde hij zich als een quizmaster die na tien seizoenen door geen enkele kandidaat meer verrast kon worden. De uitslag was eigenlijk niet belangrijk, je hoefde alleen het programma maar af te werken.

'Ik was thuis. Ik lag in bed.'

'U was in het zomerhuis. U was er al voordat Richard kwam. U had de verwarming aangezet, u had wijn en eten meegebracht, u ging voor hem koken. U wachtte op hem.'

'Nee.'

'Hij heeft niet afgezegd. U ook niet. U wachtte op hem.'

'Nee.'

'U was daar. U wachtte op hem.' Vegter wierp een blik op zijn horloge. Even na tienen. Nu al was hij het hameren moe. Hij wilde naar zijn kleinzoon, opnieuw deel uitmaken van die kleine, intieme wereld, van die sfeer van opperste blijdschap, met eigen ogen zien dat alles in orde was met zijn dochter, ook al had hij haar een uur geleden gebeld.

'U wilde hem dwingen tot iets waar hij geen zin meer in had,' zei hij. 'Hij had zijn besluit genomen, maar u accepteerde dat niet.'

'Een besluit genomen?' Ze lachte schel. 'Een week geleden hebben we bij Peter en Marjo gegeten, en daarna is hij met mij mee naar huis gegaan.' Het klonk bijna triomfantelijk.

'U bedoelt dat u nog met hem sliep?' vroeg Talsma sceptisch.

'Ik bedoel dat hij nog met mij slaapt. Hij had niets besloten. Hij kon niet besluiten. Over niets.' Het was de eerste maal dat ze blijk gaf over enig inzicht te beschikken. 'Hij sliep met mij, niet met zijn vrouw.'

Talsma pareerde onmiddellijk. 'U was dus zijn seksuele uitlaatklep, meer niet.'

'Dat is niet waar. U begrijpt er niets van.'

'Hij nam niet eens meer de moeite iets te beloven,' zei Talsma. 'Hij sprak niet meer over een scheiding, integendeel, hij deed alles om van u af te komen. Hij heeft u zelfs gevraagd ontslag te nemen.'

'Niet waar!'

'Wel waar,' zei Talsma onverstoorbaar. 'U bevestigt dat zelf in een van uw e-mails die ik u gisteren heb voorgelezen.'

'Dat heeft hij later weer ingetrokken.'

'Daar is geen bewijs van,' zei Vegter. 'Richard wilde de relatie beëindigen. Hij kreeg er alleen de kans niet toe, omdat u hem bleef bestoken met telefoontjes, sms'jes en e-mails. U stalkte hem, een andere conclusie is er niet. Hij werd voortdurend met u geconfronteerd, in werktijd maar ook daarbuiten. Er was geen ontsnappen aan. U maakte daar niet alleen hem gek mee, maar ook uzelf.'

Hij zou eraan kunnen toevoegen dat zij er niettemin van had genoten, het spelen van de hoofdrol in een door haarzelf gecreëerd drama, maar misschien werd het tijd zijn functie als regisseur in te ruilen voor die van souffleur.

'Hij kon over niets besluiten, zegt u. Het moet niet gemakkelijk voor u zijn geweest, de afgelopen jaren.' Hij legde begrip in zijn stem, en ze reageerde erop door bijna onmerkbaar haar hoofd te schudden.

'Uw eerste grote liefde.' Hij liet een pauze vallen. Ze dwaalden alweer af, maar ze bewoog niet, leek eindelijk te luisteren. 'Een man, ouder dan u, bij wie u zich veilig voelde. Maar ook een man met een geschiedenis. Een gevoelig man, wiens leven niet was gelopen zoals hij had gewenst. Een man met artistiek talent, waarvoor in zijn familie geen begrip bestond. Bij u vond hij dat begrip, is het niet zo?'

Ze knikte. Dankbaar, gretig. 'Hij was een kunstenaar. Hij kon alles tekenen. Alles! Wat Richard kon was echt heel knap, dat kon ik zien, ook al heb ik geen verstand van kunst.'

'Hij sprak er met u over? Over zijn frustratie?'

'Ja.' Er klonk trots door in de manier waarop ze het zei. 'Ik was de enige met wie hij erover kon praten. Zelf zei hij dat zijn vader misschien gelijk had gehad, dat zijn talent niet groot genoeg was, dat het misschien alleen maar een wens was geweest. Maar ik heb altijd gezegd dat hij zijn hart had moeten volgen.'

Zijn hart volgen. Vegter zuchtte inwendig, en aan de manier waarop Talsma bewoog kon hij diens irritatie aflezen. Als iemand een hekel had aan vrouwenbladenjargon was het Talsma. Wat niet wilde zeggen dat Gemma van Son ongelijk had. Misschien zou Richard Verkallen gelukkiger zijn geweest op een morsige zolderkamer dan in zijn onberispelijke koopwoning, en hoogstwaarschijnlijk zou hij nog hebben geleefd, waarmee hij hun een hoop werk had bespaard.

'U was dus degene bij wie hij zijn hart uitstortte.' Als er dan toch sprake was van de exploitatie van harten, moest de beker ook maar tot de bodem worden geledigd.

Gemma was niet gevoelig voor ironie. Ze ging iets rechter zitten. 'Ik was de enige. Hij…' Ze zweeg.

'Ja…?'

'Hij haatte zijn vader. Hij zei dat die hem zijn hele leven had gekleineerd. Dat zijn vader niets meer was dan een ordinaire handelaar die alleen in geld geïnteresseerd was. Ik denk dat hij me daarom niet mee wilde nemen naar zijn ouders. Ik heb hem vaak genoeg gezegd dat het mij niet kon schelen, maar toch wilde hij het niet. Hij wilde me dat besparen.'

Zou ze dat werkelijk geloven? Ken uzelve, dacht Vegter. Maar het leven was een stuk eenvoudiger als je zelfkennis vermeed. 'En zijn broer? Hoe was de verstandhouding tussen hen beiden?'

Ze haalde diep adem. 'Misschien haatte hij zijn broer ook. Tenminste, dat denk ik, ook al deed hij van alles samen met Peter. Maar hij lachte hem dikwijls uit, omdat Peter nergens verstand van heeft, alleen maar van auto's.'

'Daar gingen de gesprekken over?'

'Ja. En over geld.'

'Stoorde u dat?'

'Nee,' zei ze verbaasd. 'Het stoorde Richard. Hij werd er kwaad om. Volgens hem wilde Peter het evenbeeld zijn van zijn vader. Hij zei dat niet hij maar Peter zich de wet liet voorschrijven.' Ze dacht even na. 'Ik werk daar, dus ik kon niets zeggen. Maar in de auto, op weg naar huis, zat hij altijd op hem te schelden. Ook op Marjo. Dan moest ik hem echt kalmeren.'

Ze was zichtbaar meer ontspannen nu er een onderwerp werd behandeld waarover ze dikwijls moest hebben nagedacht. Richard pamperen was haar taak geweest, en waarschijnlijk had ze gehoopt op die manier haar positie te kunnen verstevigen. Zij was degene die in kritiekloze bewondering Richard zijn gevoel van eigenwaarde teruggaf, en ze had niet begrepen dat juist dat hem was gaan benauwen, omdat hij intelligent genoeg was om te weten dat hij zichzelf bedroog.

Talsma bedierf het.

Niet vaak gebeurde het dat hij Vegters opzet niet doorzag, en misschien was het alleen zijn aversie tegen haar psychologie light. Hij leunde iets naar voren en zei losjes: 'Dus alles samengevat zou ik zeggen: u dacht een band met hem te hebben, totdat hij u vertelde dat u kon opzouten.'

Vegter had tactvol willen terugkeren naar het oorspronkelijke onderwerp, en met spijt zag hij haar gezicht verstarren.

'Sorry,' zei Talsma op de gang. Hij wreef met beide handen over zijn gezicht.

'Het geeft niet.' Het gaf wel, maar dat kon hij niet zeggen, niet nu hij zag hoe vermoeid Talsma al leek. 'Ik wilde Renée naar de broer sturen om dat etentje te verifiëren, en naar de ouders om te horen of die werkelijk van niets weten. Je kunt met haar ruilen, als je wilt. Ze is intussen goed van de zaak op de hoogte.'

Talsma schudde zijn hoofd.

'Wat is er aan de hand, Sjoerd?'

'Wat zou er zijn?' Talsma maakte een gebaar dat machteloosheid verried. 'Akke werd ziek vannacht. Kotste alles onder. Ik heb er een dokter bij gehaald, want ze kon niet meer ophouden, ik dacht dat ze erin zou blijven. Ze heeft er pillen voor, maar hij heeft haar iets anders gegeven, en daarna bedaarde ze. Nou wil ze stoppen met de chemo. Zegt dat het toch geen nut meer heeft en dat ze het zat is.' Met duim en wijsvinger kneep hij aan weerszijden in zijn neusbrug. Zijn oogleden hadden rode randjes.

'Meld je ziek,' zei Vegter. 'Ga naar huis.'

'Wil ze niet,' zei Talsma. 'Ze heeft me weggestuurd, want we kregen nog mot ook. Ik werd kwaad omdat ik vind dat ze stom bezig is, en dat bracht ik niet zo tactvol. Weet u, Vegter, wat u en ik nu aan het doen zijn, eigenlijk interesseert het me niet zo. Alles is herhaling. Terwijl ik nou met iets nieuws bezig ben, hè? Maak je maar eenmaal in je leven mee.'

Vegter zweeg. Voor dit vechtende verdriet had hij geen troost.

'Zullen we verder gaan?' Talsma had een cynisch lachje. 'De duimschroeven er weer op. Over een uur bekent ze alles wat u wilt.'

Keja zat te ontbijten toen de telefoon ging. Asli zat tegenover hem aan tafel met de krant van de vorige dag. Alles moest zo normaal mogelijk lijken, en daar hoorde de krant bij. Het had ook die van een week geleden kunnen zijn, want ze nam geen woord in zich op.

Keja leek zich te hebben hersteld van zijn paniek. Ook daarbij kon ze hem nauwelijks helpen, wat maakte dat ze zich des te eenzamer voelde. In feite was hij zichzelf genoeg, en zij was degene die daaronder leed. Waarschijnlijk moest ze dankbaar zijn dat hij zo rustig tegenover haar zat, de ene boterham na de andere wegkauwend terwijl hij zijn blik gevestigd hield op een punt vlak boven haar hoofd. Die blik betekende: ik zie je, ik weet dat je er bent, maar val me niet lastig.

Tussen hen in stond zoals gewoonlijk de doos met kaartjes, en ze rommelde erin tot ze het kaartje met het winkelwagentje had gevonden. Ze hield het hem voor en wees meteen naar haar borst.

Ik ga alleen, je hoeft niet mee.

Hij knikte en at verder.

Fruit, dacht ze. Grapefruits, sinaasappels, mango's, dadels. Groente. Brood. Melk. Pizza's voor Keja. En ze zou *cambuulo* gaan maken. Waarom had ze daar niet eerder aan gedacht? Er was geen Richard meer die het haar kon verbieden. Ze zou naar het winkeltje gaan waar ze azukibonen verkochten, als het tenminste nog bestond, en als ze thuiskwam zou ze meteen de bonen op het vuur zetten, heel zachtjes laten pruttelen, minstens vijf uur lang, zodat het hele huis ernaar ging ruiken. De gedachte bracht iets van blijdschap teweeg. Voortaan zou ze weer haar eigen voedsel klaarmaken. Misschien keerde daardoor iets van haarzelf terug, iets van de persoon die ze was geweest.

Toen de telefoon ging stond ze automatisch op, niet verontrust, haar gedachten nog elders. Ze nam op. 'Asli Verkallen.'

Een jonge, te opgewekte mannenstem die een naam noemde die ze niet verstond, en daarna een brij van woorden waaruit ze alleen kon opmaken dat hij redactieassistent was van een televisieprogramma dat haar uitnodigde aan een uitzending mee te werken, eventueel telefonisch, maar liever live, en niet heel binnenkort, maar 'over een maandje of zo, als u het ergste verdriet hebt verwerkt'. Het zou zijn in het kader van een serie over rouw, en 'u zult begrijpen dat wij daarom op zoek zijn naar mensen die hun verhaal willen delen met de kijkers'.

Ze verbrak onmiddellijk de verbinding, bleef met de telefoon in haar handen staan terwijl ze diep en regelmatig probeerde adem te halen. Keja mocht niets merken, niet nu hij gekalmeerd leek, en zelfs goedgehumeurd. Allah, Allah, haar angst was terecht. Ze zouden haar achtervolgen, de kranten, de roddelbladen, de sensatieprogramma's, ze wilden haar uitknijpen als een citroen, en daarna zouden ze haar achteloos weggooien.

Ze liep terug naar de tafel, vouwde zorgvuldig de krant dicht, nam Keja's lege melkbeker weg en zijn glas, bracht die naar de keuken, raakte zijn schouder aan en wees naar zijn bord. Hij knikte en ze pakte het op, bracht ook dat naar de keuken, ging naar de hal, sloot de wc-deur achter zich, knielde en braakte haar eigen ontbijt uit – de banaan, een halve geroosterde boterham, het versgeperste sinaasappelsap, dat nu brandde in haar keel. Stond op, trok door, liep de trap op en spoelde in de badkamer haar mond, poetste haar tanden. Verlangend keek ze naar het bad. Maar ze had al gedoucht, hoefde zich alleen nog maar aan te kleden.

In de slaapkamer koos ze de warme tweedbroek die ze nog zelden droeg omdat hij allang uit de mode was, trok een T-shirt aan en daaroverheen een trui, zocht in de kast naar de enkelhoge wandelschoenen met dikke profielzolen. Ze ging boodschappen doen, ze zouden verhongeren als ze geen boodschappen deed, en de koude buitenlucht zou haar kalmeren, zodat ze daarna in staat was de taken uit te voeren die ze zichzelf had opgelegd.

Ze schoof de gordijnen open en keek naar buiten. Gedurende de nacht had het licht gesneeuwd, en op de oprit van de buren links was de auto bedekt met een ijl wit waas. Ze keek op haar horloge. Ver na tienen. Op werkdagen vertrok de buurman al vroeg. Was het zaterdag? Of zondag misschien? Geen zondag, want de krant was bezorgd. Maar welke dag dan wel? Ze had geen flauw idee. Er bestond nauwelijks nog tijd, of in elk geval geen indeling daarvan behalve dag en nacht, en dat alleen omdat het licht en donker werd.

Een stukje verderop stond nog een auto, geparkeerd langs het trottoir, verder was de straat leeg. Op deze auto lag geen sneeuw, en hoewel de lucht egaal grijs was, waren beide zonnekleppen naar beneden geklapt. Terwijl ze ernaar keek zag ze een beweging achter de voorruit, en plotseling kregen de zonnekleppen betekenis. Ze schoof een van de gordijnen weer een eindje dicht en ging erachter staan, zodat ze uit het raam kon kijken zonder zelf gezien te worden. Was ze bezig haar verstand te verliezen? In die auto zat iemand te wachten op een dochter die naar hockey moest, op een zoon om die naar de voetbaltraining te brengen, op een vrouw om samen te gaan winkelen. Er waren honderd redenen te bedenken waarom een van de buren in zijn auto zou kunnen zitten. Alleen was dit niet een auto die ze kende.

Ze stopte haar koude handen onder haar oksels, zodat haar borst smal werd en ze nog moeilijker kon ademhalen. Er stond een auto, en in die auto zat iemand. Een man, een vrouw, het was van hieraf niet te zien. Wat wel goed te zien zou zijn, maar dan vanuit die auto, was de voordeur van haar huis.

Minutenlang bleef ze kijken. In de auto zag ze opnieuw beweging, in de straat roerde zich niets. Was het de politie? Ze hadden haar uitgebreid ondervraagd, maar vooral om meer te weten te komen over Richards leven. Ze hadden zijn paspoort en zijn computer meegenomen, maar dat was niet meer dan logisch. Of was die persoon niet van de politie, was het iemand anders? Dan kon hij alleen maar zijn gestuurd door papa Verkallen. Kon het waar zijn, ging hij zo ver dat hij een privédetective in de arm had genomen? Privédetectives waren mensen die alleen maar in films bestonden, in het echte leven kwamen ze niet voor. Papa was er onmiddellijk van overtuigd geweest dat zij iets met Richards dood te maken had, al was die overtuiging nergens op gebaseerd. En hij was een man die nooit opgaf. Daar was hij trots op, hij geloofde dat hij aan die eigenschap zijn succes te danken had.

De gedachten zoemden door haar hoofd als wespen in een glazen potje. Papa was in staat honderden euro's uit te geven aan een man die vanuit een auto een voordeur in de gaten hield. Misschien was het alleen zijn bedoeling haar de stuipen op het lijf te jagen, het idee te geven dat ze in de gaten werd gehouden. Daarmee zou hij zijn macht demonstreren, haar duidelijk maken dat hij de sterkste was, dat hij zou winnen. Het was niet moeilijk te geloven dat dit zijn wraak was voor al die jaren dat hij de controle over zijn zoon had verloren.

Terwijl ze keek trachtte ze de angst weg te redeneren, rustig te worden, maar het lukte niet. Ze was zo bang voor hem. Zijn luide stem, de priemende ogen waarin altijd een zweem van minachting lag. Wie denk jij wel dat je bent, primitieve negerin? Zijn kleren wassen, voor hem koken, met hem slapen – elke vrouw zou dat hebben gekund. Een totaal mislukte zoon heb je hem gegeven, meer niet.

Ze hurkte en legde haar hoofd op haar knieën. Allah, God, wie dan ook, help me.

Achter haar, op Richards nachtkastje, ging de telefoon, en ze schrok zo dat ze bijna haar evenwicht verloor toen ze zich omdraaide. Ze staarde naar het toestel, dat rinkelde, rinkelde, het geluid echoënd in de stille kamer, haar dwingend op te staan, ernaartoe te lopen en op te nemen.

'Asli Verkallen.' Opnieuw de zure smaak van braaksel in haar keel.

'Mevrouw Verkallen, u kent mij niet, maar u spreekt met een lotgenoot. Mijn naam is Nora Halbering. Ik zou u niet storen in wat voor u een vreselijk moeilijke tijd moet zijn als ik niet dacht u te kunnen helpen. Acht jaar geleden is mijn man om het leven gebracht, en naar aanleiding daarvan heb ik de stichting Samen Door opgericht. Onze stichting heeft als oogmerk nabestaanden van slachtoffers van geweldsmisdrijven te steunen en te…'

'Donder op!' Haar stem sloeg over, schoot omhoog naar een hysterisch register, maar het kon haar niet schelen. Want opeens was er woede. Ze wist niet hoe lang die zou duren, maar nu gaf hij haar de energie die ze nodig had. Werd dit land uitsluitend bevolkt door malloten? Had niemand dan enig respect?

Ze gooide de telefoon van zich af, en hij vloog door de kamer, ketste tegen een schuifdeur van de kastenwand. Toen ze hem opraapte zat er een barst in de display, en ze smakte hem terug op het laadstation, deed de schuifdeur open, pakte een paar dikke sokken en wurmde ze aan haar voeten. Ze trok de wandelschoenen aan, kloste erop naar de overloop. Met twee treden tegelijk bonkte ze de trap af, pakte haar jack en schoot het aan terwijl ze de voordeur opendeed.

In een rechte lijn stak ze de straat over, gleed ondanks de profielzolen uit op een tot ijs gereden bandenspoor, wist haar evenwicht te hervinden. Op het trottoir was de sneeuw deels gesmolten tot een grauwe, waterige massa. Dit was de zonkant van de straat, en Richard had per se een perceel aan de andere kant willen hebben, omdat de achtertuin dan op het zuiden zou liggen.

Met grote stappen liep ze verder, haar armen strak langs haar lichaam, marcherend als een soldaat op weg naar het front. Nu ze dichterbij kwam, kon ze een donkergekleurd jack onderscheiden. Degene die het droeg boog zich opzij naar de passagiersstoel, ongetwijfeld omdat ze zijn gezicht niet mocht zien. Het maakte haar alleen maar kwader, en bijna hollend bereikte ze de auto, kwam half glijdend tot stilstand en rukte het portier open.

De man draaide zich naar haar toe, schrik en verbazing op zijn gezicht. Het gezicht van de buurman, die ze alleen maar kende omdat ze hem wekelijks een vuilcontainer naar de stoeprand zag rijden. Op de stoel naast hem lagen een doos en een paar stukken in vorm gesneden piepschuim, in zijn hand had hij een kabeltje.

Ze staarden elkaar aan, hij met zijn mond half open, zijn ogen groot en rond. De binnenverlichting liet zijn kaalgeschoren schedel glanzen, die door de bontkraag van het jack werd omkranst als een struisvogelei door een nest, en terwijl ze naar elkaar staarden was alles wat ze kon bedenken hoe merkwaardig het was dat iemand zijn hoofd kaalschoor, maar wel een bontkraag wilde.

En nu herkende hij haar ook. De schrik verdween en de verbazing maakte plaats voor nieuwsgierigheid. Alle buren moesten intussen op de hoogte zijn van wat er was gebeurd.

'Kan ik iets voor u doen?'

In totale verwarring schudde ze nee, en opeens rook ze de typische geur van een gloednieuwe auto, begreep dat hij bezig was een of ander apparaat te installeren en uit te proberen, begreep ook dat hij deze auto zojuist bij de dealer had opgehaald en dat er daarom geen sneeuw op lag. Een auto voor zijn vrouw misschien – het was een klein model, en bovendien stond er een andere auto op de oprit. Een auto die ze wél kende, een stationcar, bedekt met dezelfde vlokkige sneeuwlaag als die van haar buren links.

Ze smeet het portier dicht. Gleed en struikelde de straat over, rende haar eigen oprit op, graaide de sleutels uit haar broekzak, maakte de deur open en gooide hem achter zich dicht.

In de hal was alleen haar eigen hortende ademhaling. De deur van de zitkamer ging open. Keja slungelde naar haar toe, stak zijn hand uit, raakte haar wang aan, draaide zich om en liep de trap op. Ze keek zijn verdwijnende benen na, lange dunne jongensbenen in een kreukelige spijkerbroek, de pijpen te lang, zodat ze in een dubbele knik op zijn voeten hingen.

Hij moest hebben gezien dat ze kwam aanhollen, hij moest haar ontreddering hebben gezien, en hij had daarop gereageerd door haar aan te raken. Ze legde haar hand tegen haar wang. Haar zoon had haar getroost.

■

Renée wrong haar auto tussen een dikke Mercedes en een Lotus, en toen ze uitstapte bedacht ze dat een van de voordelen van de buurt waar Peter Verkallen woonde moest zijn dat je er altijd kon parkeren. Ze liep de oprit op en zag beweging in de ijle vitrage voor de ramen. Gordijnen zo dun dat ze nauwelijks een functie hadden, behalve het filteren van het licht.

Ze belde aan.

Ondanks de golvende vitrage duurde het lang voor de deur openging.

'Ja?'

De vrouw van Peter Verkallen was iemand om rekening mee te houden, wat bleek uit de hand die ze ferm in haar zij had geplant, de stand van de voeten. Renée keek naar de wenkbrauwen, geëpileerd tot verbaasde boogjes, de harde lijnen aan weerszijden van de neus die niet meer konden worden verdoezeld door make-up.

'Renée Pettersen, recherche. Is uw man thuis?'

'Hij slaapt. En ik heb geen zin om hem wakker te maken.'

'Misschien kunt ú mijn vragen beantwoorden,' zei Renée sussend. 'Zullen we binnen even rustig praten? Het hoeft niet lang te duren.'

Marjo Verkallen wikte en woog, en terwijl ze dat deed, begreep ze dat ze daardoor aan de verliezende hand was, als bij een colporteur die de gelegenheid krijgt zijn verhaal te doen. 'Komt u binnen.'

Renée volgde de brede rug, een rug bekleed met een duur kasjmieren vest, een maat te klein gekocht, zodat het rimpelde in de taille. Het kastanjebruin geverfde haar had die behandeling al te dikwijls ondergaan, waardoor er op het achterhoofd de aanduiding van een kale plek zichtbaar was.

In de zitkamer wees Marjo Verkallen zonder omhaal naar de bank. 'Zeg het maar.'

Renée ging zitten. 'Ik wil graag weten of u een week geleden hier samen hebt gegeten met uw zwager en Gemma van Son.'

'Waarom?'

'Hoe bedoelt u?'

'Waarom wilt u dat weten?'

'Beantwoordt u alstublieft mijn vraag.'

'Richard kwam,' zei Marjo vijandig. 'En twintig minuten later stond Gemma op de stoep.'

'Er was dus geen afspraak dat zij zouden komen eten, begrijp ik.'

'Klopt.'

'Waarom kwam Richard?'

'Hij kwam er niet meer uit. Thuis was het niks, maar met Gemma wilde hij ook niet verder. Daar wilde hij over praten.'

'Wist zij dat hij hier zou zijn?'

'Dat weet ik niet. Misschien had ze zijn auto zien staan. Ze komt hier ook af en toe zonder Richard.'

'En ze bleven allebei eten?'

Marjo Verkallen lachte. 'Van dat eten kwam niet veel. Ze dronken een flinke borrel, en toen liep het uit de hand. Richard heeft een taxi voor haar gebeld, maar toen die voor de deur stond, zijn ze er samen in gestapt.'

'Waarom liep het uit de hand?'

'Richard werd al kwaad toen ze binnenkwam. Hij zei dat ze moest ophouden hem achterna te rijden. Dat hij al een paar keer had gemerkt dat ze dat deed en dat hij daar genoeg van had.'

'Maar toch gingen ze samen weg.' Misschien was de wil goed, maar het vlees zwak, dacht Renée. En daarna dat dit typisch een gedachte voor Paul zou zijn, en ook voor Talsma. Wat haar niet ontevreden stemde.

'Ja. Hoe het verder is gegaan weet ik niet, en eigenlijk kon me dat ook niet veel schelen. Ik begon het een beetje zat te worden. Het was al maanden drama tussen die twee, en elke keer moest dat bij ons thuis worden uitgevochten. Gemma is af en toe op het hysterische af. Een paar weken geleden heb ik tegen Peter gezegd dat ik haar een poosje niet over de vloer wilde hebben.' De ogen tussen de diepzwarte korte wimpers werden kleiner. 'Maar Peter was het daar niet mee eens.'

Daar zit de pijn, dacht Renée. Ze knikte begrijpend. 'U wilde vrede in huis.'

'Dat ook.' Marjo Verkallen besefte dat ze zich met dit antwoord meer blootgaf dan ze wilde. 'Het is natuurlijk verschrikkelijk wat er is gebeurd. Verschrikkelijk. We zijn er allebei kapot van. Peters enige broer. En het bedrijf. Hoe dat nu verder moet... Niet dat Peter het niet in zijn eentje kan leiden.'

'Daar hebt u al over gesproken samen?' Renée kon het niet laten. Geen spoor van werkelijk verdriet bij deze vrouw, alleen maar kille berekening en de angst dat haar man meer dan gemiddeld geïnteresseerd zou kunnen zijn in een jongere vrouw. Maar misschien was die angst niet ongegrond.

'Het is langsgekomen. Zoals alles langskomt.' Marjo Verkallen was nu op haar hoede. 'We kunnen het allemaal nog niet overzien. Het is nog te vers.' Ze schoof naar voren op haar stoel. 'Ik heb het druk. Er moet zoveel worden geregeld, en ik kan niet alles aan Peter overlaten. Ik moet er nu voor hem zijn, hij heeft het al moeilijk genoeg. Dus als u geen vragen meer hebt...'

Renée stond op. 'Dank voor uw medewerking.'

Onderweg naar de oude Verkallens overdacht ze het zinnetje. 'Ik moet er nu voor hem zijn.' De afgelopen maanden was ze doodgegooid met dit soort jargon, en ze had een wantrouwen ontwikkeld ten opzichte van de oprechtheid ervan. Ze dacht aan het lachje waarmee Paul haar overlijdensadvertenties had voorgelezen. 'We zijn er voor jullie!' Waarna hij de krant dichtvouwde en zei: 'Benieuwd voor hoe lang.'

Aanvankelijk had zijn sarcasme haar geïrriteerd, en ze had het geweten aan zijn teleurstelling over de reacties na de dood van zijn vrouw. Ze had hem gezegd dat wanneer mensen medeleven betoonden, je daar ook op in moest gaan omdat ze dat van je verwachtten, waarop hij had geantwoord dat het de omgekeerde wereld zou zijn, want dat er voor verdriet geen fatsoensregels bestonden. Gedurende de maanden van haar ziekteverlof was haar duidelijk geworden dat hij gelijk zou kunnen hebben. Medeleven had een beperkte houdbaarheid. Vrienden belden een- of tweemaal, wensten haar sterkte en nodigden haar uit voor een feestje omdat ze daarvan zou opknappen. Maar als ze geen gehoor gaf aan de uitnodiging bleef het daarna stil.

Terwijl ze parkeerde betrapte ze zichzelf op een gevoel van verwachting. Het was heerlijk weer aan het werk te zijn, je nuttig te voelen, je hersens te gebruiken.

'Wat willen jullie nu nog?' De oude Verkallen monsterde haar van top tot teen met een blik waaruit bleek dat hij geen hoge dunk had van vrouwelijke politiefunctionarissen, zeker niet als die waren gekleed in een spijkerbroek en een leren jack. 'Bent u een assistent van die inspecteur?'

'Zo zou u het kunnen noemen,' zei Renée onverstoorbaar.

Zonder verdere plichtplegingen deed hij de deur iets verder open, en ze stapte de hal in. Nu ze naast hem stond, zag hij dat ze langer was dan hij, en hij rechtte zijn rug terwijl hij haar voorging naar de zitkamer. Ze glimlachte in zichzelf en stak haar hand uit naar de kleine vrouw die moeizaam opstond uit een stoel die te groot voor haar was. 'Renée Pettersen, recherche.'

Verkallen senior gebaarde naar een van de twee enorme banken en ging tegenover haar op de andere zitten.

Zijn vrouw bleef staan. 'Wilt u misschien koffie?' Ze keek naar haar man als had ze zijn goedkeuring nodig om de vraag te stellen.

'Nee, dank u wel,' zei Renée.

'Ze komt niet voor de gezelligheid,' zei Verkallen bot.

'Ik moet u beiden een vraag stellen die u misschien niet prettig zult vinden,' zei Renée.

Mevrouw Verkallen ging op het puntje van haar stoel zitten, angst in haar ogen. 'Wat nu weer?'

'Wist u dat uw zoon een verhouding had met Gemma van Son?' Renée hield Verkallen in de gaten, maar zag dat zijn vrouw haar handen voor haar mond sloeg. Verkallen zelf gaf niet direct antwoord.

'Het verbaast me niet,' zei hij ten slotte.

'Waarom niet?'

Hij stelde een tegenvraag. 'Wist zijn broer ervan?'

Renée knikte.

'Wel verdomme.' Verkallen stond op. 'Een ogenblik.' Hij liep de kamer uit en trok de deur te hard achter zich dicht. Even later was zijn luide stem bijna even duidelijk te verstaan als wanneer hij zich nog in de kamer zou hebben bevonden.

'Met mij, ja. Waar hangt Peter uit?'

'Kan me niet schelen. Roep hem.'

Het bleef even stil.

Mevrouw Verkallen zat kaarsrecht, een voet voor de andere geplaatst alsof ze op het punt stond te vluchten. Als ze haar mond maar houdt, dacht Renée.

'Met mij,' baste Verkallen. 'Wat? Het is na twaalven. Slapen doe je vanavond maar. Waarom wist ik niet dat Richard scharrelde met dat juffie Van Son?'

Opnieuw stilte. Niet lang.

'Wat nou niet ongerust maken. Mama en ik bepalen zelf wel wanneer we ongerust zijn. Hoe lang duurt dat gesodemieter al?'

Renée zag dat mevrouw Verkallen zich schrap zette voor het antwoord.

'Ja, ja, heeft geduurd,' zei Verkallen. 'Een paar jaar? En was hij van plan te gaan scheiden? Want dat zou dan tenminste nog íéts zijn geweest. Niet? Waar was hij dan in godsnaam mee bezig?'

Renée wachtte, en met haar mevrouw Verkallen.

'Ach jezus,' zei Verkallen. 'Wat een zootje. Kan alleen nog maar meer ellende van komen. Weet Asli hier eigenlijk van? Niet? Weet je het zeker? Want dit zet de hele boel op zijn kop. Ik dacht dat zij... Enfin, het doet er niet toe wat ik dacht.'

Het antwoord duurde lang. Renée kon Verkallens ongeduld bijna voelen.

'Hou toch op met die flauwekul. Ga niet de psycholoog uithangen. Hem op die manier in zijn nek hijgen, is ze besodemieterd? Weg ermee. Verzin maar wat. Godverdomme, Peter, ik kan dit er niet ook nog bij hebben. En mama zeker niet.' Er klonk een geluid dat het midden hield tussen een snik en een neus die werd gesnoten. Daarna volgde weer een stilte.

'Och jongen, de sores wordt alleen maar groter. Ik heb hier zo'n agente zitten. Die wil weten hoe of wat. Maar ik eis van je... luister je? Mooi. Ik *eis* van je dat je dat stuk hysterica eruit flikkert. Begrepen?'

Verkallen kwam weer binnen, rode driftplekken op zijn wangen. 'Wat wilde u nog meer weten?'

'Niet zo heel veel,' zei Renée kalmerend. 'Ik begrijp dat dit onaangenaam nieuws voor u is. Wat me een beetje verbaast is dat uw zoon dit zo lang voor u verborgen heeft kunnen houden.'

'We zagen Richard minder dan Peter,' zei Verkallen onwillig. 'En hij heeft nooit het achterste van zijn tong laten zien.'

'Waarom zag u hem minder dan Peter?'

'Ik heb geen zin om daar antwoord op te geven.'

'Het zou ons kunnen helpen als u dat wél doet.'

'Richard heeft zich wat teruggetrokken,' zei mevrouw Verkallen. 'Toch, Cor? Dat mag ik toch wel zeggen?'

Verkallen zweeg.

'Hebt u enig idee waarom dat was?' vroeg Renée.

'Nee,' zei Verkallen hard.

Renée bleef hem aankijken. Wat een calculerende, schaamteloze man was dit. Hij moest beseffen dat ze zijn telefoongesprek had gehoord en daaruit conclusies had getrokken, maar het interesseerde hem totaal niet. Ze zag de berekening op zijn gezicht – hij nam zelfs niet de moeite die te verbergen, omdat hij gewend was dat zijn wil bepaalde hoe de zaken verliepen. In dit geval vergiste hij zich daarin, omdat hij zowel haar als het justitiële apparaat onderschatte, en ze vroeg zich af of dat domheid was of arrogantie. Paul zou zeggen dat het geen verschil maakte, aangezien arrogantie altijd een vorm van domheid was.

'Wat ik wil,' zei Verkallen, 'is dat jullie degene vinden die mijn zoon heeft omgebracht. Meer niet. Ik zou zeggen: pak dat kind Van Son op. U zit uw tijd hier te verknoeien.'

'Volgens zijn broer wist Asli Verkallen niets van de relatie van haar man met Gemma van Son.' Renée gooide haar lege koffiebekertje in de prullenmand. 'Terwijl ik in het rapport van jullie gesprekken met haar las dat ze dat al een halfjaar wist. Hoe zit dat dan?'

'Liegt-ie,' zei Talsma zonder zich om te draaien. Hij stond voor het op een kier geopende raam een sigaret te roken.

Ze zaten in Vegters kamer. Vegter achter zijn bureau, Renée in een van de bezoekersstoelen.

'Waarom zou hij daarover liegen?' vroeg ze.

'Omdat hij overal over liegt. Het is een karaktertrek.' Talsma gooide het peukje naar buiten en sloot het raam met een klap.

'Dat vind ik te gemakkelijk,' zei Renée.

'Asli Verkallen heeft ons zelf verteld dat ze ervan wist.' Talsma pakte een rechte stoel en ging er achterstevoren op zitten. Hij legde zijn armen kruislings op de rugleuning en liet zijn kin erop rusten. 'Vertel mij waarom ze dat verzonnen zou hebben.'

Renée zweeg.

'Gemma van Son blijft bij haar verhaal,' zei Vegter. 'Maar intussen heb ik een forensisch rapport. Op Verkallens pak is een flink aantal pluizen aangetroffen. Wol, naar alle waarschijnlijkheid afkomstig van een trui of iets dergelijks. Op dit moment wordt Van Sons flat doorzocht.' Hij zuchtte. 'Het zal wel niets opleveren, want als ze verstandig is heeft ze alles weggegooid wat ze aanhad. Beter nieuws is dat onder een vingernagel menselijk weefsel is gevonden dat niet van Verkallen afkomstig is.'

'Ik dacht dat er geen sporen van een gevecht waren,' zei Renée verbaasd.

'Niet zichtbaar toen hij gevonden werd. Maar dit wijst toch op het tegendeel. Wij gaan zo meteen verder met het verhoor.' Vegter keek naar Talsma. 'Gaat het nog, Sjoerd?'

'Jawel.'

'En dan gaan we haar confronteren met wat Marjo Verkallen jou vertelde, en wat gestaafd wordt door dat telefoongesprek van Verkallen senior. Iemand achternarijden is obsessief gedrag.'

'Misschien is het goed als ik intussen met Asli Verkallen ga praten,' zei Renée.

Vegter aarzelde. 'Wat denk je daarmee te bereiken?'

'Wat me dwarszit is een halve opmerking van vader Verkallen tijdens dat telefoongesprek.' Ze dacht na. 'Helemaal precies weet ik het niet meer, maar het was iets in de trant van dat die affaire met Van Son de zaak veranderde. Ik zou meer willen weten over de relatie tussen Asli en Richard.'

'Waarom?'

'Omdat ik me bijna niet kan voorstellen dat wanneer je ontdekt dat je man je ontrouw is, je daar één keer over praat en daarna nooit meer.'

Vegter glimlachte. 'Dat zou jij anders doen.'

'Nou en of.'

Ze lachte terug, en hij bedacht hoe anders ze een halfjaar geleden zou hebben gereageerd. 'Op mij maakt ze de indruk van een vrouw die overdreven volgzaam is,' zei hij. 'Murw, maar dat is misschien overdreven om te zeggen. Bovendien is ze nu natuurlijk niet zichzelf, maar ze lijkt volledig lamgeslagen. Vergeet ook de problemen met haar zoon niet.'

'Daarom juist,' zei Renée. 'Ze zat al in zo'n moeilijke situatie, en dan ook dat er nog bij. Hoeveel kan iemand verdragen?'

'Ga maar,' zei Vegter. 'Zie maar of je iets wijzer kunt worden.'

'Wat doen we?' vroeg Talsma op weg naar de verhoorkamer.

'Ik wil een doorbraak,' zei Vegter. De broodjes kroket die hij bij wijze van lunch had gegeten lagen hem zwaar op de maag. De kantine bood tegenwoordig ook min of meer gezonde salades aan, maar hij had de verleiding niet kunnen weerstaan, iets waar hij nu spijt van had. Vluchtig vroeg hij zich af wie méér tegen dit verhoor zou opzien, Gemma van Son of hijzelf. Een dwaze gedachte, maar hij was onrustig en prikkelbaar. Prikkelbaar vanwege slaapgebrek, onrustig omdat hij maar niet de vinger kon leggen op wat er precies had gespeeld binnen de familie Verkallen. Hij had de verhoren opnieuw doorgenomen, de rapporten met betrekking tot Verkallens zakelijke en persoonlijke relaties nogmaals doorgelezen, alles in de hoop iets te vinden wat hij over het hoofd had gezien. Maar er was niets. Het was tijdverspilling gebleken, wat hem nog geïrriteerder maakte dan hij al was. Verkallen had een klein, bijna benepen leven geleid. Geen vrienden, een kleine kennissenkring. Alleen zijn familie, met wie hij een haat-liefdeverhouding had, en zijn gezin, waarvoor in feite hetzelfde gold. En Gemma van Son. De weinige energie die hij nog over zou hebben gehad, had zij uit hem gezogen. Geen benijdenswaardig man, maar ook een man zonder ruggengraat.

Het drong tot hem door dat Talsma op een uitgebreider antwoord wachtte. 'We gaan de druk opvoeren. Overmorgen is het Kerstmis, en daar willen jij en ik van genieten.'

Talsma lachte niet.

En terecht, dacht Vegter. Als grapje was het een mislukte opmerking, maar in de kern was het waar, als hij alleen zichzelf in aanmerking nam. Dit wroeten in verziekte familierelaties stond hem tegen, het bekrompen wereldbeeld van de Verkallens stond hem tegen. Waar zocht hij naar? Feitelijk was het een simpele zaak: minnares doodt minnaar. Een crime passionnel werd het genoemd in de tijd dat er nog een zweem van romantiek rond zulke misdrijven hing. De media zouden ervan smullen. Als tenminste de minnares eindelijk wilde bekennen. Het zou iedereen opluchten, inclusief haarzelf. Het zou ook een hoop tijd en moeite besparen.

Ze bleven staan voor de deur van de verhoorkamer, en hij legde even zijn hand op Talsma's schouder. 'Dat laatste neem ik terug.'

Talsma knikte zwijgend.

21

Ze had zichzelf ertoe gedwongen actie te ondernemen nadat ze enigszins was gekalmeerd, en het eerste wat ze had gedaan was een overlijdensbericht opgeven. Omdat ze niet wist hoe dat moest, had ze op het internet gezocht, en tot haar verrassing bleek het tamelijk eenvoudig. Zelfs rouw kon je tegenwoordig online kenbaar maken. Voordat ze de tekst durfde te versturen had ze hem driemaal overgelezen, bang als ze was een fout te maken. Nederlands spreken was haar al snel goed afgegaan, maar schrijven was een andere kwestie. Eens had ze zich voorgenomen daar werk van te maken, eens had ze zich heel veel voorgenomen, maar na Keja's geboorte was er niets van dat alles terechtgekomen. In Somalië had ze vier jaar het schooltje in het naburige dorp bezocht, en vanaf de eerste schooldag had ze gewenst evenveel te weten als de strenge lerares die hen onderrichtte. Hoe geweldig moest het zijn om voor de klas te staan en kennis over te dragen. In Nederland had het haar verbaasd dat kinderen een hekel aan leren leken te hebben. Voor hen was de school een verplichting, voor haar was het een voorrecht geweest.

Ze klapte de laptop dicht. Morgen zou Richards naam in de krant staan, omkaderd door een zwarte rand, en ze vroeg zich af of ze de moed zou hebben ernaar te kijken. Niet meer dan die naam was hij nu, betekenisloos voor wie hem niet had gekend. Een man zonder achtergrond.

Ze schoof haar stoel naar achteren en stond op. Nu ze dit had gekund, zou al het overige gemakkelijker zijn.

Op de overloop bleef ze voor Keja's deur staan. Er klonk geen enkel geluid. Soms was hij niet meer dan een aanwezigheid. In een van zijn bittere buien had Richard eens gezegd dat je hem kon vergeten als een hond in zijn mand.

Ze ging Richards kamer binnen, stapelde de ordners op elkaar en nam ze mee naar beneden. Niet in die kamer zitten, waar ze het gevoel zou hebben dat ze inbreuk pleegde op zijn privacy. De huiskamer was neutraal terrein nadat ze de rode stoel en het voetenbankje in de garage had gezet. Die verschrikkelijke stoel van de man-die-heeft-gewerkt, waarin hij avond na avond zwijgend naar de televisie had zitten staren, onderuitgezakt, benen gestrekt, programma's bekeek waarvan ze zich afvroeg of hij na afloop zou kunnen vertellen waar het over ging. Zij zat op de bank met een boek of de krant en telde de uren tot hij naar bed zou gaan. Daarna mocht de televisie uit, kon ze naar muziek luisteren, zich ontspannen omdat er weer een dag voorbij was, ook al was de volgende niet iets om naar uit te kijken.

Ze legde de ordners op de eettafel, trok de stekker van de telefoon uit het contact en zette haar mobiel uit. Omdat ze niet wist waar te beginnen, opende ze lukraak de ordner waar 'Verzekeringen' op stond.

Nauwgezet als hij was, had Richard de verschillende verzekeringen gerubriceerd, van elkaar gescheiden door gekleurde tabbladen waarop hij in zijn puntige handschrift de soortnaam had geschreven. Auto's, inboedel, opstal, ziektekosten. Ze bladerde door tot het laatste tabblad. Levensverzekering.

Verbijsterd keek ze naar de polis. Verzekerde: Richard Cornelis Verkallen. Verzekeringnemer: Richard Cornelis Verkallen. Begunstigde: Asli Verkallen. Verzekerd bedrag: 500.000 euro.

Ze sloeg het polisblad om. Er was een aanhangsel aan geniet

waarop de voorwaarden stonden vermeld. Ze begon te lezen, begreep niet wat ze las en begon opnieuw.

Het waren vier dichtbedrukte pagina's, en op pagina drie las ze onder Begunstiging: 'Degene die het overlijden van de verzekerde door zijn opzettelijk handelen of nalaten heeft veroorzaakt of daaraan opzettelijk heeft meegewerkt, kan geen rechten ontlenen aan de verzekering, noch kan hij op enige andere grond aanspraak maken op een uitkering. Een begunstigde die het overlijden van de verzekerde aldus heeft bewerkstelligd, verliest zijn hoedanigheid van begunstigde.'

Het stond er. Het stond er werkelijk. Richard Cornelis Verkallen had dertien jaar lang zijn vrouw mishandeld en vernederd, maar haar verzorgd willen achterlaten.

22

'Mevrouw Van Son,' zei Vegter. 'We beginnen bij de dag vóór Richard Verkallen stierf. U voelde zich niet goed, zegt u.'

'Ja.'

'Wat deed u? Hoe bracht u de avond door?'

'Ik heb niet gegeten. Op de bank gelegen.' Gemma van Son sprak tegen haar handen. Toen ze binnenkwam en langs hem liep, had hij haar geroken – een geur van zweet en ongewassen haren. Haar jas had ze ten slotte toch uitgetrokken, maar nu zat ze kouwelijk in elkaar gedoken op haar stoel. De zwarte maillot die ze droeg onder de korte rok leek vaal en stoffig, net als de zwarte grof gebreide trui. Haar haren hingen in slierten langs haar gezicht, dat bleek en pafferig was nu ze de make-up had weggehuild.

'En toen?'

'Toen heb ik Peter gebeld om te zeggen dat ik ziek was.'

'Waarom belde u Richard niet? Dat zou logischer zijn geweest.'

'Ik belde Richard nooit thuis.'

'Waarom niet?'

'Dat wilde hij niet.'

'Goed,' zei Vegter. 'U meldde zich weliswaar ziek, maar nog diezelfde avond mailde u Richard dat u hem de volgende dag wilde spreken. Daar was u niet te ziek voor?'

'Ik…' Ze stokte. 'We hadden ruzie gehad, 's middags, in zijn kantoor. Hij stuurde me naar huis. En thuis piekerde ik erover.'

'Waarover hadden jullie ruzie?'

'Hij maakte ruzie met mij, ik niet met hem.'

'Waarover?'

'Dat weet ik niet meer.'

'Geloof ik niks van,' zei Talsma. 'Jullie hadden altijd ruzie over hetzelfde. U liet hem niet met rust, en hij had er tabak van.'

Ze gaf geen antwoord, maar pakte een haarstreng en draaide die rond haar vinger, als een klein meisje dat een standje krijgt.

'En nou we het er toch over hebben,' zei Talsma. 'Na dat etentje vorige week bij Peter en Marjo zijn jullie samen in een taxi gestapt, maar hij is niet meegegaan naar uw huis. Niks samen slapen.'

De taxibedrijven waren nageplozen. Verkallen had Gemma thuis afgezet en had zich daarna terug laten rijden naar het huis van zijn broer, waar hij in zijn eigen auto was gestapt.

'Hij had zich onderweg bedacht,' zei ze. 'Hij was moe.'

'We gaan terug naar de avond vóór zijn dood,' zei Vegter. 'U was niet ziek, u hebt zich ziek gemeld omdat u overstuur was door die ruzie.'

Ze bracht de lok naar haar mond en beet erop.

'Waarom al die leugens?' vroeg Talsma. Het klonk bijna vaderlijk. 'Kwam hij nog wel bij u thuis?'

'Nee.' Ze sprak langs de haren. Onduidelijk, mompelend.

'Waarom niet?'

'Weet ik niet.'

Ik wel, dacht Vegter. De frutsels, de kussentjes, de kandelaars, de hele poppenhuissfeer was al benauwend voor de neutrale bezoeker. Voor Verkallen moest het verstikkend zijn geweest. Een cocon waaruit hij zich had gepoogd te bevrijden, omdat de pop die hem naar binnen had gelokt maar geen vlinder wilde worden.

'Ik wel,' zei Talsma. 'Er was geen sprake meer van liefde, of wat daarvoor door moest gaan. Er werd hooguit nog af en toe geneukt. Niet vaak meer, alleen als de nood hoog was.'

'Niet waar!' Ze liet de haren los.

'Jawel,' zei Talsma. 'En je vond het allemaal goed, je liet je gebruiken. Je had wijzer moeten zijn, maar dat was je niet. Je zou desnoods met Peter naar bed zijn gegaan als het geholpen zou hebben. Want je had niemand anders. En Peter was op jouw hand, dat had je allang begrepen. Zijn vrouw niet, die zag je liever gaan dan komen.'

'Nee!' zei ze ongelovig. 'Zo was het niet. Marjo en ik... We zijn vriendinnen. Ze beschouwt me als haar schoonzus. Met die... Met Richards vrouw heeft ze geen contact, dat heeft ze me zelf verteld.'

'Gelul,' zei Talsma. 'Word wakker. Ze was het spuugzat.'

Ze had geen weerwoord.

Het was een spel, dacht Vegter. Een spel waarvan Talsma en hij de regels kenden. Een simpel spel – je vernietigde alles wat van waarde was voor de tegenstander, je brak zijn bolwerk af en verstevigde met de resten het jouwe. En je kon er niet eens trots op zijn, want in de meeste gevallen begon je al met meer munitie.

'Hoe hebt u de volgende dag doorgebracht?' vroeg hij.

Ze had tijd nodig om om te schakelen. 'Ik ben thuisgebleven.'

Vegter zag dat ze de verzorgde nagels tot op het leven had afgebeten. Haar vingers waren nu kort en stomp. 'U bent de deur niet uit geweest?'

'Nee.'

'Alweer een leugen,' zei Talsma. 'U bent boodschappen wezen doen.'

Vegter had Brink bij de buren langs gestuurd, en de buurvrouw rechts had gemeld dat ze Gemma langs had zien komen. Het was haar opgevallen omdat ze haar door de week maar zelden zag. De buurvrouw was bejaard en slecht ter been en bracht haar dagen voornamelijk door op een stoel voor het keuken-raam.

'Dat was ik vergeten.'

'Ik zal uw geheugen nog verder opfrissen,' zei Vegter. 'U had boodschappen gedaan, eten gekocht voor twee personen. Dat nam u mee naar het zomerhuis. Richard had immers gezegd dat hij er zou zijn? Dus u geloofde dat het allemaal goed kwam, zo-als altijd. Want hij ging steeds opnieuw door de knieën. Dus u ging naar het zomerhuis en wachtte daar op hem. Maar Richard kwam alleen om u te vertellen dat het nu eindelijk afgelopen moest zijn.'

'Niet waar.'

'Jawel,' zei Vegter. 'Ik zou willen dat u eindelijk tot u door laat dringen dat u wordt verdacht van moord. Weet u hoeveel jaar gevangenisstraf daarop staat?'

Ze zweeg.

'Ik gok op een jaar of twaalf,' zei Talsma. 'Maar de rechters worden strenger. De politiek, hè? Die wil dat. Dus het kan meer wezen. Ben je, pak 'm beet, vijfenveertig als je eruit komt. Een vrouw van middelbare leeftijd. Geen baan, geen geld, niks.'

Ze zweeg.

'En je wordt er niet mooier op,' zei Talsma nadenkend. 'Het eten is niet al te best, veel vrouwen worden dik. Weinig bewe-ging, verveling, een hoop frustratie. Enfin, u weet al een beetje hoe het is, een cel.'

Ze huilde al. Geluidloos ditmaal.

'Op dit moment wordt uw flat doorzocht,' zei Vegter. Hij ver-langde naar een groot glas koud water om zijn maag tot rust te brengen. 'En na dit gesprek zal bij u DNA-materiaal worden afge-nomen. Ik denk dat het overeen zal komen met het materiaal dat op Richard is aangetroffen. Dan zijn we rond.' Hij leunde naar achteren en sloeg zijn armen over elkaar.

Ze staarde hem aan. Ontzet. Sprakeloos.

'In feite hebben we dan geen bekentenis van u meer nodig,' zei hij. 'Maar als u die wél aflegt, kan dat schelen in de strafmaat. De rechter zou begrip kunnen tonen. U hield immers van Richard, u kon niet zonder hem. U wenste zijn dood niet. Die overkwam u.'

Ze verschrompelde. Alle lucht leek uit haar longen te stromen, haar schouders zakten, haar hoofd hing naar beneden.

Vegter moest zich bedwingen om niet naar voren te leunen. Hij hoorde Talsma's ademhaling, luidruchtiger dan de zijne, omdat Talsma het laatste halfjaar nog meer rookte dan voorheen. Op de gang liep iemand fluitend voorbij. Een deur sloeg dicht. In de stilte tikte een radiatorbuis. En nog altijd zat Gemma roerloos op haar stoel.

'Nou?' zei Talsma zachtjes. 'Zeg het maar, kind.'

'Ik heb het niet gedaan,' fluisterde ze. Haar ogen waren enorm in het witte gezicht. 'Ik heb het niet gedaan! Ik heb hem maar heel even gezien.'

Vegter liet zijn eigen adem ontsnappen. 'Begin maar bij het begin.'

'Hij was er al.' Haar neus liep, maar ze scheen het niet te merken. 'Bij het huis.'

'Hij stond op u te wachten?'

Bijna onmerkbaar schudde ze nee. 'Hij zat in zijn auto, en toen ik aan kwam rijden, stapte hij uit. Ik stopte achter hem, en hij stapte bij mij in.'

'En toen?'

'Hij…' Ze stopte haar trillende handen tussen haar knieën. 'Ik heb hem nog nooit zo kwaad gezien. Hij begon meteen tegen me te schreeuwen.'

'Wat zei hij?'

'Dat hij er helemaal genoeg van had. Dat ik ontslagen was. Dat hij me nooit meer wilde zien. Ik moest het niet wagen nog in zijn buurt te komen.'

'Wat zei hij letterlijk?'

Ze schudde haar hoofd, bracht haar handen omhoog en verborg haar gezicht erin.

'Wat zei hij?'

'Hij noemde me een loopse teef.' Het was amper verstaanbaar.

Vegter wachtte.

'Hij zei dat ik ziek was. Dat hij voor de rest van zijn leven genoeg had van vrouwen. Dat ik moest oprotten. Dat hij de politie zou waarschuwen als ik ooit nog in zijn buurt kwam.'

'En u werd kwaad,' zei Talsma.

Ze hoorde hem niet, opgesloten als ze zat in haar radeloosheid.

'Ga door,' zei Talsma onbewogen.

Ze hief haar hoofd. Haar wangen waren vlekkerig rood, haar mond vertrok krampachtig. 'Hij sloeg me. Ik klapte met mijn hoofd tegen het raampje.'

'En u sloeg terug.'

Ze schudde nee. 'Ik werd bang. Hij had me nog nooit geslagen.'

'Wat deed u?'

'Ik begon te huilen, en hij schreeuwde door. Dat hij ook genoeg had van dat eeuwige gejank. En toen stapte hij uit.'

'En u ging hem achterna.'

'Nee. Ik bleef zitten.'

'Een nieuwe leugen,' zei Talsma treurig. 'Wat jammer nou. Het ging net zo goed.'

'Ik lieg niet!' Ze keek van hem naar Vegter. 'Het is echt waar!'

'Wat deed Verkallen?' vroeg Vegter. 'Ging hij het huis binnen?'

'Nee, hij ging terug naar zijn auto.'

'Reed hij weg?'

'Nee. En ik ook niet, want ik was… Ik wist niet wat ik moest doen. En mijn hoofd deed pijn,' zei ze klaaglijk.

'Bleef hij in zijn auto zitten?'

'Nee. Hij reed de oprit op en stapte uit.'

'Waar stonden jullie dan?' vroeg Talsma scherp.

'Hij stond voor de oprit geparkeerd. Hij blokkeerde hem. We stonden gewoon op de weg.' Ze veegde langs haar neus. 'Toen hij aan kwam lopen dacht ik: hij wil me niet eens binnenlaten. Maar toen hij naar binnen ging, snapte ik waarom. Want toen zag ik de auto van zijn vrouw staan.'

Vegter zag Talsma's onbeheerste beweging, die samenviel met die van hemzelf.

23

Ze had zichzelf in een soort halfslaap gebracht, haar hoofd op haar armen. Een van de metalen beugels van de ordner drukte in haar wang. Een prettige druk, want onder die wang lag een half miljoen euro, het tastbare bewijs daarvan een enkel vel papier dat een nieuw leven vertegenwoordigde. Voortaan zou ze onafhankelijk zijn, haar eigen besluiten nemen, de beste van twee werelden kunnen kiezen. Beter nog: ze zou het beste van twee werelden behouden. Haar familie bezoeken als de vermogende vrouw die ze was, hen zelfs beter kunnen ondersteunen, cadeaus meebrengen, zich koesteren in hun bewondering. Zij, Asli, dochter van Samatar, zou de trots van de familie zijn.

Mits de begunstigde Asli Verkallen op generlei wijze in verband kon worden gebracht met de dood van verzekerde Richard Cornelis Verkallen.

De woeste vreugde die ze had gevoeld was allang weggeëbd, maar ze mocht nog even dromen. Zij en Keja, samen zouden ze vanaf de luchthaven de eindeloze busreis naar huis maken, zoals ze dat eens met Richard had gedaan. Onderweg met de andere passagiers overnachten onder de blote hemel, pas wakker worden als in de vroege ochtend, de lucht nog fris en tintelend, de chauffeur de motor startte, ten teken dat hij wilde vertrekken. En wanneer ze eindelijk hun bestemming hadden bereikt, zouden ze de smalle weg af lopen die naar het dorp voerde, terwijl het rode stof rond hun voeten wolkte.

Het hele dorp zou toestromen voor een luidruchtig welkom, dat de verdere dag zou duren. Buren, vrienden en verwanten die het erf vulden en tot laat in de avond bleven. De vrouwen zouden koken, de mannen drinken, iemand zou een instrument hebben meegebracht omdat bij een feest muziek hoorde. Steeds opnieuw zou ze haar verhaal moeten vertellen, beklaagd worden door de vrouwen, onwillig bewonderd door de mannen. Keja zou als vanzelfsprekend meedelen in de grote warme omhelzing van het weerzien, geaccepteerd worden voor wie hij was, niet geduld maar aanvaard. Als dan ten slotte iedereen weg was, konden ze samen opnieuw buiten slapen, elk in een laken gerold. Hij zou niet de geluiden van de nacht horen, maar als troost kon hij kijken naar de ontelbare sterren, zo dichtbij dat ze als kind had geloofd ze te kunnen aanraken.

Zo zou het allemaal gaan als het dorp nog had bestaan. De werkelijkheid was anders. De werkelijkheid was een eenkamerwoning in Mogadishu, een kamer die ze nooit had gezien, maar niettemin kende – het gordijn dat de versleten matras scheidde van de rest van de kamer, de paar pannen en borden op de vloer, de roestende koelkast, de haveloze kussens die stoelen vervingen, in de deuropening het plastic vliegengordijn dat niets tegenhield, niet de stank, noch het lawaai en zeker niet de vliegen.

En nu de droom toch al vervaagde, verbaasde het haar niet dat de bel ging om het definitieve einde ervan in te luiden.

24

Renée nam de magere vrouw tegenover haar aandachtig op. De trui was te wijd, evenals de tweedbroek, alsof Asli Verkallen het niet de moeite waard had gevonden passende kleren te kopen nadat ze vele kilo's was afgevallen. Het haar stond in een schuimige wolk rond het kleine gezicht, over de linkerwang liep een blauwrode striem. In de ogen lag schuwe afwachting.

'Mevrouw Verkallen?'

Asli knikte. Ze had niet op de bel willen reageren, maar haar intuïtie vertelde haar dat het beter was om dat wél te doen. Ze keek naar de jonge vrouw, de rustige blik in de lichte ogen, de houding die ondanks de nonchalance van spijkerbroek en leren jasje een kalme autoriteit verried.

'Ja?' Ze zei het vragend, als geloofde ze zelf niet meer in die betiteling.

'Renée Pettersen, recherche. Ik zou graag even met u praten.'

Renée registreerde de onwil waarmee Asli Verkallen een stapje achteruit deed, veegde grondig haar voeten op de mat, ritste haar jack open om aan te geven dat het 'even' niet te letterlijk moest worden genomen.

Asli ging haar zwijgend voor door de hal, hield de deur voor haar open, sloot hem en bleef midden in de kamer staan. Waarom stuurde de politie een vrouw? Wat was er gebeurd met de twee mannen, de bedachtzame inspecteur en zijn collega met het vermoeide gezicht? Bij hen had ze mededogen gezien, bij deze vrouw zag ze uitsluitend professionele belangstelling. Deze vrouw was gevaarlijker dan de mannen, misschien alleen omdat ze een vrouw was.

Renée keek rond, zag de ordners op de eettafel. 'Ik stoor u toch niet, hoop ik?'

'Ja. Nee,' zei Asli verward. Ze moest voorkomen dat de vrouw zag waar ze mee bezig was. Kon ze de ordner dichtdoen? Als deze vrouw, die geen agente was maar een rechercheur, de polis zou lezen, zou dat een totaal verkeerde indruk wekken. 'Ik ben... Er moeten dingen worden geregeld.'

'Dat begrijp ik,' zei Renée. In tegenstelling tot wat Asli Verkallen scheen te denken, bood dit een opening. 'Er komt ongetwijfeld heel veel op u af. Mag ik gaan zitten?'

'Natuurlijk.' Asli wees naar de bank, ging zelf zitten, rechtop, haar handen in haar schoot.

Renée sloeg haar benen over elkaar, legde een arm op de rugleuning. 'Deed uw man de administratie?'

'Ja.'

'En nu probeert u wegwijs te worden uit alle papieren?'

'Ja.'

'Misschien kunt u daarvoor hulp vragen aan uw zwager of schoonvader,' zei Renée ontspannen.

'Nee.' Asli trok aan de kraag van haar trui. Ze had de trui met de hoge col moeten aantrekken. Gisteren waren de blauwe plekken nog zichtbaar geweest, en vanochtend had ze niet gecontroleerd of dat nog steeds het geval was. Wat wilde deze vrouw van haar? Ze was ongetwijfeld niet gekomen uit medeleven. De politie kwam altijd met een doel.

'U wilt ze daar niet mee lastigvallen?' Renée keek naar de pulkende vingers. Zo nerveus als deze Asli was. Ze leek op een dier dat wacht op het schot.

'Nee.' Asli liet de kraag los. Ze moest rustig blijven, zich beheersen, die doorzichtige ogen zagen alles. 'Waarom bent u hier?'

'In de hoop dat u ons nog verder kunt helpen met het onderzoek.' Renée glimlachte. 'Nog altijd is er onduidelijkheid over uw persoonlijk leven, of liever: over dat van uw man. Wij trekken al zijn contacten na, en een van de belangrijkste is zijn relatie met een andere vrouw. U vertelde ons dat u daarvan sinds ongeveer een halfjaar op de hoogte bent.'

'Ja.'

'Hoe was de verhouding tussen u en uw man sindsdien?' vroeg Renée. 'Ik kan me voorstellen dat u moeite moet hebben gehad het te accepteren.'

'We hebben er niet meer over gesproken.' Al Asli's zintuigen stonden op scherp. Wat had ze precies gezegd? Dat het sindsdien goed ging. Daaraan zou ze vasthouden. Laten doorschemeren dat hun huwelijk misschien zelfs beter was geworden.

'U moet jaloers zijn geweest,' zei Renée. 'Boos, teleurgesteld, wantrouwend. U kon immers niet weten of uw man de waarheid sprak, dat het werkelijk afgelopen was.'

'Nee. Ik vertrouwde hem. Richard had het beste met ons voor.' Ze haalde diep adem, ploegde dapper voort. 'Hij had het moeilijk gehad. Eigenlijk wilden we een groot gezin, vooral Richard had graag meer kinderen gehad, maar na Keja…' Ze zweeg omdat ze niet verder kon. Na Keja had Richard gezegd dat hij niet het risico op nog een mislukking wilde lopen. Mislukking. Ze had hem het woord nooit vergeven.

Renée liet haar op adem komen. 'Had u niet de drang om uit te vinden wie die vrouw dan precies was? Waar ze woonde, hoe ze eruitzag?'

'Nee.' Deze vrouw Renée zocht naar een waarheid die niet bestond. De vraag was waarom ze dat deed. Kon het zo zijn dat de politie werkelijk een verdenking koesterde ten opzichte van die Gemma van Son? Dan zou haar opzet zijn geslaagd.

'Ik zou wraak hebben genomen.' Renée deed haar best het oprecht te laten klinken, een toon van vrouwen onder elkaar aan te slaan, maar het sorteerde geen effect. Het gezicht tegenover haar ontspande niet, er was geen enkele toegeeflijkheid. Wie of wat had deze vrouw zo argwanend gemaakt? Was het een aangeleerde reactie, gevolg van alles wat ze had meegemaakt? Eventueel had meegemaakt, corrigeerde ze zichzelf. Het feit dat ze uit Somalië kwam hoefde niet per se te betekenen dat ze slachtoffer was van gruwelen die haar vertrouwen voorgoed hadden beschadigd.

Lag het aan haarzelf? Straalde ze te weinig warmte uit, of – erger nog – een superioriteit als van de welzijnswerker op huisbezoek? 'Ik weet uit ervaring hoe ellendig het is,' zei ze spontaan. 'Ik herinner me hoe kwaad ik was, beledigd ook.'

Het was waar. Maar wat ze beter niet kon vertellen was de opluchting die ze uiteindelijk had gevoeld. Ze had een vrijheid teruggekregen waarvan ze te weinig had beseft dat ze die was kwijtgeraakt. Bij Asli Verkallen leek er van opluchting überhaupt geen sprake te zijn, veeleer scheen ze totaal verdoofd door wat haar was overkomen. Ook nu reageerde ze nauwelijks, knikte alleen.

'Uw man had de relatie niet werkelijk beëindigd,' zei ze voorzichtig. 'Dat weet u, u hebt ons daar zelf op gewezen, en wij hebben dat bevestigd gekregen van mevrouw Van Son. U moet daar toch iets van hebben gemerkt.'

'Nee.'

'Uw man stond onder grote druk,' zei Renée. 'Ik zal u de details besparen, maar er waren spanningen. Hij leed daaronder.'

Asli knikte. Van die spanningen wist ze alles, al had ze niet geweten wat de oorzaak was. En eronder geleden had niet alleen Richard. Maar hoe kon ze deze vrouw vertellen dat Richard de laatste maanden zelfs niet meer de moeite had genomen haar gezicht te ontzien? Misschien had hij die andere vrouw ook geslagen. Het deed er niet meer toe. Haar tong gleed langs de holte in haar onderkaak, waar een kies ontbrak. Nadat de blauwe plekken en de zwelling waren verdwenen, had ze niet de energie gehad om naar de tandarts te gaan. De kies had ze uitgespuugd en weggegooid. Ze had erom gehuild, dat wel.

Ze haalde haar schouders op, zo nonchalant als ze kon. 'Het is niet meer belangrijk.'

'Dat is niet wat ik bedoelde,' zei Renée.

'Ik begrijp niet wat u dan wél bedoelt.' Asli's lippen waren stijf. 'Ik begrijp ook niet wat u komt doen.' Er viel haar iets in, en ze ging nog rechter zitten. 'Ik geloofde dat alles in orde was, en u probeert me dat af te nemen. U vertelt me dingen die ik niet wil horen.'

Renée dacht na. Het moest pijnlijk zijn de nagedachtenis van je man zo besmeurd te zien. Wat haar hinderde was het gebrek aan emotie, de vlakheid waarmee Asli Verkallen reageerde op alles wat ze zei. Er zou schrik moeten zijn, ontreddering, verdriet, misschien zelfs schaamte, omdat niemand wilde weten dat hij was belazerd zonder het in de gaten te hebben. In plaats daarvan had ze het gevoel een behendig schaker tegenover zich te hebben die nu haar koning schaak had gezet. Of had deze vrouw zoveel veerkracht dat ze alles al had verwerkt? Ze zag er niet naar uit. Integendeel, ze maakte een dodelijk vermoeide indruk. Waar had dit kleine, tengere schepsel de kracht vandaan gehaald niet alleen haar zoon te verzorgen, maar ook nog dit te grote huis smetteloos schoon te houden en daarnaast een slecht huwelijk te verdragen? Want natuurlijk was alles niet koek en ei geweest. Geen vrouw zou zich zomaar hebben neergelegd bij ontrouw en bedrog. Haar eigen ervaring had haar geleerd dat die vraten, woekerden, onzeker maakten. En voortdurend was er de alles vernietigende jaloezie. Maar Asli Verkallens wilskracht leek onuitputtelijk te zijn. Of misschien was het liefde.

'Dat spijt me,' zei ze. 'Het is niet mijn bedoeling u van streek te maken.'

Er viel een stilte. Ze zaten bijna tegenover elkaar op de veel te grote bank, een paar meter tussen hen, maar gescheiden door veel meer dan dat.

Renée voelde hoezeer de ander haar vertrek wenste, en juist daarom bleef ze zitten. Het was pure koppigheid, al wist ze dat ze had gefaald, verloren van deze kleine vrouw die geen duimbreed toegaf. Had ze dan geen behoefte aan medeleven? Ze had niemand, op een zoon na die praktisch incommunicado was, ze moest ondraaglijk eenzaam zijn in dit grote huis in deze steriele buitenwijk, maar daar zat ze, een en al afwijzing.

Asli bewoog zich niet. Haar rug deed pijn, zo kaarsrecht zat ze, alles deed pijn, elke spier tot het uiterste gespannen, zelfs haar tenen verkrampt. Deze vrouw viste, wist instinctief waar de vis zwom, zoals haar eigen vader dat had geweten wanneer hij tot zijn middel in zee stond, roerloos, geduldig wachtend tot de vis aan zijn aanwezigheid was gewend. Waarna hij bliksemsnel zijn net uitsloeg.

Renées telefoon ging. Ze schrokken er beiden van, en even viel de spanning weg. Ze keek naar de display en stond op. 'Een ogenblik.'

Pas in de hal nam ze op.

'Waar zit je?' vroeg Vegter.

'Nog bij Asli Verkallen.'

'Blijf daar,' zei Vegter. 'Er zijn nieuwe ontwikkelingen. We komen eraan.'

25

Asli begreep het niet. Ze had gevoeld dat ze aan de winnende hand was, dat de vrouw verslagen was, op het punt had gestaan om weg te gaan. Maar haar telefoon ging, en toen ze weer binnenkwam, was alles veranderd. De uitdrukking op haar gezicht was er een van welwillendheid geweest, al ging daarachter vastberadenheid schuil. Nu sprak er behoedzaamheid uit, en wantrouwen. Ze kwam binnen en ging weer zitten terwijl ze haar telefoon in de zak van haar jack stopte.

'Mijn collega's zijn onderweg hiernaartoe. We zullen op ze wachten.'

Asli zei niets, durfde niets te zeggen. Welke collega's? De inspecteur en de andere man? En waarom kwamen ze? Wat kon er gebeurd zijn?

Haar mond werd droog van angst. En nu moest ze bewegen, ze kon niet langer stilzitten, haar hele lichaam jeukte. Op haar beurt stond ze op, en ze zag het verstrakken van de schouders van de vrouw, begreep dat die er een taak bij had gekregen.

'Ik ga wat water drinken.'

In de keuken hield ze haar mond onder de kraan, maar het water nam de droogte niet weg, en het lag als beton in haar lege maag. Ze keek naar buiten. De wind was opgestoken en schudde de sneeuw van de takken van de magnolia. Ze herinnerde zich dat ze had gedacht dat het het beste zou zijn om zich te gedragen als de magnoliaknoppen – verscholen in haar huls, wachtend op betere tijden. Bijna lachte ze hardop. Wat was ze naïef geweest, toch nog, ondanks alles. Ze had werkelijk geloofd in staat te zijn het tegen de politie op te nemen, zichzelf dat aangepraat, omdat er geen andere uitweg was. De vrouw wist al beter. Het sprak uit haar hele houding. Ze had het zelfs eerder geweten dan haar chef, misschien omdat ze meer op haar intuïtie vertrouwde.

Ze dacht aan papa Verkallen, die van eenzelfde intuïtie had blijk gegeven. 'Wat heb je met hem gedaan?'

De vraag had haar totaal verlamd, want een antwoord erop was onmogelijk, al zou ze niets liever hebben gewild dan het aan iemand, wie dan ook, te vertellen. Een eind te maken aan het schuldgevoel, zo zwaar dat het bijna niet te dragen was. 'Wat heb je met hem gedaan?'

Hem als een baal rijst op een kar gehesen. Naar buiten gereden, als een baal rijst van de kar gesjord. Hem achtergelaten, alleen. In het donker. Niet langer een mens, maar een lichaam zonder geest, zonder eigenschappen, zonder identiteit.

Vergeef het me, papa, ik kon niet anders.

26

Nu pas wist ze dat ze het had gekund omdat ze vaker dode licha-
men had gezien. Ze lagen langs de kant van de weg, en ze was
eraan voorbijgelopen zoals iedereen eraan voorbijliep – met af-
gewende blik. Naamloos waren ze, gezichtloos, soms zelfs letterlijk. Ze waren er, maar toch ook weer niet. Op een gegeven moment waren ze verdwenen, had iemand zich over hen ontfermd.
Niemand vroeg zich af wat er daarna met hen gebeurde, maar
omdat ze weg waren, de plaats waar ze hadden gelegen er weer
uitzag als voorheen, kon het leven verdergaan. Ze waren uitge-
wist.

Het was wat ze met Richard had trachten te doen, maar hoe
zou ze dat aan papa Verkallen hebben kunnen uitleggen? Het
was zijn zoon, en bovendien: hij had geen weet van zulke dingen. In zijn wereld kwamen die niet voor. Hij leefde in een land
met regels en wetten, een land waar de straten werden geveegd
en het afval werd opgehaald. In papa Verkallens wereld was geen
plaats voor chaos en vernietiging. Hij kende geen blinde agressie, en zijn armen waren gaaf.

Ze hoorde dat in de kamer de vrouw opstond, naar de deur
liep en die opendeed, en zonder zich om te draaien zei ze: 'Ik
kom eraan.'

Even nog, heel even. Ze moest zich niet verliezen in nutteloze
bespiegelingen, ze moest vechten. Hij zou alleen vermoedens

hebben, die inspecteur met zijn vorsende blik. Er was geen enkel bewijs. Tijdens de slapeloze uren in het grote kille bed had ze keer op keer de hele avond opnieuw beleefd. De opluchting toen Richard eenmaal buiten lag, onzichtbaar en dus niet meer bestaand. Volgens de Afrikaanse denkwijze vormde hij vanaf dat moment niet langer een probleem, en pas later had ze beseft hoezeer die denkwijze haar had geholpen, haar de moed en energie had gegeven om het hele zomerhuis schoon te maken met een grondigheid als betrof het een operatiezaal.

Niets had ze overgeslagen, niets had ze vergeten. En ten slotte, nadat alles was opgeruimd en ingepakt, had ze er zelfs aan gedacht haar auto tot vlak voor de voordeur te rijden voordat ze Keja uit de slaapkamer bevrijdde waarin ze hem had opgesloten, hem dwong op de achterbank te gaan zitten. Nooit had ze hem tot iets gedwongen, wetend dat het averechts zou werken, maar nu had ze hem met nietsontziende vastberadenheid in de auto geduwd, zijn hoofd naar beneden, haar lichaam gebruikend om hem het zicht op zijn vader te ontnemen, die daar op het pad lag als een weggegooide reuzenpop, en met gedoofde lichten was ze weggereden.

Aan alles had ze gedacht, dat was wat ze zichzelf voortdurend had voorgehouden. En het was waar, het was waar! De inspecteur, zijn collega met de treurige ogen, de vrouw, ze wisten niets. Niets. Ze moest sterk zijn, zich niet laten imponeren, geen angst tonen. Denk aan Keja. Voor Keja zou ze het kunnen, voor Keja kon ze alles.

Ze liep terug naar de kamer en hoorde Keja's bureaustoel piepen. Het draaimechanisme liep stroef, ze had die stoel allang moeten smeren, al diende dat geen enkel doel, omdat Keja er geen last van had. Laat hem niet naar beneden komen, laat hem in godsnaam boven blijven.

In de kamer zat de vrouw weer onbeweeglijk, haar voeten in de enkellaarsjes naast elkaar. Geen over elkaar geslagen benen meer, niet langer de suggestie van vertrouwelijkheid.

Ze ging weer zitten, legde haar handen in haar schoot en wachtte.

Het was een verlossing toen eindelijk een auto stilhield en de twee mannen het pad op kwamen, aanbelden terwijl de vrouw al onderweg was om open te doen. Ze hoorde hun gedempte stemmen in de hal, kon niets verstaan, wilde niets verstaan.

De inspecteur kwam als eerste binnen, en ze stond op, maar in tegenstelling tot de voorgaande malen gaf hij haar geen hand. In plaats daarvan bleef hij op een meter afstand van haar staan, zijn helderblauwe ogen recht in de hare.

Ze verdroeg zijn blik niet langer dan een seconde, keek van hem naar de anderen, en op alle drie de gezichten las ze dezelfde boodschap.

'Mevrouw Verkallen,' zei hij, en nu wist ze weer dat hij Vegter heette, hoewel dat er niets toe deed, en ze wist ook wat hij ging zeggen.

'Mevrouw Verkallen, ik zou van u een verklaring willen voor uw aanwezigheid in het zomerhuis op de avond dat uw man daar om het leven is gebracht.'

Ze opende haar mond, en er kwamen woorden uit, schor, vervormd. 'Ik ben daar niet geweest.'

'Jawel,' zei hij. 'Uw auto is daar gezien. U was in het huis.'

Er loeide een storm in haar oren, en plotseling was ze overdekt met zweet. Koud zweet. De kamer kantelde, de vloer kwam op haar af, en ze probeerde haar handen uit te steken om hem af te weren, al wist ze dat ze te laat was, maar toen was er een arm rond haar middel die haar opving en daarna droeg, en opeens zat ze op de bank.

Een fluistering boven haar hoofd. 'Ze weegt niets.'

Een hand in haar nek, de stem van de vrouw, zacht en warm. 'Doe uw hoofd tussen uw knieën.'

Ze deed het, en het loeien nam af, de storm ging liggen, het zweet droogde op, maar ze bleef zitten, eindeloos zou ze willen blijven zitten, want de arm lag nu rond haar schouders, de warmte ervan drong door haar trui.

Ze keek naar haar voeten in de dikke sokken. Ditmaal zouden ze haar niet kunnen dragen in een vlucht. Maar zelfs als dat wel zo was geweest zou er geen schuilplaats zijn. Ze had geen fouten gemaakt nadat Richard was gekomen, maar daarvoor. De hele dag, die hele gelukkige, zorgeloze dag, had haar auto naast het huis gestaan.

Het was over, het was voorbij, en het was bijna een opluchting. Het lot had ook dit beslist. Het reisde altijd met je mee, een onzichtbare metgezel die de richting bepaalde. Met niets was ze begonnen, met niets zou ze eindigen. Ze zouden haar zelfs Keja afnemen, maar in al zijn verschrikking was dat toch de beste oplossing. Ze kon zich niet langer verzetten, maar er was nog één kans om het lot op een dwaalspoor te zetten.

Zo moe als ze was. Ze zou kunnen slapen, hier en nu. Nu alles voorbij was, alles verloren, zou ze kunnen slapen.

Natuurlijk mocht het niet, kon het niet, want daar was de stem van de vrouw Renée, waarin alweer een sprankje zakelijkheid lag. 'Gaat het weer?'

Ze hief haar zware hoofd. 'Ja,' zei ze. 'Het gaat weer.'

Renée keek naar het grauwe gezicht. 'Zal ik een glas water voor u halen?'

Ze knikte.

Toen Renée de keukendeur openduwde, stond bij het aanrecht een magere jongen die haar aankeek met kogelronde ogen. In zijn rechterhand had hij een fles cola, in zijn linker een glas. In wilde schrik liet hij het vallen, en het spatte op de tegelvloer uiteen in honderden glinsterende splinters.

Ze had nog net de tijd om te bedenken hoe ongelooflijk mooi

hij was, de glanzende huid, een paar tinten lichter dan die van zijn moeder, de ogen waarvan het wit helder was als dat van een baby, de elegantie van het smalle hoofd. Toen schoot hij langs haar heen, de fles nog in zijn hand, en ze hoorde zijn voeten een roffel slaan op de trap.

Ze was de zoon bijna vergeten, en het drong tot haar door hoe schokkend het moest zijn onverhoeds te worden geconfronteerd met iemand wiens aanwezigheid je niet had opgemerkt omdat je geen bel had gehoord, geen stemmen, geen deuren die open en dicht gingen.

Ze ging de keuken in en keek met verbazing naar de enorme rotzooi op het aanrecht. Paul had gezegd dat het huis bijna een mausoleum leek, koel, ziekelijk schoon, onpersoonlijk. De keuken was daarmee in tegenspraak. Op het aanrecht lagen verfrommelde kranten tussen lege pizzadozen, gebruikte borden waren besmeurd met vegen tomatensaus, vuil bestek lag her en der verspreid. De gootsteen stonk. Verdroogde vermicelli, verschrompelde stukjes kip en bleekgroene preiringen kleefden rond het rooster.

Over de glasscherven kraakte ze naar de kraan, deed op goed geluk een kastje open en pakte een glas, liet de kraan lopen tot het water steenkoud was. De gootsteen borrelde, het water liep maar moeizaam weg, en ze kreeg de aanvechting een borstel te pakken en de boel schoon te maken. In plaats daarvan ging ze terug naar de huiskamer. Onder aan de trap bleef ze even luisteren, maar hoorde niets. De jongen zat in zijn kamer als een monnik in zijn cel, in totale stilte, afgezonderd van de buitenwereld.

Vegter en Talsma stonden nog steeds midden in de kamer, al had Talsma intussen zijn jack opengeritst.

'U kunt hier een verklaring afleggen,' zei Vegter. 'U kunt dat ook op het bureau doen. Dat laatste lijkt me verstandiger.'

Renée overhandigde het glas, en Asli Verkallen dronk voor ze antwoord gaf. Ze had beide handen nodig om het op de tafel te kunnen zetten. 'Er moet iemand komen voor Keja.'

Een ogenblik verbaasde Vegter zich over haar meegaandheid. Toen bedacht hij dat ze in zekere zin al deze dagen op dit moment had gewacht. Een dergelijke reactie had hij bij voorgaande gelegenheden gezien; een mengeling van berusting en opluchting omdat er aan de onzekerheid een eind was gekomen.

'Het zou voor langere tijd kunnen zijn,' zei hij rustig. 'Kunnen wij iemand voor u bellen?'

Ze dacht na. 'Zijn begeleider van school. Keja vertrouwt hem. Hij zal weten wat te doen. Mag ik opstaan?'

Het klonk zo kinderlijk dat Vegter bijna moest glimlachen. 'Natuurlijk.'

Ze liep naar de enorme wandkast, stram, met kleine passen, en opeens zag hij een overeenkomst tussen haar motoriek en die van de zoon. Uit een lade pakte ze een adresboekje en bladerde erin.

Het trof hem dat ze haar eigen adresboek had. Waren de levens van haar en haar man zo gescheiden geweest dat ze zelfs dit niet deelden? In het adresboek van Richard Verkallen stonden geen telefoonnummers van school of begeleiders.

Ze gaf hem het boekje, wees naar de naam. 'Hij is het.'

'Zou Keja bereid zijn bij hem te logeren?' vroeg hij voorzichtig.

Ze weifelde, knikte toen. 'Het is één keer eerder nodig geweest. Hij zal Keja duidelijk kunnen maken dat het moet.'

'Wilt u dat niet liever zelf doen?'

Ze zweeg lang, zo lang dat hij dacht dat ze niet wilde antwoorden, maar ten slotte zei ze: 'Jawel. Maar het is beter dat ik geen afscheid van hem neem. Hij zou overstuur raken.'

Op Talsma's gezicht zag Vegter zijn eigen verbazing weerspiegeld. Zou de jongen niet overstuur raken wanneer hij zijn moeder niet langer thuis vond?

'Regel jij dat,' zei hij tegen Renée. 'En blijf hier.'

Asli Verkallen ging met hen mee naar de hal, trok de zware wandelschoenen aan die onder de radiator stonden, trok haar jas aan, en toen Vegter de voordeur opende liep ze naar buiten zonder om te kijken.

27

Het moest het naderend onheil zijn dat hem zo moe maakte, dacht Vegter. Waar hij zo dikwijls op zijn intuïtie had vertrouwd kon hij die nu niet verwijten dat ze ditmaal zo lang had gewacht om haar stem te verheffen, omdat het zijn eigen botte ratio was geweest die haar fluisteren had genegeerd. Hij had deze zure appel zelf gekweekt, en hij zou er straks doorheen moeten bijten.

In zijn kamer brandde niet de tl-verlichting aan het lelijke systeemplafond, maar alleen zijn bureaulamp, die Talsma's gezicht uitlichtte als was het een houtskoolschets. Hij had gehoopt op deze manier een minder kille sfeer te creëren, maar het tegendeel was het geval. Waar was hij in godsnaam mee bezig? Dit werd geen gezellig samenzijn, maar een verhoor in het kader van een onderzoek dat hij volledig had verpest. Hij kon zich niet herinneren de plank ooit eerder zo finaal te hebben misgeslagen. Er viel niets meer te redden. Ook Talsma besefte dat, maar hij droeg niet de verantwoordelijkheid. Talsma deed wat hem werd opgedragen. Vanuit zijn ondergeschikte functie ventileerde hij zijn mening wanneer hij vond dat het nodig was, en als daar niet naar werd geluisterd vervulde hij stoïcijns zijn plicht. Dit was een van de momenten waarop Vegter zich afvroeg wie van hen de wijste was.

Tegenover hem zat Asli Verkallen, en de bureaulamp maakte van haar een nachtaapje – de jukbeenderen sterk geprononceerd, de ogen groot en starend. Een jong dat zijn moeder kwijt was. Vegter had thee voor haar laten komen, en ze warmde haar handen aan het plastic bekertje terwijl ze die grote lege ogen onafgebroken op hem gevestigd hield.

'Mevrouw Verkallen,' zei hij. 'Ik heb u gevraagd een verklaring te geven voor uw aanwezigheid in het zomerhuis op de avond dat uw man daar is omgebracht.' Zijn maag borrelde, hoorbaar voor hemzelf, maar naar hij hoopte onhoorbaar voor haar en Talsma. Zelden was hij méér gespannen geweest voor een verhoor, alsof niet de persoon tegenover hem maar hijzelf de verdachte was. Een verdachte die zich ten volle bewust was van hetgeen hem ten laste zou worden gelegd.

'Ik heb nagedacht,' zei ze. 'Sinds Richards dood. Ik dacht: als het uitkomt, dan wil ik uitleggen dat het niet de bedoeling was dat het gebeurde. Ik heb het gewenst, maar nooit werkelijk willen doen.'

Vegter knikte. 'Wat was de aanleiding?'

'Die gaat heel ver terug.' Ze had haar jas uitgetrokken en op haar schoot gelegd. Nu zette ze de beker op het bureau, schoof de mouwen van haar trui ver omhoog en toonde de zachte binnenkant van haar armen.

Het gebaar had iets theatraals, en Vegter vroeg zich vluchtig af of ze ook hierover had nagedacht, de scène voor zichzelf had gerepeteerd. Daarna beschaamde dat denkbeeld hem, want vanaf de pols tot vlak onder haar oksels waren littekens zichtbaar, sommige niet meer dan een lichter getinte streep op de donkere huid, andere slecht geheelde, rafelige wonden, een aantal minder dan een centimeter van elkaar. Op beide armen was de bovenste snee nog vers; er zat een dun, kwetsbaar korstje op.

'Hij deed dat?' vroeg hij.

Ze knikte.

'Waarom?'

'Als straf.' Ze sprak zo zacht dat hij zich moest inspannen om haar te verstaan. 'Ik heb vaak gedacht dat Richard vooral met me is getrouwd om zijn vader dwars te zitten. Toch ging het goed, in het begin. Richard leek gelukkig, of misschien moet ik zeggen: tevreden. Hij was nooit echt vrolijk, hij zag altijd overal problemen en had sombere buien. Maar hij was niet agressief. Hij was goed voor me.' Ze zweeg even. 'Ik heb slechte mannen gezien. Richard was geen slechte man. Hij was alleen niet sterk. Ik zorgde voor hem, en hij leek blij te zijn dat hij zijn eigen thuis had. Maar toen kwam Keja, en daarna werd alles anders. We hadden geen idee wat er met hem aan de hand was. Hij was een huilbaby, en hij wilde niet worden aangeraakt. Ik begreep dat niet meteen. In mijn land dragen vrouwen hun kind de hele dag bij zich. Dat was wat ik kende, dus dat was wat ik deed. Bij Keja werkte het niet. Maar als hij in zijn wieg lag, huilde hij ook. Hij huilde dag en nacht. Ik heb weleens gedacht dat hij zichzelf dood zou huilen. Richard werd er gek van. Dus ging hij slaan.'

'Sloeg hij Keja ook?'

Ze schudde haar hoofd. 'Keja niet. Nooit. Alleen mij. In het begin had hij spijt, dan huilden we samen, en hij beloofde dat het niet meer zou gebeuren. Later werd het een soort gewoonte.'

'Uw schoonfamilie,' zei Talsma. 'Zij moeten toch geweten hebben van de mishandelingen.'

'Iets niet weten is gemakkelijker.' Ze had een klein lachje. 'Ze hebben er nooit iets over gezegd. En ik droeg nooit meer korte mouwen.'

'Waarom bent u niet van hem gescheiden?' vroeg Talsma.

'Hoe kon ik dat?' zei ze fel. 'Wat zou er van Keja zijn geworden? Richard werkte de hele week, en zijn familie moest niets van Keja hebben. Ze zouden hem in een tehuis hebben gestopt.'

'Misschien, als u was gaan werken,' zei Vegter, 'had u samen een bestaan kunnen opbouwen.'

'Hoe kon ik dat?' zei ze weer. 'Ik heb geen opleiding. Ik sprak de taal nog niet goed genoeg. En waar had Keja naartoe gemoeten als ik werkte? Het zou niets hebben opgelost. En Richard had het geld. Keja is een duur kind, en hij zal alleen maar duurder worden.'

Vegter zei niets.

'Mag ik verdergaan?' vroeg ze.

'Als u kunt.'

Ze bewoog haar schouders als in ongeduld. 'Ik heb dit nooit aan iemand verteld. Maar ik wil dat u het begrijpt. Richard ging snijden. Het slaan was meestal uit boosheid, maar het snijden deed hij met opzet. Dat was hij van *plan*. Misschien vond hij het prettig. Of misschien ook niet. Ik weet het niet. Ik had geen zin om daarover na te denken. Dat kon ik niet meer, er was te veel veranderd.' Ze viel stil. 'Ik zou ook over mezelf hebben moeten nadenken,' zei ze ten slotte. 'Daar had ik geen tijd voor, in mijn hoofd. Ik moest gewoon doorgaan, dat was het belangrijkste. En je gaat vergeten hoe het vroeger was, dat helpt. Het slaan gaf hem macht. Die had hij niet, ziet u? Niet op zijn werk, en niet over zijn zoon. Niet over zijn leven, moet ik eigenlijk zeggen. Dus als ik iets fout had gedaan, kon hij me straffen.'

'Wat deed u fout?'

Ze trok haar mouwen naar beneden en verstopte haar handen erin. 'Veel. Steeds meer. Soms lag er ergens stof, of er stond een stoel scheef. Het eten was nog niet klaar als hij thuiskwam, of de krant lag niet waar hij hoorde. Er was altijd wel een reden. En het ging steeds verder. Hij controleerde alles. Of de handdoeken allemaal op gelijke stapels lagen, en allemaal even ver van de rand van de kastplank. Zulke dingen. Alles moest *volmaakt* zijn, en dat was het nooit. Ik probeerde het, ik was er de hele dag mee bezig, ik werkte zo hard, maar het was nooit genoeg.' Ze haalde hortend adem. 'Er was altijd wel íéts.'

Vegter bewoog zich niet. Talsma zat met zijn ellebogen op zijn knieën, handen onder zijn kin.

'Het was bijna niet uit te houden,' zei ze. 'Overdag, als hij er niet was, had ik een soort vrijheid. Maar hij kwam altijd weer thuis. Soms was er niets aan de hand, dat kon ik horen aan de voordeur. Als hij die zachtjes dichtdeed, was het in orde. Maar meestal…'

'Mishandelde hij u in het bijzijn van uw zoon?'

'Nee. Hij nam me mee naar boven.'

'En u ging,' zei Talsma.

'Vindt u dat laf?'

'Nee,' zei Talsma. 'Ik probeer het te begrijpen.'

Vegter wist wat hij bedoelde. Talsma's wereld was overzichtelijk, met een duidelijke scheidslijn tussen goed en kwaad. Het schemergebied waarmee hij nu werd geconfronteerd was geenszins nieuw voor hem, niet na meer dan dertig jaar ervaring, maar nog altijd had hij moeite te accepteren dat het bestond.

'Uw zoon moet toch gemerkt hebben dat er…' Hij aarzelde. 'Dat er spanningen waren.'

'Natuurlijk,' zei ze. 'Maar dan liep hij weg. Hij zit bijna altijd op zijn kamer, behalve als we moeten eten. Hij moest van Richard beslist aan tafel eten.'

Vegter herinnerde zich dat hij de jongen maar eenmaal had gezien. 'En dat deed hij?'

'Niet altijd. Soms, als ik huilde, of wanneer Richard nog heel kwaad was, nam hij zijn bord mee naar boven, en als Richard dat probeerde te verhinderen, kreeg hij een driftbui. Dan kon Richard hem niet aan. Niemand kan hem aan als hij een driftbui heeft.'

'Was uw zoon bij u in het zomerhuis?'

Hij zag de spanning terugkeren in haar schouders. Ze keek naar haar lege theebeker, als hoopte ze dat hij die opnieuw zou laten vullen, maar hij gaf geen krimp. 'Was hij bij u?'

'Ja.'

'Waarom was u daar? U vertelde ons dat u het huis nauwelijks nog gebruikte.'

''s Ochtends had Richard me gesneden,' zei ze. 'Dat was de eerste keer. Dat hij het 's ochtends deed, bedoel ik. En voor hij wegging zei hij dat we verder zouden praten wanneer hij thuiskwam. Hij noemde het praten. En ik dacht: nu is het op. Ik kon het niet langer verdragen. Ik dacht: nu moet ik voortaan ook 's ochtends al bang zijn. En 's nachts. Terwijl vroeger, als hij weg was, of als hij sliep, dan was de tijd toch een beetje van mij, begrijpt u?'

Vegter knikte, en zag tegelijkertijd Talsma zijn hoofd schudden. Niet in onbegrip, maar in verwondering.

'Ik was in paniek,' zei ze. 'Ik was zo *bang*. Ik kon niet goed meer denken. Dus ik heb wat kleren in een tas gestopt, ook voor Keja, en ik ben in de auto gestapt. Ik begreep wel dat ik weer terug zou moeten, dat ik niet voorgoed weg kon blijven, maar ik hoopte dat wanneer Richard ons een paar dagen niet zou zien... Misschien zou hij denken dat ik echt was weggelopen. Ondanks alles hoopte ik dat hij spijt zou krijgen.' Ze zweeg even. 'Dat was natuurlijk dom. Maar ik reed naar het zomerhuis, en ik heb de verwarming aangezet, en twee bedden opgemaakt, en Keja maakte geen problemen. Hij kent het zomerhuis goed, hij vindt het er prettig. En hij is altijd gemakkelijker wanneer zijn vader er niet is. Hij ging televisie kijken, en ik was zo blij, ik dacht dat ik een goede beslissing had genomen. Ik ging boodschappen doen, zodat we een paar dagen konden blijven, en daarna ging ik slapen. Ik heb de halve middag geslapen, en toen ik wakker werd, was ik weer rustig.'

'En u besloot om te blijven.'

'Ja.'

Vegter had zich over haar betrekkelijke kalmte verbaasd, maar nu zag hij die afbrokkelen.

'Het was zo heerlijk,' zei ze zachtjes. 'Alleen Keja en ik. We hadden zomaar alles overal neergelegd, zonder op te ruimen, en we zouden samen kunnen eten, en ik zou heel vroeg naar bed kunnen gaan en doorslapen tot de volgende ochtend, en als ik dan wakker zou worden, zou er weer geen Richard zijn.'

'Maar?'

'Opeens was hij er,' zei ze. 'Ik had zijn auto niet gehoord, en ik had de gordijnen al dichtgedaan. Ik stond te koken, en toen ging de deur open en daar was hij.'

'Waar was uw zoon?'

'Ook in de keuken. Soms vindt hij het prettig om bij me te zijn, zolang ik maar net doe alsof hij er niet is. Maar toen Richard binnenkwam, en toen Keja zag hoe kwaad hij was, ging hij meteen naar zijn kamer. Net als thuis.'

'Wat gebeurde er?'

'Richard begon direct te schreeuwen. Dat deed hij anders nooit. Dan schreeuwde hij niet, hij sloeg meteen. Maar nu... Ik had hem nog nooit zo kwaad gezien. Hij was razend.'

'Wat zei hij?'

'Dat weet ik niet meer. Ik weet alleen nog dat hij zei dat hij er gek van werd. Hij rammelde me door elkaar en hij schreeuwde recht in mijn gezicht. Hij schold me uit. Maar hij sloeg niet, en daarom werd ik echt bang. Het was... Hij was verschrikkelijk. Ik dacht: hij is na zijn werk naar huis gegaan, en wij waren er niet, en ik had niet opgeruimd en de bedden niet opgemaakt – hij heeft begrepen dat ik ben weggelopen, en hij heeft meteen aan het zomerhuis gedacht.' Ze wreef over haar ogen. 'Het was echt dom om te geloven dat hij het niet door zou hebben.'

'En toen?'

'Hij bleef schreeuwen en hij gooide me tegen het aanrecht.' Ze sprak nu staccato en heel snel. 'Ik viel, en hij hees me over-eind, en ik dacht: nu gaat het gebeuren, hij weet niet meer wat hij doet, hij gaat me vermoorden. En dat deed hij. Hij probeerde me te wurgen.'

'Wat deed u?'

'Het mes lag nog op het aanrecht. Het vleesmes. Ik pakte het en stak.' Ze hield haar blik strak gevestigd op de plastic beker. 'Ik stak omdat het moest, omdat ik stikte. Hij zakte in elkaar. Ik wist niet of hij dood was, maar hij bewoog niet meer, dus het moest wel zo zijn.'

'Wat deed u daarna?'

Haar tanden klapperden, en ze duwde een hand tegen haar kin in een vergeefse poging zich te beheersen. 'Ik ben op de grond gaan zitten. Ik weet niet hoe lang ik daar gezeten heb. Ik zat op de grond, en Richard… Hij lag daar maar. In zijn pak. En ik kon alleen maar denken dat ik pas een knoopje aan zijn overhemd had gezet. Ik kon het niet begrijpen. Steeds dacht ik: nu staat hij op, en dan is hij nog kwader omdat ik hem pijn heb gedaan. Maar hij stond niet op, hij was zo *stil*. Er moest iets gebeuren. En toen bedacht ik dat niemand wist dat wij er waren, en dat misschien niemand zou ontdekken dat wij er waren geweest, Keja en ik. Maar ik wist geen oplossing, want hoe moest het dan met Richard? Als hij er was, dan was het immers ook logisch dat wij er zouden zijn. Ik was er nooit zonder hem geweest.'

Ze had kennelijk niet geweten dat het huis als rendez-vous werd gebruikt, dacht Vegter. 'Wat deed u?'

'Ik bedacht dat ik hem in zijn auto zou leggen, en dat ik dan de auto ergens het water in kon rijden. Maar hij…' Ze kokhalsde.

Vegter wachtte.

'Hij was veel te zwaar,' zei ze. 'Zo afschuwelijk zwaar. Ik kon hem alleen maar naar buiten brengen.'

'Op de bok,' zei Talsma.

Ze knikte. 'In elk geval was hij dan buiten. Want hij *moest* weg.'

'Wat deed u daarna?'

'Ik heb alles schoongemaakt. Het hele huis. En toen heb ik onze spullen ingepakt en zijn we naar huis gereden.'

'En uw zoon,' zei Vegter. 'Wat deed hij al die tijd?'

'Hij zat in zijn kamer.'

'Ik vind dat moeilijk te geloven,' zei Vegter, en besefte meteen dat het niet zo onwaarschijnlijk was; de jongen zou immers niets van de hele scène hebben gehoord.

'Dat deed hij altijd, zodra er ruzie was. Dat heb ik u net verteld.'

'Maar buiten,' zei Talsma. 'Hij moet uw man hebben zien liggen toen hij buitenkwam.'

'Nee,' zei ze. 'Ik had mijn auto zo neergezet dat hij hem niet kon zien. En hij zat op de achterbank. Ik had aan alles gedacht. Aan alles.'

Vegter probeerde zich de situatie ter plaatse voor te stellen. Het pad was onverlicht, en ze zou de lampen in het huis hebben uitgedaan, dus het moest aardedonker zijn geweest. Maar was het werkelijk zo dat de jongen zijn vader niet had kunnen zien liggen, ook niet vanuit zijn moeders auto? 'Ik zal hem moeten verhoren,' zei hij. 'We zullen daarvoor een speciale tolk regelen.'

'Dat heeft geen zin,' zei ze. Het klonk bijna triomfantelijk. 'Hij kan u niets vertellen.'

28

In de hal luisterde Renée naar een gesprek dat ze niet kon horen. Een paar maal was er het geluid van een piepende bureaustoel, verder niets, en ten slotte ging ze weer naar binnen en zat op de bank te wachten. Ze kon niets doen, nog niet. Het zou onkies zijn in het huis rond te snuffelen terwijl de jongen er nog was. Het zou bovendien tot consternatie kunnen leiden.

De begeleider leek een competente man. Aan de telefoon had hij haar beknopte uitleg rustig aangehoord en vervolgens beloofd onmiddellijk te komen. Ook zijn verschijning wekte vertrouwen; een stevige hand, een stevige blik. 'Rob Wetering.' Hij had begrip getoond, al had hij laten doorschemeren dat deze opvang slechts tijdelijk was, omdat die niet tot zijn takenpakket behoorde, maar: 'Ik weet dat Keja niet bij familie terechtkan.'

Uit de borstzak van zijn overhemd stak een pakje shag, en zijn bril stond op zijn voorhoofd. Een zware bril met hoornen montuur. In een gewoontegebaar schudde hij hem terug op zijn neus, waarna zijn ogen kleiner leken, maar niet hun kalme blik verloren. 'Ik ken Keja al zes jaar. Het is geen gemakkelijke jongen, ook los van zijn beperkingen. Maar voor zover mogelijk hebben we een goede band. Hij vertrouwt me.'

'Hoe gaat u hem een en ander duidelijk maken?'

'Heel summier.' Hij had geglimlacht. 'Noodgedwongen, maar ook om te voorkomen dat hij in paniek raakt. Ik denk dat het wel zal lukken. Ik heb hem eenmaal eerder opgevangen, en dat ging goed.'

Waarna hij met twee treden tegelijk de trap op was gelopen, haar achterlatend met de vraag hoeveel geduld een kind als dit moest vergen, dat in zijn kwetsbaarheid zulke hoge eisen stelde.

Ze stond weer op en drentelde naar het raam, verlangde naar een sigaret. In de winterse tuin deed een troep spreeuwen vergeefse pogingen tot dezelfde acrobatische hoogstandjes te komen als de koolmezen die ze van het snoer pinda's hadden verjaagd. Wat zou er met de jongen gebeuren? Kon hij naar een gezinsvervangend tehuis, of was dat voor kinderen zoals hij niet mogelijk? De collega's van Jeugdzaken zouden er ongetwijfeld meer van weten. Ook Paul had gezegd dat hij nooit eerder was geconfronteerd met een gecompliceerde situatie als deze.

Ze liep weer terug en keek naar de geopende ordner op de eettafel. Haar blik viel op het woord 'polis', en ze schoof een stoel achteruit, ging zitten en las.

Vijfhonderdduizend euro... Was dat waarom Asli Verkallen had gedaan wat zij geloofden dat ze had gedaan? Het leek onwaarschijnlijk. De verzekeringsvoorwaarden zouden vermelden dat er niet werd uitgekeerd in geval van moord of doodslag door de begunstigde, en Asli was misschien geen ontwikkelde maar wel een intelligente vrouw. Bovendien waren de omstandigheden ermee in tegenspraak. Alles leek te wijzen op een ongelukkig toeval. Paul had haar in kort bestek ingelicht omtrent de verklaring van Gemma van Son, die de auto van Asli Verkallen had herkend omdat ze hem ook voor de garage van het andere huis had zien staan. Het huis waar ze met regelmaat langs was gereden, vooral in de weekends, wanneer Richard bij zijn gezin was terwijl zij probeerde twee lange dagen door te komen, jaloers en eenzaam.

In de keuken stak de sleutel in het slot van de buitendeur, en ze stapte de tuin in. De spreeuwen vlogen kwetterend op en scholden haar uit vanaf de takken van een boom in de belendende tuin. Ze stak een sigaret op en leunde tegen de muur.

Paul zou een probleem hebben. Ze realiseerde zich dat dit de eerste keer was sinds ze met hem samenwerkte dat hem tunnelvisie kon worden verweten. Zelf was ze niet vanaf het begin bij deze zaak betrokken geweest, wat het moeilijker maakte het handelen van de collega's te beoordelen. Al te gemakkelijk was je bereid hun zienswijze over te nemen, omdat je geen ander houvast had. Bovendien had ze een bijna onbegrensd vertrouwen in Pauls oordeel en ervaring. Wat had hem bezield zich zo onmiddellijk en geheel te concentreren op Gemma van Son? Eens had hij gezegd dat hun werk voor het grootste deel bestond uit het zich eigen maken van andermans problemen, en dat in de loop van de jaren die last zwaarder ging wegen. Ze was het niet met hem eens geweest; als een zaak was afgerond kon je hem uit je hoofd zetten. Nu ving ze een glimp op van de vermoeidheid waarop hij had gedoeld. Had hij zich laten beïnvloeden door de tragiek van deze moeder en zoon? Normaal gesproken hield hij alle opties open, liet zich nooit verleiden tot te gemakkelijke conclusies. Het was een van de redenen waarom hij Brink een slechte politieman vond, al had hij dat nooit hardop uitgesproken. Zijn inlevingsvermogen en de daaruit voortvloeiende redelijkheid hadden haar soms geïrriteerd en haar woedend gemaakt toen hij die op haar projecteerde, misschien juist omdat ze wist dat hij gelijk had. Hoe kon het dat hij ditmaal zo verschrikkelijk fout zat? Had het met haar te maken? Ze had hem niet bepaald fair behandeld, niet alleen de afgelopen drie maanden, maar ook in de periode daarvoor. En hij had het allemaal geduldig verdragen.

Achter haar werd op het raam getikt en ze gooide haar sigaret weg, die sissend doofde in de sneeuw.

Ze keek hen na zoals ze het pad af liepen, de grote brede man en de smalle slungelige jongen naast hem. De jongen met één schouder hoger opgetrokken dan de andere om de riem van zijn weekendtas op zijn plaats te houden. Hij straalde dezelfde verlorenheid uit als zijn moeder. Twee mensen verdwaald in een maatschappij die niet de hunne was.

De koelkast was leeg op een halfvol pak vruchtensap na, in de vriezer lag alleen een wit uitgeslagen klomp vlees waarvan ze vermoedde dat het gehakt was. Geen brood, geen groente, geen fruit, geen melk. Asli Verkallen en haar zoon leken te hebben gebivakkeerd in hun eigen huis, als vluchtelingen die maar tijdelijk hun kampement hebben opgeslagen.

Ze liep naar boven, deed lukraak een paar deuren open en besloot te beginnen in de grote slaapkamer. Het bed was niet opgemaakt, een schuifdeur van de kastenwand stond open, kleren waren op een hoop op een stoel gegooid. De kamer was spartaans ingericht, niets aan de muren, geen spiegel, streng donkergrijs tapijt. Het enige frivole was een felgekleurde katoenen doek die met een ingenieuze knoop aan een haak aan de binnenkant van de deur hing en vaag rook naar olie en kruiden. Het ontroerde haar opeens – was dit een herinnering aan een thuis dat niet meer bestond?

Ze deed het nachtkastje open aan de kant van het bed die er onbeslapen uitzag, en het eerste wat ze tegenkwam was een portefeuille. Zacht, zwart leer, en gevuld met alles wat een man bij zich wilde hebben; creditcards, bankpasje, rijbewijs, lidmaatschapskaarten van rallyclubs, bankbiljetten.

In de kasten hingen de kleren in perfecte orde aan hun hangers, lagen op perfecte stapels, met daaronder de schoenen in perfecte rijen.

Richard Verkallen bezat zeven kostuums, plus dat wat hij droeg toen hij werd gevonden, drie royale stapels overhemden, een aantal zachte wollen truien, een rij spijkerbroeken. In de laden lagen sokken en T-shirts op kleur gesorteerd. Daarbij vergeleken was de inhoud van de kast van zijn vrouw schamel te noemen. Wat broeken, truien, shirts, een enkele jurk.

De badkamer was zoals alle badkamers. Richards kamer liet ze ongemoeid. Mocht er werkelijk aanleiding toe zijn, dan zou hij grondiger worden geïnspecteerd dan waar zij toe in staat was. Twee andere kamers werden kennelijk niet of nauwelijks gebruikt. In de ene stond een tweepersoonsbed, in de andere een grote kledingkast met een tiental hangers aan een rail. Ze opende de laatste deur.

Ook deze kamer, de kamer van de jongen, maakte een bijna onbewoonde indruk. Niets van hetgeen een jongenskamer tot een jongenskamer maakt. Geen posters aan de muur, geen rondslingerende schoenen, geen sokken onder het bed. Ook geen boeken, geen tijdschriften, geen stereo-installatie. Alleen een rommelig bed, een kleine flatscreentelevisie, twee grote plastic kratten, het ene voor driekwart gevuld met lego, het andere met houten blokken. In de vensterbank lagen een paar grote schelpen. Ze deed de kast open en zag dezelfde orde als in de ouderlijke slaapkamer. Ordentelijke stapels kleren, smetteloos schoon en gestreken.

Zo'n klein bestaan, dacht ze, met zo weinig levensvreugde. Het huis leek op een klooster waaruit alle wereldse geneugten waren gebannen.

Op het blankhouten bureau stond een computer. Ernaast lag iets wat leek op een schetsblok. Ze sloeg het open en keek naar een volmaakt getekende dobbelsteen, minstens tienmaal de werkelijke grootte. Een potloodtekening, met fijn gearceerde schaduwen om de verdiepte stippen aan te geven, en vanuit vogelperspectief getekend.

Geïntrigeerd sloeg ze de bladzijden om. Een ei, een fles, een schelp die ze herkende als een van de schelpen in de vensterbank. Geen kleur, nergens kleur, alleen de koele, droge weergave van wat de jongen zag. Elke tekening vanuit hetzelfde perspectief, alsof hij zelfs in zijn tekeningen afstand had willen bewaren. Knappe, minutieuze weergaven van wat het oog waarneemt. Maar zonder leven, zonder spanning. Gevoelloos. Mensen tekende hij niet, noch dieren of planten. Ze bladerde verder. Voorwerp na voorwerp had de jongen uitgebeeld met een precisie als tekende hij een industrieel ontwerp. Ze had al bijna haar interesse verloren toen ze een van de laatste pagina's omsloeg.

Geen voorwerp ditmaal, maar mensen. Herkenbaar alsof ze waren gefotografeerd. Ze staarde ernaar, en daarna pakte ze haar telefoon.

'De jongen moet hebben gewild dat we dit vonden,' zei Vegter. 'We hebben hem onderschat. Zelfs zijn moeder heeft hem onderschat.'

Talsma had nog geen woord gezegd sinds Renée was binnengekomen met het schetsblok onder haar arm. Nu zei hij: 'Jezus, Vegter, hoe breien we dit recht?'

Vegter keek nog steeds naar de tekening. Richard Verkallen, uittorenend boven zijn vrouw, zijn gezicht vertrokken in onbeheerste woede, zijn handen rond haar hals, zijn das scheef, een pand van zijn jasje teruggeslagen. Zelfs de gedeeltelijk zichtbare binnenzak had de jongen niet vergeten, noch het streepjespatroon van de satijnen voering. Een momentopname, een bevroren ogenblik, allesbepalend voor de levens van drie mensen. Want de derde persoon was de jongen zelf.

In uiterste consequentie had hij zichzelf slechts schetsmatig getekend; niet meer dan de aanduiding van zijn hoofd met de kenmerkende krullen, zijn schouder en bovenarm. Alleen de onderarm en de hand waarmee hij het mes vasthield waren gedetailleerd weergegeven, tot en met de ribbels van de manchet van zijn trainingsjack en de streep op de mouw.

Een schildersoog als een lens, dacht Vegter. En terecht, mits je de strikte logica van de jongen volgde. Hij tekende uitsluitend wat hij waarnam, zonder enige eigen interpretatie. Hij bladerde terug, en zag zijn gedachtegang bevestigd. Ongetwijfeld was de jongen getroffen door de schoonheid van de voorwerpen die hij tekende, maar hij voegde niets toe in zijn weergave ervan. Hij registreerde, en wat hij registreerde was voor hem de werkelijkheid.

'Kijk eens naar de volgende,' zei Renée.

Vegter sloeg de bladzijde om. Opnieuw de hand met het mes, bladvullend ditmaal, maar vanuit exact dezelfde gezichtshoek getekend. Een jongenshand, onmiskenbaar, van de smalle, pezige pols tot de kortgeknipte nagels, waarvan de duimnagel een scheurtje vertoonde.

De hand hield het mes zodanig vast dat het lemmet niet vanaf de pink maar vanaf duim en wijsvinger zichtbaar was in wat een onderhandse greep kon worden genoemd, en Vegter herinnerde zich dat Heutink in het pathologisch rapport melding had gemaakt van een schuin omhoog gerichte steek. Hij overwoog dat de jongen in paniek het mes van het aanrecht moest hebben gegrist.

'Je blijft je verbazen,' zei Talsma. En toen cynisch: 'En je raakt nooit uitgeleerd.'

'Nee.' Vegter sloeg het schetsblok dicht. Er wachtte hem straks een onplezierig gesprek met de hoofdinspecteur, maar veel onplezieriger nog was het gesprek dat hij met zichzelf zou moeten voeren. Nu al zocht zijn geest naar uitvluchten – te veel overuren, te hoge werkdruk, persoonlijke omstandigheden, maar hij wist dat het lang zou duren voor de radeloosheid in de blik van Gemma van Son zou zijn verflauwd tot niet meer dan een herinnering. Hij had geen rouw gezien waar hij die had moeten herkennen. Er was geen enkel excuus. Er was alleen datgene wat hij altijd de anderen had voorgehouden: trap nooit in de val van kortzichtigheid, niets is een feit voor het bewezen is. Hoe lang geleden was het sinds hij zich zo schuldig had gevoeld? Gemakzucht, dacht hij, gemakzucht als gevolg van leeftijd, de jarenlange stapeling van zaken die steeds meer op elkaar schenen te lijken, veroorzaakt als ze waren door primaire emoties. Maar ook deze op zichzelf juiste gedachtegang was niet meer dan het ontkennen van zijn verantwoordelijkheid.

De vermoeidheid sloeg hem als een plank in het gezicht, en hij voelde zich oud en verbruikt. Nutteloos. Incompetent. Hij kon zelfs niet glimlachen bij de gedachte aan Stef, die eens had gezegd dat artsen meer slachtoffers maken dan misdadigers.

Talsma raakte vluchtig zijn schouder aan. 'De zon gaat altijd weer op.'

Vegter gaf geen antwoord, en Talsma liep naar het raam, deed het open en rolde een sigaret, gaf hem aan Renée en begon een nieuwe te draaien.

Ze wilde hem tussen haar lippen steken, maar Vegter strekte zijn hand uit. 'Geef mij hem.'

Zwijgend gaf ze hem vuur, en terwijl hij diep inhaleerde zag hij het vlammetje weerspiegeld in haar bezorgde ogen. Het was lang geleden sinds hij had gerookt, en de nicotine veroorzaakte een onmiddellijke duizeling, vergezeld van een tintelend gevoel in zijn wangen. De tabaksrook lag bitter op zijn tong, en nooit was die smaak passender geweest. Maar nooit ook had een simpele sigaret hem meer troost geboden, al symboliseerde hij veeleer de saamhorigheid, het gedeelde besef te hebben gefaald.

'En het wordt Kerstmis voor iedereen,' zei Talsma, alsof er niet een minutenlange stilte was geweest.

Vegter gooide zijn hoofd achterover en lachte daverend. Hij ging naast Talsma voor het raam staan. Renée voegde zich bij hen, en gedrieën keken ze naar de donkere straat, waar het winkelend publiek nog altijd niet verzadigd was.

'Gaan we straks samen naar het opperhoofd?' vroeg Talsma.

'Zeker niet,' zei Vegter. 'Breien doe je alleen.'

30

Renée had op hem gewacht, en hun voetstappen weergalmden in de stille gang toen ze op weg gingen naar de parkeerplaats. Vegter liep langzaam, en hij merkte dat Renée haar passen regelde naar de zijne en van opzij naar hem keek, maar ze zei niets, en hij was er dankbaar voor. Ook in de lift zwegen ze, en pas toen ze op de parkeerplaats naast zijn auto stonden en hij het portier voor haar openhield, vroeg ze: 'Hoe was het?'

'Ik heb mijn baan nog,' zei hij. 'Al weet ik niet of ik daar blij om moet zijn.'

Ze wilde instappen, maar bedacht zich. 'Ga naar je dochter. Dat is beter.'

'Hoezo?' vroeg hij verrast.

'Omdat je behoefte hebt aan de normale wereld. Aan blijdschap.' Ze lachte even. 'Wij zouden alleen maar praten en praten en te veel drinken en te laat naar bed gaan. Dat zullen we allemaal doen, maar niet vandaag. Daar zijn we te moe voor.'

Opeens leek het een aanlokkelijk vooruitzicht. 'Weet je het zeker?'

'Absoluut.' Ze kuste hem vluchtig. 'Voel je niet schuldig. Ik ga naar huis en naar bed.'

Hij stak zijn hand op toen ze langsreed, zag gerustgesteld hoe voorzichtig ze door de sneeuwbrij de straat in draaide en stapte zelf in.

Later, thuis, overwoog hij hoe verstandig haar voorstel was geweest. Thom had soep voor hem opgewarmd, dikke, kruidige bonensoep, en al roerend had hij rustig geluisterd naar zijn beknopte uitleg. Toen hij daarna toekeek hoe zijn kleinzoon werd verschoond en gevoed, had Vegter zich gevoeld als een dakloze die een tijdelijk onderkomen heeft gevonden.

Iets van die stemming bleef behouden terwijl hij zijn besneeuwde schoenen op de voordeurmat achterliet, zich een glas wijn inschonk en de gordijnen dichttrok. Hij bouwde een wigwammetje van spaanders in de kachel, hield er een lucifer bij en wachtte geduldig tot het vuur voldoende levenskracht had om grotere stukken hout te kunnen verteren. Intussen las hij de sms die René hem had gestuurd. 'Alles in orde?'

Hij dacht erover na. De wereld deugde niet en zou nooit deugen, maar voor het moment had hij daar vrede mee. 'Je had gelijk', berichtte hij terug, hurkte voor de kast met cd's en besloot tot Mahlers Vijfde. Meer dan twee jaar had hij geen Mahler kunnen verdragen, maar opeens wilde hij het onuitsprekelijk tedere adagietto horen, zich laten inkapselen door het ragfijne web dat de strijkers voor hem sponnen. Alleen het adagietto, niet de treurmars, noch de andere delen. Op dit moment zouden die vals pathos zijn.

Hij dronk van de wijn, klapte zijn laptop open en tikte een paar zoektermen in. Al lezend realiseerde hij zich hoe weinig hij wist van autisme en de verpletterende invloed ervan op het leven van Asli Verkallen, en luisterend naar de meest empathische muziek denkbaar zocht hij naar een synoniem voor het kille woord, maar vond het niet. Misschien deed je de jongen meer recht wanneer je hem zag als iemand met een ziel waaraan een scherfje ontbrak. Hij probeerde zich een voorstelling te maken van de gevoelsarmoede waarmee Asli was geconfronteerd, en vroeg zich af of de afwijking van haar zoon als pech moest worden beschouwd of als een geërfde aandoening. De Verkallens zouden zich daar geen moment mee hebben beziggehouden, wat dit denkbeeld zou kunnen onderbouwen.

Hij dacht aan het ogenblik dat hij zijn kleinzoon voor de eerste maal in zijn armen had gehad, de met niets te vergelijken geur van een pasgeborene rook, en had geweten dat dit het was wat overblijft – de instinctieve drang te beschermen wie bij je hoort en kwetsbaar is. De sterkste vorm van liefde.

Het had hem verwonderd, de verbondenheid die hij vanaf dat eerste moment voelde, en het had hem ontroerd. Wat een bijna vergeten herinnering was had hij teruggezien in de blik waarmee Ingrid naar haar zoon keek. Voortaan stond zijn dochter met hem op gelijke voet, en dat zou hun verstandhouding veranderen en een vorm van verwijdering betekenen. Het maakte dat hij zich armer wist. Nu begreep hij dat het tijd zou kosten daarin te berusten, maar dat in het verlies ook een verrijking besloten lag. Want nu ook was er Stefan.

Zijn gedachten gingen terug naar Asli Verkallen, en een regel van Shakespeare kwam boven. *'More sinned against than sinning.'* Zonder aarzelen was ze bereid geweest een schuld op zich te nemen die niet de hare was, daarmee haar zoon verdedigend op de enig mogelijke manier. De zoon die alleen maar nam en niets kon geven. Jarenlang moest ze hebben geloofd dat hij niet in staat was lief te hebben, maar op een gruwelijke wijze had hij bewezen dat ze zich daarin vergiste. Misschien had Asli Verkallen minder verloren dan ze dacht en bleef ook voor haar meer over dan ze had gehoopt.

Hij stond op, liep naar de schuur om een armvol hout te halen en genoot van de zuivere vrieskou die in zijn wangen beet. Donkere plekken schemerden in de weilanden, waar de sneeuw was weggedooid. Langs de sloot bogen de rietpluimen onder hun tijdelijke last en in een glasheldere hemel wees de Poolster hem het noorden.

Op de terugweg struikelde hij op de ongelijke grond en liet een paar stammetjes vallen.

Bij Warman ging de deur open. De kleine gestalte van de oude man tekende zich zwart af tegen het licht van de lamp achter hem. 'Ben jij dat, buurman?'

'Jazeker,' zei Vegter. 'Goed volk.'

Warman monkelde. 'We krijgen vorst.'

Je hoefde geen boer te zijn om dat te kunnen constateren. 'Zet het door?'

'Reken er maar op. Heb je aan je waterleiding gedacht?'

'De hele boel is geïsoleerd,' zei Vegter. 'Dat zou afdoende moeten zijn.'

'Stro,' zei Warman. 'Er gaat niks boven een pak stro eromheen. Gaat jarenlang mee. Beter dan die moderne rommel.'

Op het geluid van zijn stem ritselde in de stal het paard onrustig in zijn eigen stro. Ook hij was goed geïsoleerd, overwoog Vegter. 'Ik zal het onthouden.'

'Enfin,' besloot Warman. 'Als je in de problemen komt, klop je maar aan.'

Binnen legde Vegter een paar blokken hout op het vuur en vulde zijn glas opnieuw. Hij strekte zijn benen naar de oplaaiende vlammen en trachtte vergeefs de sentimentele gedachte te verdrijven dat warmte was wat alles in leven hield.